D1589752

Un enfant en péril

———————

Une cible dans la brume

CAROL ERICSON

Un enfant en péril

BLACK ROSE

HARLEQUIN

Collection : BLACK ROSE

Titre original : CATCH, RELEASE

Traduction française de LISA BELLONGUES

HARLEQUIN®
est une marque déposée par le Groupe Harlequin

BLACK ROSE®
est une marque déposée par Harlequin

HARLEQUIN
83-85, boulevard Vincent-Auriol, 75646 PARIS CEDEX 13.
Service Lectrices — Tél. : 01 45 82 47 47
www.harlequin.fr
ISBN 978-2-2803-3048-0 — ISSN 1950-2753

1

Par réflexe, Deb plissa un œil et remua l'index, prête à appuyer sur la détente. Sauf que, cette fois, elle n'avait pas d'arme sur elle.

Si elle en avait emporté une, ils l'auraient su. Ils trouvaient toujours le moyen de savoir. Or, ils avaient été clairs : si elle ne voulait pas qu'ils fassent de mal à Bobby, elle devait se rendre à Boston, seule, et sans arme.

Elle avait pris la menace au sérieux. Jusque-là, Nico Zendaris avait toujours été fidèle à sa parole, alors pourquoi ne l'aurait-elle pas cru ?

Elle promena vivement les yeux sur les visages qui surgissaient à l'angle de la rue couverte de givre. L'un de ces passants allait-il lui faire signe ?

Elle serra plus fort son téléphone dans la poche de son manteau.

Comment les ravisseurs comptaient-ils la contacter ? A quel genre de signal devait-elle s'attendre ?

Un homme la bouscula en marmonnant une excuse. Elle le suivit du regard : il s'éloignait sur le trottoir. Fortement charpenté, la démarche pesante, il portait une veste matelassée.

Etait-ce le signal attendu ?

Incertaine, elle lui emboîta le pas, mais, déjà, il avait disparu au coin de la rue. Elle s'arrêta net et se mordit la lèvre inférieure. Fallait-il le suivre ? Elle avait pour consigne de ne pas bouger jusqu'à nouvel ordre.

L'avait-on bousculée dans une intention précise ? Ou

l'homme n'était-il qu'un piéton maladroit pressé de se rendre à son prochain rendez-vous ?

Elle ne se fiait plus à son instinct depuis qu'elle n'avait pu éviter le rapt de Bobby. Elle aurait dû se méfier davantage. Se montrer plus vigilante.

D'un pas hésitant, elle revint se poster près du réverbère à l'angle de la rue. Si elle suivait à la lettre les instructions, on lui rendrait Bobby. Nico Zendaris le lui avait promis.

A cette idée, un flot de bile lui monta dans la gorge. Elle était trop avisée pour faire confiance à cet homme... Mais avait-elle le choix ?

Que faire sinon s'en remettre à lui ? Jusqu'au moment où il l'abattrait d'une balle dans la tête. Ou jusqu'à ce qu'*elle* le tue.

Son portable gazouilla. Elle avait pourtant activé le mode vibreur, non ?

Sa main se mit à trembler si fort qu'elle faillit lâcher le téléphone en le sortant de sa poche. Elle regarda sans comprendre l'écran noir de l'appareil.

Le gazouillis se répéta.

Elle tourna la tête de droite et de gauche. Les passants étaient nombreux, mais aucun ne s'était arrêté à côté d'elle pour décrocher son téléphone.

La sonnerie retentit de nouveau. Etouffant une exclamation de surprise, elle plongea la main dans l'autre poche de son manteau, et ses doigts entrèrent en contact avec un téléphone portable... qui ne lui appartenait pas.

Elle s'en saisit et, comme la sonnerie continuait d'insister, elle décrocha.

— Allô ?

— Bonjour, Deb. Pour un agent d'élite, vous avez été plutôt lente à comprendre que vous aviez un portable dans la poche !

La voix était suave et moqueuse : le sang de Deb se mit à bouillir dans ses veines.

— L'homme qui m'a bousculée est un de vos sbires, c'est ça ?

Un petit rire résonna à l'autre bout du fil.

— Très astucieux de votre part… Enfin, vous commencez à vous réveiller !

Son interlocuteur était-il Zendaris ? s'interrogea-t-elle. N'ayant jamais entendu la voix du malfrat, elle ne pouvait en être sûre. Un comble, puisque c'était elle et son équipe de l'agence Prospero qui avaient démantelé quatre ans plus tôt l'un des plus importants réseaux de trafic d'armes du truand.

— J'aurais dû régler son compte à ce type sur-le-champ ! gronda-t-elle.

— Voilà des mots bien durs dans la bouche de la seule femme de Prospero !

Il claqua la langue et ajouta :

— Mais vous ne feriez pas une chose pareille, n'est-ce pas, Deb ? Pas tant que nous avons Bobby…

Deb ravala un sanglot. Ces paroles étaient comme un coup de poignard dans le cœur, mais pas question de montrer le moindre signe de faiblesse devant cette crapule.

— Laissez-moi lui parler, dit-elle. Je n'exécuterai pas un seul de vos ordres avant d'être certaine qu'il va bien.

— Allons, allons, Deb… Il n'est pas avec moi, sans quoi je vous l'aurais passé avec plaisir. Rassurez-vous, il est en bonne santé et traité avec égards. Nous vous donnerons la preuve qu'il est vivant le moment venu.

A ces mots — « la preuve qu'il est vivant » — elle crut vaciller et dut s'adosser au réverbère.

Ce misérable avait intérêt à la lui fournir, songea-t-elle, ou bien elle lui ferait regretter d'être né.

— Quand ? J'exige une garantie tout de suite.

— Vous avez ma parole, Deb. C'est tout ce que je peux vous offrir pour l'instant — avec le portable dont vous êtes en train de vous servir.

Ne pouvant supporter plus longtemps cette voix sirupeuse, elle faillit jeter l'appareil sous les roues d'une voiture. Mais c'était l'unique lien qui la rattachait à Bobby.

Elle colla un peu plus l'écouteur contre son oreille.

— Pourquoi m'avoir donné ce portable ?

— C'est par ce biais que nous communiquerons avec vous. C'est un téléphone très spécial, sécurisé et impossible à localiser. Gardez-le sur vous en permanence.

— A quoi rime tout ça, Zendaris ? S'il s'agit bien de vous.

Malgré le froid, la sueur perlait à la racine de ses cheveux. Elle s'essuya le front.

— Que voulez-vous de moi ?

— Vous, les Américains, vous êtes tellement impatients ! Contentez-vous de garder le téléphone à portée de main, Deb, et d'attendre les prochaines instructions.

— Pourquoi attendre ? Dites-moi tout de suite ce que je dois faire, et finissons-en !

Sa voix avait pris sur les derniers mots un accent plaintif, désespéré. Elle s'en voulut mais, heureusement, Zendaris avait déjà raccroché : seul le silence lui répondit.

Elle examina alors l'appareil et pressa plusieurs touches. Il n'y avait pas de liste de contacts, pas de trace du coup de fil qu'elle venait de recevoir, et apparemment elle ne pouvait pas passer d'appels. Quelles autres particularités pouvait avoir ce portable ? Une balise GPS destinée à la localiser ? Une caméra ? Peut-être étaient-ils en train de la surveiller à l'instant même…

Fermant les yeux, elle appuya le front contre le métal froid du réverbère et laissa tomber l'appareil au fond de sa poche. Que cherchait donc Zendaris ? Qu'attendait-il d'elle ?

Elle avala péniblement sa salive. Autant regarder la réalité en face. Il voulait récupérer les plans de l'antidrone, dont il avait été le premier à s'emparer. Ils lui avaient été subtilisés par le coéquipier de Deb, Cade Stark — un autre agent de la Prospero — qui, à son tour, se les était fait voler.

La Prospero ignorait où se trouvaient désormais ces plans, mais Zendaris devait penser que Deb savait quelque chose — ou bien qu'elle lui serait utile pour les récupérer.

Le téléphone sonna de nouveau.

Elle n'avait pas eu longtemps à attendre. On allait peut-être enfin passer aux choses sérieuses.

— Allô ?

Une voix différente lui répondit. Celle-là était plus rauque, plus bourrue.

— Tournez-vous, vous verrez une rue sur votre droite. Prenez-la.

Elle pivota vivement sur elle-même dans la direction indiquée.

— Celle où a disparu l'homme qui a glissé le téléphone dans ma poche ?

— Faites ce que je vous dis.

Le téléphone collé à l'oreille, elle gagna le coin de la rue et obliqua.

— Et maintenant ?

— Passez les deux blocs suivants et prenez l'allée à droite, juste après l'auvent vert.

Une boutique de fleuriste était en effet surmontée d'un auvent vert. Aussi, Deb se remit en marche. Son interlocuteur ne parlait pas, mais sa respiration était bruyante, et Deb avait d'autant plus envie de se dépêcher.

Allait-on lui fournir la preuve que Bobby se portait bien ? Peut-être était-il là, dans cette allée ! A cette pensée, elle accéléra le pas.

Parvenue au coin du bâtiment qui abritait la boutique du fleuriste, elle prit appui contre le mur et parcourut la ruelle des yeux. Il n'y avait rien d'autre que deux bennes à ordures.

Aucune trace de Bobby.

Ses épaules s'affaissèrent.

— Je suis dans l'allée, déclara-t-elle.

— Allez jusqu'à la deuxième benne. Vous y trouverez un sac noir.

Le ventre serré par l'angoisse, elle s'avança à pas lents sur la chaussée, contournant les plaques de verglas que le soleil hivernal n'avait pas réussi à faire fondre. Elle n'avait pas envie de découvrir ce qu'il y avait dans cette benne, ou dans ce sac.

Une peur intense la tenaillait. Pourtant, elle était un agent d'élite surentraîné et habitué à se rire du danger — même si, jusque-là, elle ne s'était pas tellement comportée comme tel.

Lèvres crispées, elle souleva du plat de la main le couvercle du second container vert. Un fourre-tout en toile noire y était posé sur un tas d'ordures et de débris de tiges, feuilles et fleurs provenant de chez le fleuriste. L'odeur nauséabonde de matière organique en décomposition lui souleva le cœur.

Retenant sa respiration, elle cala un pied sur l'une des roulettes de la benne, se haussa sur le rebord de la paroi, plongea le bras à l'intérieur, saisit les poignées du sac et tira. Il ne bougea pas d'un pouce.

— Je suis obligée de poser le téléphone.

L'homme poussa un grognement en guise de réponse. Elle glissa l'appareil dans sa poche, puis, se penchant plus profondément à l'intérieur, attrapa le sac à deux mains et le hissa hors de la benne.

Elle laissa tomber par terre sa lourde prise, s'accroupit et plongea la main dans sa poche pour reprendre le téléphone.

— J'ai le sac. Dois-je l'ouvrir ?

— A votre avis ? Evidemment !

Au moindre faux mouvement de sa part, ils feraient du mal à Bobby, pensa-t-elle. Ses mains tremblaient tellement qu'elle dut s'y reprendre à deux fois pour faire coulisser la fermeture Eclair.

Finalement, en découvrant ce que contenait le sac, elle eut un mouvement de recul.

— Que suis-je censée faire de tout ça ?

— Dévaliser une bijouterie.

L'idée était si incongrue que Deb fut prise de fou rire et tomba à la renverse.

— De quoi parlez-vous ?

— Vous allez dévaliser une bijouterie à quelques blocs d'ici.

— Vous avez perdu l'esprit ? C'est ça que Zendaris attend de moi ? Que je vole des bijoux ?

Au lieu de répondre, l'homme se mit à lui dicter les instructions pour réaliser le braquage. Régulièrement, il s'interrompait pour s'assurer qu'elle avait bien compris. Au début, elle lui fit répéter les consignes, puis, peu à peu, le brouillard se dissipa dans son esprit.

Zendaris était sérieux. Il voulait qu'elle braque un magasin. Et si elle n'obéissait pas, le prix à payer serait terrible. Mais s'en tiendrait-il là ? Ou lui demanderait-il autre chose ?

Elle serait peut-être tuée pendant le hold-up, ou arrêtée. Dans ce cas, jamais elle n'avouerait à la police la raison de son geste, décida-t-elle. Cela reviendrait à signer l'arrêt de mort de Bobby.

— Vous avez tout compris ?

— Oui.

— N'échouez pas.

— Je n'en ai pas l'intention.

Elle vida le contenu de son propre sac à main dans le cabas de luxe trouvé dans le fourre-tout noir, coiffa la perruque blonde et se plaqua l'énorme paire de lunettes de soleil sur le nez.

Puis, toujours assise par terre et adossée à la benne, elle ôta ses mocassins et enfila les escarpins à talons hauts. Zendaris lui avait ordonné de mettre un tailleur. L'idée des talons aiguilles avait dû lui venir après coup. Ils auraient mieux convenu à une prostituée, mais ils avaient l'avantage de compléter son déguisement.

Etudiant son reflet dans le miroir que Zendaris avait eu l'obligeance de lui fournir, elle repoussa ses mèches sombres sous la perruque, puis appliqua un rouge à lèvres écarlate.

Ensuite, elle fourra le .45 chargé dans le sac. Elle n'avait pas l'intention de tirer sur quiconque, sauf si Zendaris lui-même faisait irruption dans la bijouterie.

Elle se releva et jeta dans la benne le fourre-tout noir et

son sac à main vide. Elle avait mis ses chaussures et tous ses effets dans le cabas de luxe.

Elle resserra la ceinture de son manteau de laine, se mit en marche et émergea de la ruelle, complètement métamorphosée.

Peut-être que, comme le prétendait la chanson, les blondes avaient réellement une vie plus amusante, songea-t-elle. Comme elle avançait sur le trottoir, en équilibre précaire sur ses talons hauts, quelques hommes lui jetèrent un regard appréciateur.

Elle passa une première fois devant la bijouterie, attendit que l'unique client présent soit parti, puis s'approcha de l'entrée et appuya sur la sonnette. Son apparence dut faire bon effet, car la porte s'ouvrit avec un déclic. Le cœur tambourinant dans sa poitrine, elle poussa le battant et pénétra dans le magasin.

A l'intérieur, deux vendeurs étaient présents. Elle plaqua un sourire sur son visage et demanda en imitant l'accent du sud :

— Auriez-vous des bracelets en diamant ?

L'un des employés — il devait être joaillier, car il tenait à la main un petit outil pointu — leva les yeux de son établi et fixa sur elle un œil démesurément grossi par la loupe qui lui ceignait le front. Elle craignit un instant d'avoir été percée à jour à travers son déguisement.

Mais le joaillier se replongea dans son travail, et la vendeuse, traversant la pièce, se dirigea vers un casier tendu de velours.

— Nous avons de magnifiques bracelets ici.

— Parfait !

Tandis que la vendeuse se penchait sur la vitrine pour l'ouvrir, Deb revint sur ses pas, verrouilla la porte d'entrée et tira d'un coup sec sur le cordon du store.

Puis, tout aussi rapidement, elle sortit le revolver de son sac.

— Pardon, mais que faites-vous ?

Le bruit avait attiré l'attention du bijoutier, qui la dévisageait de son œil hideusement surdimensionné.

Deb braqua son arme vers lui.

— Désolée, monsieur, lança-t-elle avec le même accent du sud, je vais vous demander de vous écarter du comptoir.

Comme il dissimulait sa main derrière le meuble, elle pointa le canon sur sa tête.

— Ne faites pas ça, ordonna-t-elle.

La vendeuse se tenait immobile, bouche bée, un plateau garni de bracelets entre les mains.

— Commencez par me donner ceci, lui dit Deb.

Pendant que le bijoutier, les mains derrière la tête, s'agenouillait au milieu de la pièce, l'employée se mit à courir un peu partout dans le magasin, déversant dans le cabas le contenu des casiers que Deb lui indiquait.

A plusieurs reprises, Deb prononça des paroles d'excuse, mais cela ne les empêcherait certainement pas d'être traumatisés, elle le savait. Si elle en avait la possibilité, elle tâcherait de se faire pardonner d'eux un jour.

Zendaris ne lui avait pas précisé quelle quantité de marchandise elle devait voler, aussi fit-elle signe à la femme de s'arrêter quand le sac fut rempli et les casiers, à moitié vides.

— Ça suffit. Allez tous les deux dans l'arrière-boutique. Je ne vous ferai pas de mal.

Elle les poussa vers la pièce du fond, dont elle connaissait l'existence grâce aux repérages de Zendaris. Après leur avoir confisqué leurs portables, elle arracha la prise du téléphone fixe et l'écrasa sous son pied.

— Je vais vous enfermer là-dedans, mais vous pourrez sortir dans peu de temps.

Elle claqua la porte derrière eux et la bloqua à l'aide d'une chaise coincée sous la poignée. Cela devrait lui laisser le temps de quitter les lieux. Si elle y parvenait.

Elle remit ses lunettes de soleil, puis elle suspendit à son épaule le sac contenant le butin et se glissa hors du magasin. La porte se referma derrière elle.

Serrant dans sa main la clé électronique trouvée dans le fourre-tout de Zendaris, elle gagna le coin de la rue. Le bruit de ses talons résonnait sur le trottoir.

Une petite voiture bleue était garée à quelques mètres de là. Deb poussa aussitôt un soupir de soulagement.

A l'aide de la télécommande, elle déverrouilla les portières, puis se glissa à l'intérieur, le cœur battant à grands coups irréguliers. Elle ajusta le rétroviseur et repoussa les mèches blondes qui collaient à son front moite de sueur, puis elle démarra.

Tout se passait bien. Inutile de se presser. La police n'était pas à ses trousses, aucune sirène ne hurlait dans le lointain.

Qu'était-elle censée faire des bijoux ? Zendaris n'en avait pas besoin. Il n'en voulait même pas, avait-elle compris. Ce qu'il désirait, c'était une totale obéissance de sa part. Et il pouvait compter dessus. Tant que la vie de Bobby serait entre ses mains, il pourrait être sûr de son dévouement.

En revanche, dès qu'elle serait sortie de ce pétrin, elle le lui ferait payer. A moins, bien sûr, qu'elle ne soit déjà morte ou en prison.

Elle suivit les instructions à la lettre : elle traversa le pont qui relie Boston à Cambridge et se gara dans le parking de l'hôtel qu'on lui avait indiqué. Elle n'avait pas repéré de policiers dans son sillage, seulement deux véhicules louches, qu'elle avait semés. Il s'agissait peut-être d'hommes de main de Zendaris qui tenaient à s'assurer qu'elle se rendait bien là où elle le devait.

Elle abaissa le rétroviseur et fit bouffer sa perruque blonde. Puis elle essuya le rouge à lèvres à l'aide d'un mouchoir en papier. Cette couleur ne lui allait pas.

S'enregistrer à la réception fut un jeu d'enfant, grâce à la fausse pièce d'identité et à l'argent liquide que lui avait procurés Zendaris.

Elle chargea le sac bourré de bijoux sur son épaule et alla tout droit vers l'ascenseur. Une fois dans la cabine, elle s'adossa avec lassitude contre la paroi et ferma les paupières.

Qu'avait-il prévu de lui faire faire ensuite ? Quelque chose d'aussi épouvantable ?

Une légère secousse lui annonça qu'elle était parvenue à son étage. Elle franchit les portes coulissantes et se mit en quête de sa chambre. Dans le couloir, elle croisa un couple qui se dirigeait vers l'ascenseur en se disputant. Une employée de ménage émergea de l'une des chambres.

Après un tournant apparut le numéro de sa porte. Deb passa la carte-clé magnétique dans le lecteur. Une petite lumière rouge clignota. Elle fit une nouvelle tentative, saisit la poignée et poussa de la hanche le lourd battant. Un bruit de pas la fit alors se retourner. Trop tard… La pointe dure d'un revolver la poussait déjà dans le bas du dos, et une voix rauque lui souffla à l'oreille :

— Avance… Je te laisserai peut-être la vie sauve !

2

Deb entra dans la chambre d'un pas raide, ses longs cheveux blonds se balançant dans son dos.

Elle était plus jolie en rousse, pensa Beau.

— Pose ton sac et ton manteau, et va te placer contre le mur, près du lit, lui ordonna-t-il.

Elle fit volte-face, ses grands yeux verts lançant des éclairs.

— Toi !

— Fais ce que je te dis, Deb. Contre le mur. Et pas d'entourloupe, ou je te fais manger la moquette !

Elle laissa tomber manteau et bagage sur le sol. Deux taches rouges apparurent sur ses joues, et elle serra les poings, mais elle recula vers le fond de la pièce, en trébuchant sur ses talons ridiculement hauts. Qui donc dévalisait une bijouterie en talons aiguilles ?

Elle s'aplatit contre le mur et ramena ses mains derrière son dos.

— Que fais-tu ici ? questionna-t-elle.

Beau leva sa main libre.

— Jambes écartées et bras le long du corps !

Les narines de Deb frémirent. Il en sortait quasiment des flammes, s'amusa-t-il. Mais elle s'exécuta.

— Je ne suis pas armée.

— Ce serait bien la première fois !

— Le revolver est dans ce cabas, là, sur le sol.

Il haussa les sourcils.

— Au moins, tu es honnête !

Il recula d'un pas et, d'un coup de pied, poussa le sac dans la salle de bains ouverte.

Puis, tout en continuant à la tenir en joue, il tendit le bras vers elle et promena sa main sur toute la longueur de son corps, d'un côté puis de l'autre. D'un geste rapide, il palpa le contour de ses seins, puis glissa la main sous sa jupe tailleur.

Cela avait été bien plus agréable la fois précédente, se dit-il.

D'un coup sec, il tira de sa poche arrière une attache en plastique et, du bout du doigt, dessina une pirouette dans les airs.

— Demi-tour. Mains derrière le dos.

Elle obéit. Il lui saisit les poignets de sa main libre, s'obligeant à détourner le regard de son joli derrière arrondi.

Il avait omis d'avertir la Prospero qu'il avait déjà rencontré Deb, parce que, cette fois, il ne laisserait pas les choses devenir personnelles entre elle et lui. Il se montrait professionnel en toute occasion — du moins, c'était le cas jusqu'au soir où il avait fait sa connaissance.

Une fois sa prise assurée, il posa son arme sur la table de nuit et lui lia les poignets avec l'attache en plastique. Puis il reprit le revolver et la poussa vers le lit, jusqu'à ce que l'arrière de ses genoux touche le matelas.

— Assieds-toi.

Comme elle se laissait choir sur le lit, sa jupe remonta jusqu'à mi-cuisses. Aussitôt, il la rabattit d'un coup sec.

Reste professionnel, s'enjoignit-il.

Puis il coinça son arme entre ses reins et la ceinture de son pantalon.

— Maintenant, parle ! Pourquoi es-tu en contact avec Zendaris ? Et pour quelle raison viens-tu de dévaliser cette bijouterie ? Je suppose que ces deux faits sont liés entre eux.

Les lèvres généreuses de la jeune femme formèrent un pli obstiné.

— Ainsi, la Prospero a lancé Loki à mes trousses ? rétorqua-t-elle.

Il ne put s'empêcher de tressaillir : Deb connaissait son nom de code ?

Pourtant, il ne lui avait jamais révélé sa véritable identité, même après la nuit passionnée qu'ils avaient passée ensemble.

— La Prospero fait toujours appel aux meilleurs, biaisa-t-il.

Il se pencha en avant, les mains en appui sur les genoux.

— Qu'est-ce qui te prend, Deb ? Comment Zendaris a-t-il pu te convaincre, toi, de changer de camp ?

Elle se rejeta en arrière sur le lit, ce qui eut pour effet de tendre l'étoffe soyeuse de son chemisier sur ses seins. Sa mâchoire se crispa, et ses yeux verts — des yeux de chat — s'étrécirent. Ils avaient fasciné Beau dès l'instant où il l'avait rencontrée, lors de cette conférence au sommet, à Zurich.

Il s'éclaircit la gorge.

— N'espère pas que je te remette à la police de Boston pour simple vol à main armée. Je travaille pour la Prospero. Et tu connais le sort que l'agence réserve aux traîtres, n'est-ce pas ?

Elle déglutit visiblement.

— Ils ne feraient pas ça… Jack ne…

D'un geste de la main, il lui coupa la parole puis se redressa de toute sa hauteur.

— Jack Coburn ne reculera devant rien pour protéger les intérêts et la sécurité de la nation.

Avec un petit reniflement, elle détourna la tête et enfouit son visage au creux de son épaule.

Etait-ce possible qu'il ait arraché des larmes à Deb Sinclair ? s'étonna-t-il. Ce devait être un événement inédit ! Une nuit, elle avait gémi entre ses bras, mais personne n'avait jamais fait pleurer la seule et unique femme de l'agence.

Bien sûr, il pouvait s'agir d'une ruse.

Il empoigna les mèches soyeuses de la perruque blonde et tira dessus d'un coup sec. Les cheveux auburn de la jeune femme tombèrent en cascade sur ses épaules, capturant la lumière du soleil.

— Pourquoi as-tu accepté la mission ? interrogea-t-elle.

Quelques mèches étaient restées accrochées à ses lèvres. Elle souffla dessus pour les déloger.

— Combien te payent-ils ? Je suis prête à te donner la moitié du butin.

Beau tendit la main vers elle, mais elle eut un brusque mouvement de recul et ferma les yeux. Croyait-elle vraiment qu'il pourrait la frapper ? s'étonna-t-il.

Il repoussa les cheveux qui lui tombaient sur le visage. Sa paume entra en contact avec sa joue, douce comme du satin. Avec un sursaut, il retira sa main avant que son geste ne se transforme en caresse.

Comment diable avait-il pu croire qu'il réussirait à garder ses distances ? Cette fameuse nuit passée avec Deb avait chamboulé sa vie. Elle était gravée dans sa mémoire.

— N'aggrave pas ton cas, Deb. C'est à cause de l'argent ? Je sais que tu n'as pas grandi dans l'opulence. Même ça, Jack pourrait peut-être le comprendre. Passe aux aveux, révèle-leur ce que tu sais sur Zendaris.

Un léger sourire joua sur les lèvres de Deb.

— Tu ne leur as pas dit, n'est-ce pas ?

A ces mots, une vive chaleur le traversa.

— Il ne s'agit pas de moi, répliqua-t-il en croisant les bras. C'est toi qui as un sac plein de bijoux volés.

Elle rejeta la tête en arrière, les épaules secouées par un accès de fou rire. Elle se laissa tomber sur le matelas et, face tournée vers le plafond, des larmes ruisselant jusque dans ses oreilles, elle laissa libre cours à son hilarité.

Enfin calmée, elle se releva. De fins sillons noirs maculaient ses joues.

— Tu n'as jamais informé l'agence que tu avais couché avec la proie, hein ?

— Ce n'est pas le sujet.

Il serra les dents : c'était évidemment faux.

— *Pas le sujet…*, répéta-t-elle d'un ton ironique.

Puis elle fronça le nez et renifla.

— Je suis certaine que Jack n'aurait pas embauché le grand Loki s'il avait su que son tueur à gages couchait avec la cible !

— C'était il y a longtemps et, de toute façon, j'ai accepté la mission avant de savoir que tu étais le gibier.

— Mais après avoir découvert que c'était moi le… gibier, tu aurais dû leur dire la vérité. Tu ne crois pas, Loki ?

Elle cligna des paupières et le considéra, le sourcil levé.

— Cette fouille au corps, il y a quelques instants… Je parie que tu y as pris plaisir. Cela t'a rappelé de bons souvenirs ?

Ses yeux émeraude se posèrent au-dessous de sa ceinture.

— Cela t'a excité ?

Il lui tourna le dos. Son sang courait comme de la lave en fusion dans ses veines.

Il attrapa le sac par la poignée et en vida le contenu sur la moquette, aux pieds de Deb.

Le .45 tomba par terre avec un bruit sourd. Pas le genre d'arme qu'elle utilisait d'habitude. Si sa mémoire était bonne, elle préférait les Glock.

Dégringolèrent ensuite, pêle-mêle, une paire de chaussures, des lunettes noires et un amas de bijoux enchevêtrés.

Pourquoi aurait-elle voulu ces breloques ? se demanda-t-il. Certes, elle avait eu une enfance difficile. Ces richesses comblaient peut-être chez elle un besoin profond.

Mais, même dans ce cas, quel rapport avec Zendaris ?

Se pouvait-il que Jack se soit trompé ? Les preuves d'un lien entre Deb et Zendaris étaient on ne peut plus minces. Jack se fondait, entre autres, sur le fait que la jeune femme s'était faite discrète ces derniers temps.

Ce comportement pouvait très bien n'être que le symptôme d'un état dépressif, non une trahison envers la Prospero.

Il fit couler les bijoux entre ses doigts.

— Pourquoi as-tu volé ces choses, Deb ?

Elle haussa les épaules, ce qui fit sauter le bouton du haut de son chemisier.

— J'en avais envie.

— Pourquoi es-tu en contact avec Zendaris ?

Je t'en prie, dis-moi que c'est faux, supplia-t-il en son for intérieur.

Avec un bâillement, elle se laissa retomber sur le dos.

Lâchant les bijoux, il bondit sur le lit et s'assit à califourchon sur elle, une main en appui de chaque côté de sa tête.

— Parle-moi.

Elle baissa la frange sombre de ses cils. Même sans mascara — il avait coulé avec ses larmes — ils étaient longs et fournis.

— Je ne te dirai rien.

Il poussa un soupir d'exaspération qui fit voleter les petites mèches folles sur le front de la jeune femme.

— Je te ramène, Deb.

Elle se raidit et rouvrit brusquement les yeux.

— A… à la Prospero ?

— Tu es leur créature. Ils sauront s'occuper de toi.

Sa lèvre trembla un quart de seconde, puis elle le défia.

— Je leur raconterai tout, Loki. Je leur révélerai de quelle façon tu m'as séduite ce soir-là, alors que tu étais censé protéger la femme de l'émir.

— Oh ! Et toi qui m'avais promis de rester discrète sur notre vie privée !

— Je ne plaisante pas. Je leur dirai que nous avons fait l'amour toute la nuit. Que j'ai fouillé dans tes affaires pendant que tu étais allongé sur le lit, épuisé et nu comme un ver. Tu as mis en péril ta mission, ainsi que la vie des gens que tu devais protéger.

Et pour une autre nuit avec toi, je recommencerais, songea-t-il.

Il sonda ses yeux brillants de larmes contenues.

— C'est ta parole contre la mienne, Deb.

— Je… Je détruirai ta réputation. Je te briserai.

Ces mots implacables furent prononcés d'une voix chevrotante qui se brisa sur la dernière syllabe.

— Peut-être que ça m'est égal, dit-il. Peut-être que, de toute façon, le moment est venu pour Loki de disparaître.

Comme elle se tortillait sous lui et tentait de lui décocher un coup de genou bien placé, il se laissa tomber de tout son long sur elle, lui arrachant un soupir étranglé.

Les lignes de son corps épousaient le sien, la courbe moelleuse de ses seins se pressait contre son torse. Son parfum suave lui montait à la tête.

Encore et toujours, il avait envie d'elle. Envie d'embrasser ses lèvres perfides, de prendre sa langue menteuse, redécouvrir ses formes traîtresses.

Plus elle se débattait, plus il la désirait.

Il roula sur le côté et se leva. Debout près du lit, il la dominait de toute sa taille.

— Assieds-toi.

— C'est ce que j'essayais de faire avant que tu ne me cloues au matelas.

— Tu voulais me donner un coup de genou dans le bas-ventre.

— Une femme se défend comme elle le peut.

Elle se redressa avec effort et reprit :

— Je te conseille de bien réfléchir avant de me livrer à la Prospero, Loki. Je veillerai à t'entraîner dans ma chute.

— Ce que j'ai fait est une plaisanterie à côté de tes crimes.

Il agrandit l'espace entre elle et lui. Son parfum le rendait fou.

— D'ailleurs, ajouta-t-il, ta réputation sera tellement ternie qu'il me suffira de prétendre que tu m'as séduit et drogué. Après tout, pourquoi pas ? Si tu veux la guerre, tu vas l'avoir, trésor.

— Je ne veux pas la guerre.

Elle battit des paupières comme une coquette de bas étage. Si elle espérait le charmer de cette façon, c'était raté. La Deb Sinclair qu'il connaissait ne minaudait pas comme une étudiante. La Deb Sinclair qu'il connaissait savait séduire comme une vraie femme : audacieuse, provocante, sexy en diable.

— Laisse-moi partir, Loki. Ce n'est pas le vol de quelques bijoux qui va compromettre la sécurité nationale. Et puis, en quoi cette affaire peut t'intéresser ? Tu as toujours choisi les missions les plus lucratives et les plus périlleuses.

— Je pense que cette réputation est largement exagérée. J'y ai sans doute contribué, d'ailleurs. Quoi qu'il en soit, la Prospero m'a engagé pour accomplir cette mission, et je vais m'en acquitter. D'autant que c'est de Jack Coburn que l'on parle. Personne ne trahit Jack Coburn, tu ne vas pas tarder à t'en apercevoir.

— Tu n'es pas obligé de le mettre au courant. Dis-lui que je t'ai filé entre les doigts, ou même que tu ne m'as pas trouvée. Je suis un agent de la Prospero. Cela ne devrait pas être trop difficile à croire.

— Tu oublies que mon nom est Loki. Jack aura du mal à croire que je n'ai pas réussi à débusquer le gibier.

— Merci pour cette flatteuse comparaison.

Elle ferma les yeux et poussa un soupir.

— S'il te plaît. Je t'en supplie. Ce… Ce n'est pas ce que tu crois. La vie de quelqu'un en dépend. Ça a l'air d'une trahison, mais ça n'en est pas une.

Il la contempla, les yeux plissés. Voilà qu'elle changeait de tactique, se dit-il en grattant sa barbe naissante.

— Tu crains pour ta vie ? Zendaris a plus d'une fois proféré des menaces de mort contre les membres de ton équipe, et il n'a jamais pu les mettre à exécution.

— Il ne s'agit pas de ma vie. C'est bien pire que cela.

Il réfléchit un instant. Deb et lui n'avaient pas seulement ressenti une profonde affinité physique cette nuit-là, trois ans plus tôt. Lorsqu'ils n'avaient pas été occupés à se toucher et à s'explorer mutuellement, ils avaient parlé.

Elle lui avait confié que sa seule famille était un vieil homme qui l'avait recueillie chez lui alors qu'elle était une adolescente rebelle. Etait-ce lui que Zendaris menaçait de tuer ?

— Il s'agit de ton père adoptif ? demanda-t-il à voix haute.

— Robert est mort l'année dernière.

Une larme roula sur la joue de Deb, et le cœur de Beau chavira.

Jouait-elle la comédie ? Il crispa la mâchoire et enfouit ses mains dans ses poches.

— Navré de l'apprendre. Mais si ce n'est pas Robert, alors de qui s'agit-il ? Tu m'as dit que tu n'avais pas de famille en dehors de lui.

Elle releva la tête d'un geste brusque.

— Tu te souviens de ça ?

Il se rappelait chaque détail de cette nuit-là : la touche musquée de son parfum, les courbes si douces de son corps, son rire un peu rauque et la saveur de sa peau. Quelquefois, le soir, il en savourait encore le goût sur sa langue.

Il redressa les épaules.

— Oui, je m'en souviens, alors n'essaie pas de m'attendrir avec des histoires à faire pleurer dans les chaumières.

— Ce ne sont pas des histoires, Loki. Zendaris détient quelqu'un que j'aime plus que ma vie.

Beau tressaillit : c'était comme un coup au cœur. Un homme… Deb s'était mariée. Et pourquoi ne l'aurait-elle pas fait ? Leur liaison remontait à presque trois ans et n'avait duré que l'espace d'une nuit. Pourquoi aurait-elle eu la moindre signification à ses yeux ?

Il fit un signe affirmatif.

— Tu es mariée.

— Non.

Elle secoua la tête avec tant de véhémence que ses cheveux dansèrent sur ses épaules.

— C'est de mon fils que je parle. Zendaris a enlevé mon fils, Bobby. Et si je ne fais pas exactement ce qu'il me dit de faire, il le tuera.

3

C'était encore pire qu'un mari, songea Beau. Les maris pouvaient toujours disparaître du paysage, mais les enfants, eux, étaient là pour toujours.

Leur brève liaison avait eu encore moins d'importance aux yeux de Deb qu'il ne l'avait cru. Elle avait dû se précipiter dans les bras d'un autre sitôt après l'avoir quitté.

Ou alors elle venait d'inventer cette histoire. Quelle meilleure façon de déjouer les soupçons que de jouer la carte du petit garçon ?

Il éclata d'un rire bref.

— Tu es douée, Deb, je dois te l'accorder. Une vraie pro !

— Je ne m'attendais pas à ce que tu me croies sur-le-champ. Peux-tu me détacher ?

Pour se donner une contenance, il gagna le minibar, saisit une bouteille d'eau dans le réfrigérateur et en vida la moitié en quelques gorgées. Deb ne devait pas voir qu'elle avait réussi à le déstabiliser un instant.

— Te détacher ? reprit-il. Pour que tu te rues sur ton revolver ? Que tu m'arraches le visage avec tes ongles ? Que tu quittes la ville ?

Elle esquissa un sourire en coin.

— Tu t'appelles Loki. Je n'irai nulle part, tu le sais aussi bien que moi.

— Je suis insensible à la flatterie.

— Depuis quand ?

D'un mouvement du menton, elle désigna le contenu du sac éparpillé sur le sol.

— Prends mon portefeuille. Il y a une photo de mon fils à l'intérieur.

« Mon fils ». Si seulement elle pouvait cesser de répéter ça ! Cela paraissait tellement… définitif.

Il reposa brutalement la bouteille sur le bureau, se baissa pour ramasser le portefeuille et l'ouvrit.

Dans une pochette plastifiée, une Deb adolescente souriait. Penchée au-dessus d'un fauteuil, elle entourait de ses bras les épaules d'un Afro-Américain grisonnant — Robert, l'homme qui l'avait recueillie chez lui après qu'elle s'était enfuie de sa famille d'accueil.

Beau passa au cliché suivant et se figea.

Un bambin aux boucles blondes et au large sourire se cramponnait fermement au guidon de son tricycle rouge. Il ne ressemblait même pas à Deb.

Beau tapa de l'ongle sur l'instantané.

— Ça ne prouve rien.

— Pourquoi aurais-je la photo d'un petit garçon sur moi ? Tu sais que je n'ai pas de famille.

— Ça ne constitue pas une preuve non plus. Certains portefeuilles sont vendus avec des portraits d'inconnus à l'intérieur. Est-ce le tien, d'ailleurs ?

— Jette un coup d'œil à la photo suivante.

Il s'exécuta. Le cliché représentait Deb vêtue d'une blouse d'hôpital, un bébé dans les bras. Elle avait l'air… heureuse, songea Beau avec émotion.

— Félicitations. Navré d'avoir douté de ta parole. Il semblerait que tu aies bien un enfant, mais ça ne prouve pas que Zendaris l'a enlevé.

— Bien, au moins, tu admets que je suis sa mère. Zendaris l'a enlevé. Je te dis la vérité, Loki.

Il laissa tomber le portefeuille sur le lit à côté d'elle.

— Cesse de m'appeler comme ça.

— Mais je ne connais pas ton vrai nom ! Tu ne me l'as jamais dit.

Elle renifla, et ses cils se mouillèrent de larmes.

Voilà qu'elle recommençait à essayer de l'embobiner, pensa-t-il. Comment osait-elle jouer les victimes alors qu'elle s'était empressée de mettre un autre homme dans son lit après lui ? Bon sang, elle avait peut-être même déjà quelqu'un dans sa vie quand ils avaient couché ensemble !

Si elle avait menti à ce sujet, comment savoir si cette histoire d'enlèvement était vraie ? La photographie prouvait uniquement que Deb avait donné naissance à un enfant. Le petit garçon pouvait se trouver en sécurité avec son autre parent.

— Où est son père ?

Elle eut un geste évasif.

— Il ne fait pas partie de notre vie.

Le pouls de Beau s'accéléra brusquement. C'était déjà un bon point.

— Je suis désolé de l'apprendre, Deb. Il n'empêche que si Zendaris détient ton fils en otage, tu dois contacter la Prospero.

Les épaules de la jeune femme s'affaissèrent.

— Si je fais cela, il le tuera. Tu sais qu'il n'en est pas à son premier coup d'essai : il avait déjà essayé d'enlever le fils de Cade, l'un de mes coéquipiers. Mais Cade a su protéger son enfant, lui…, bégaya-t-elle.

Les larmes coulaient librement sur ses joues. Cela acheva de convaincre Beau de la véracité de son histoire. Personne ne pouvait feindre une telle angoisse. Et d'ailleurs, Deb Sinclair n'était pas femme à pleurer.

Après avoir placé hors de portée les deux revolvers, il se laissa tomber à côté d'elle sur le lit et se pencha en arrière pour lui détacher les poignets. Sans cesser de pleurer, elle ramena ses mains sur ses genoux et massa ses poignets marqués de stries roses.

Passant un bras autour d'elle, il l'attira contre lui. Elle posa sa tête au creux de son épaule.

C'était si bon, soupira-t-il en son for intérieur. Il se sentait si bien !

— Je suis désolée, fit Deb en s'essuyant le nez. Je crois

que je n'avais pas pleuré une seule fois depuis l'enlèvement. A quoi cela aurait-il servi ?

Très tôt dans l'existence, elle s'était aperçue que s'apitoyer sur son sort ne résolvait rien. Au moins, ses larmes semblaient avoir adouci Loki.

Et ce, sans qu'elle ait eu besoin de lui avouer que Bobby était son fils à *lui*.

A l'instant même où elle avait reconnu sa voix devant la porte, elle s'était sentie partagée entre peur et espoir. Espoir que Loki allait l'aider — surtout lorsqu'il apprendrait que l'enfant enlevé était le sien. Et peur qu'il ne la croie pas et la ramène de force à l'agence.

S'il faisait cela, Bobby mourrait.

Le moment était mal choisi pour lui dire qu'il avait un fils. D'ailleurs, comment lui prouver qu'il était vraiment le père de Bobby ? La seule coïncidence des dates ne suffirait pas à l'en persuader. Ils avaient eu une aventure d'une nuit, et même si cela avait été pour elle une expérience inoubliable, Loki ne savait pas à l'époque si elle avait déjà quelqu'un dans sa vie. Tout comme elle ignorait si lui-même était en couple à ce moment-là. Ou s'il l'était depuis.

Il la serra plus fort contre lui.

— Raconte-moi ce qui s'est passé. Comment Zendaris a-t-il enlevé Bobby ? Que cherche-t-il ? Son but n'est tout de même pas de te faire dévaliser des bijouteries à sa place ?

Elle plaqua sa main sur sa bouche pour étouffer un hoquet, puis répondit :

— L'un de ses hommes de main est allé chercher Bobby à la crèche en se faisant passer pour Robert. Après la mort de mon père adoptif, j'ai bêtement laissé son nom sur la liste des personnes autorisées à le récupérer. Le type s'est présenté avec une fausse carte d'identité au nom de Robert, et le personnel de la crèche l'a laissé partir avec Bobby.

Elle croisa les bras sur son ventre. Chaque fois qu'elle repensait à cette journée, elle en était malade.

— Il y a combien de temps que cela s'est produit ?
demanda Beau.

— Presque une semaine.

Il soupira :

— Ton masque d'impassibilité n'a convaincu personne,
Deb. C'est précisément ce comportement inhabituel qui a
alerté la Prospero. Il leur a suffi de mener une petite enquête,
et ils m'ont demandé d'intervenir.

— Je ne pouvais pas informer Jack de ce qui se passait.
Zendaris m'avait avertie : si je mettais la police ou mes
collègues au courant, il tuerait Bobby.

Elle acheva ces paroles dans un sanglot, malgré tous ses
efforts pour retenir ses larmes.

— Comment il t'a contactée ?

— En me laissant un mot à la crèche.

Elle montra du doigt son portefeuille.

— Puis-je…

Certes, Loki lui avait offert une épaule sur laquelle s'appuyer,
mais cela ne l'empêchait visiblement pas de rester en alerte.
Ses longs muscles fins étaient aussi tendus que la corde d'un
arc. Elle avait intérêt à ne pas lui donner l'occasion de tirer.

Il hocha la tête. Elle prit le portefeuille, sortit un bout de
papier plié en quatre de la poche à billets et le lissa sur sa
cuisse.

— Le faux Robert a laissé ça quand il a emmené Bobby.

Se penchant vers elle, il lut à voix haute :

— Nous avons votre fils. Si vous appelez la police ou si
vous prévenez la Prospero, vous pourrez lui dire adieu.

Il poussa un juron et se leva d'un bond.

— Et tu as su dès le départ qu'il s'agissait de Zendaris ?

— Bien entendu ! Qui d'autre ? Il y a des années qu'il
cherche à nous atteindre à travers nos familles.

Loki s'immobilisa brusquement et fit volte-face.

— Comment Robert est-il mort ?

— Il a eu une crise cardiaque.

— Tu en es sûre ? Les crises cardiaques peuvent être provoquées.

— Il en avait déjà eu une. Sa mort n'a pas été complètement inattendue.

Plongeant les mains dans ses poches, Loki se mit à faire les cent pas devant la fenêtre.

— Qu'ont-ils fait ensuite ? Comment ils t'ont contactée ?

— Ils m'ont envoyé un deuxième message me demandant de venir à Boston, de m'habiller d'une certaine façon et de me poster à l'angle d'une rue passante. On m'a bousculée et on a glissé un téléphone dans ma poche alors que j'attendais à l'endroit indiqué. C'est là que Zendaris — ou quelqu'un d'autre — m'a appelée pour me donner les instructions sur l'attaque de la bijouterie.

— Où est ce téléphone, à présent ?

— Dans la poche de mon manteau, par terre dans l'entrée.

Il ramassa le vêtement noir, tout fripé, et en fouilla les poches.

Elle bondit sur ses pieds.

— Surtout, n'appelle pas avec ! C'est un appareil spécial.

— Tu l'as déjà examiné ?

Il approcha l'objet de son visage afin de l'étudier de plus près.

— Comment sais-tu que ce truc-là n'est pas équipé d'un mouchard ? Micro, caméra ou GPS ?

Elle se plaqua la main sur la bouche. Cette idée lui avait traversé l'esprit, mais elle n'avait pas vraiment eu l'occasion de procéder à une inspection plus détaillée du téléphone. Si tout ce qu'elle avait dit à Loki avait été enregistré, elle venait de signer l'arrêt de mort de Bobby.

En deux pas, elle fut près de lui.

— Je n'ai même pas regardé. Je n'ai pas réfléchi. Si la direction de la Prospero me voyait en ce moment, je serais renvoyée pour incompétence.

— Vu les circonstances, je crois qu'ils t'excuseraient !

Plissant les yeux, il scruta l'arrière de l'appareil et le frotta avec son pouce.

— Je ne vois rien qui ressemble à un micro ou à une caméra, mais il est fort probable qu'il contient un GPS. Zendaris t'a précisé ce que tu devais faire des bijoux ?

— Non. Je ne comprends pas pourquoi il voulait que je dévalise ce magasin.

— C'est une histoire de contrôle.

Elle déglutit, joignit les mains et fit un pas en arrière.

— C'est ce que je me suis dit.

— Il veut savoir jusqu'où tu es prête à aller pour sauver ton fils.

Il fit claquer le téléphone contre sa paume.

— Que cherche-t-il réellement à obtenir de toi ?

— Il veut les plans de l'antidrone, lâcha-t-elle.

— L'antidrone ? Est-ce bien ce que je crois ?

— Une équipe de scientifiques et d'ingénieurs a mis au point un prototype d'arme capable de neutraliser notre flotte de drones, et l'un de nos agents a réussi à dérober les plans de ce prototype. Quelques jours après, ils lui ont été subtilisés par quelqu'un de chez nous, une taupe. Personne n'a la moindre idée de l'endroit où ils se trouvent à présent, mais Zendaris doit s'imaginer que je le sais, ou alors il compte se servir de moi pour remettre la main dessus.

— Dans ce cas, nous allons devoir imaginer un plan qui lui fasse croire que tu vas réaliser la mission, pendant que nous tâchons de retrouver Bobby.

— Nous ?

Elle pivota sur ses talons, les bras écartés.

— Tu vas m'aider, Loki ?

— A condition que tu cesses de m'appeler par ce ridicule nom de code.

— Ce serait avec grand plaisir, mais nous n'avons pas pris le temps de nous présenter convenablement quand nous nous sommes rencontrés la première fois.

Un curieux sourire en biais se dessina sur les lèvres de Loki.

— Rien de ce que nous avons fait ce soir-là n'était convenable.

Le sang de Deb se mit à circuler plus vite dans ses veines. Pensait-il toujours à cette fameuse nuit, lui aussi ? Restait-il, comme elle, éveillé dans son lit, revivant chaque détail, chaque sensation ?

Bien sûr, contrairement à lui, elle avait tous les jours sous les yeux le rappel vivant de ces heures passionnées : Bobby. Et elle n'avait jamais rien regretté.

— Deb Sinclair. Enchantée de faire ta connaissance, déclara-t-elle en tendant la main.

Elle s'attendait à une franche poignée de main, mais, à sa grande surprise, le contact de sa paume et de ses grands doigts virils lui effleurant l'intérieur du poignet avait presque la douceur d'une caresse.

— Beau Slater. Tout le plaisir est pour moi.

— Beau…, répéta-t-elle dans un souffle.

Bobby Slater. Cela sonnait bien.

— Pourquoi veux-tu m'aider, Beau ? Qu'as-tu à y gagner ?

Elle devait bien se l'avouer : dès qu'elle avait reconnu sa voix devant la porte, elle avait songé à lui révéler sa paternité pour qu'il la soutienne. C'était mal, certes, mais elle était prête à tout pour sauver Bobby. Finalement, Beau lui avait proposé son secours sans même être au courant.

Pourquoi ?

— Si je te ramène de force à la Prospero, répondit-il, le lien avec Zendaris sera rompu, et on sera bien avancés ! Tandis que si tu restes en contact avec lui, c'est un grand pas de réalisé.

Elle le considéra, perplexe. Il l'aidait par intérêt… c'était un motif plausible.

— A-t-on déjà fait appel à toi pour le retrouver ?

— Oui, répondit-il en jetant le téléphone sur le lit. Mais je ne suis pas autorisé à révéler l'identité de mon employeur, même aujourd'hui.

— N'était-ce pas le gouvernement des Etats-Unis, par hasard ?

Il posa un doigt sur ses lèvres.

— Motus et bouche cousue. Si tu allais trouver la Prospero pour dire à Jack Coburn tout ce que tu viens de me révéler, il te croirait, et voudrait certainement t'utiliser comme appât.

— Pas question !

— Et tes coéquipiers ? Je sais comment fonctionne la Prospero : par équipes de quatre. Mets-les sur le coup. Ils pourront t'aider.

— Tu as peur de ne pas être à la hauteur de la tâche ?

Il laissa errer son regard sur son corps, de la tête jusqu'au bout des orteils.

— Oh ! Je suis tout à fait à la hauteur… Je suis simplement curieux de savoir pourquoi tu ne veux pas faire intervenir ton équipe. J'en viens à me demander si tu m'as dit la vérité sur le reste.

Comment lui expliquer sa méfiance à l'égard de ses partenaires ? se demanda-t-elle. Elle les tenait en haute estime et volerait à leur secours sans hésiter une seconde s'ils le lui demandaient. Cependant, c'étaient tous des professionnels hautement qualifiés, dont le plus grand rêve était de mettre la main sur Zendaris et sur les plans de l'antidrone. Laisseraient-ils vraiment un petit garçon leur faire obstacle ? Parce que, pour sa part, elle n'hésiterait pas à livrer ces plans et à permettre à Zendaris de s'échapper si la sécurité de Bobby en dépendait.

— Je t'ai dit l'entière vérité.

Sauf sur sa paternité, bien entendu.

— J'ai l'étrange impression que tu me caches quelque chose. Je devrais sans doute m'en tenir à ma mission et te conduire à la Prospero.

Elle redressa le dos et se campa plus solidement sur ses jambes.

— Je ne me laisserai pas emmener sans lutter !

Une lueur sauvage brilla dans les yeux bleus de Beau.

Puis il se jeta sur elle et la plaqua au sol.

4

Il était devenu complètement fou, songea Deb. Beau avait perdu l'esprit ! Mais après tout, que savait-elle réellement de lui ?

C'était la deuxième fois qu'il l'écrasait sous son poids depuis qu'il était réapparu — avec fracas — dans sa vie, et c'était loin d'être aussi agréable que la première fois, trois ans plus tôt.

— Veux-tu bien me lâcher ?

Elle posa ses mains à plat sur son torse pour le repousser, mais c'était comme soulever une statue de marbre.

— Tu comptes me ligoter et me traîner là-bas de force ? Je te préviens, je n'irai nulle part avec toi !

Le cœur de Beau battait avec violence contre sa poitrine, son souffle saccadé lui caressait les cheveux.

— Reste là, fit-il d'une voix rauque.

Il roula sur le côté et se mit à ramper vers la fenêtre, à la façon d'un soldat commando.

Manifestement, il n'avait pas l'intention de la tuer ou de la ramener de force à la Prospero. En tout cas, pas dans l'immédiat, conclut-elle.

Elle aspira l'air à plein poumons et, ramenant ses genoux sur sa poitrine, se remit sur son séant.

Il interrompit sa progression, tournant la tête vers elle.

— Reste à terre.

— Pourquoi ? Que fais-tu ?

— On vient juste d'essayer de t'abattre.

— Quoi ?

Entourant ses jambes de ses deux bras, elle se recroquevilla en position fœtale.

Il continua d'avancer en se tortillant jusqu'aux rideaux, qu'il saisit par l'ourlet et ferma d'un coup sec.

— Va dans la salle de bains.

Elle obtempéra et, progressant sur le ventre à la façon de Beau, atteignit le carrelage froid de la salle de bains. Sa bouche était si sèche que sa langue semblait collée à son palais.

Elle s'aida de la baignoire pour se relever et s'assit sur le rebord.

Quelques secondes plus tard, Beau la rejoignit. Il s'appuya au meuble du lavabo et croisa les bras.

— Mais qu'est-ce qui se passe ici ?

— Comment veux-tu que je le sache ? répliqua-t-elle d'une voix suraiguë qui résonna dans la petite pièce. Et d'abord, comment sais-tu que quelqu'un a essayé de m'abattre ?

— Tu avais un point rouge juste là, répondit-il en se plantant l'index au milieu du front.

Elle poussa une exclamation étranglée. Prise d'une brusque faiblesse, elle dut agripper le rebord de la baignoire pour ne pas tomber.

— Un viseur laser était pointé sur moi ?

— Je ne crois pas qu'il s'agissait d'un spectacle son et lumière.

— As-tu vu quelque chose à la fenêtre ?

— Je ne regardais pas, mais il y a un immeuble de l'autre côté de la rue. Le tireur devait s'y trouver.

Elle se mit debout, posa les mains à plat sur le lavabo et se pencha vers le miroir.

— Il ne peut pas s'agir de Zendaris. Cela n'aurait aucun sens. Pourquoi voudrait-il me tuer alors qu'il a l'intention de m'utiliser ?

— C'est précisément ce que je me demande.

Il pivota et croisa son regard dans le miroir.

— A moins qu'il ne soit au courant de ma présence ici et qu'il n'ait décidé de renoncer à son plan.

— Mon Dieu, j'espère que non ! S'il pense que j'ai appelé quelqu'un à mon secours, il tuera Bobby — et moi après.

Beau lui caressa lentement le dos.

— N'imaginons pas le pire. As-tu un moyen de le contacter ? Avec le téléphone qu'il t'a donné, par exemple ?

— Je peux recevoir des appels avec, mais pas en passer.

— Qui peut t'en vouloir ?

Elle rencontra ses yeux bleus dans la glace et déglutit avec peine.

— La Prospero.

— La Prospero m'a engagé, rappela-t-il.

Elle se dégagea d'un mouvement d'épaule et retourna près de la baignoire, agrippant d'une main le rideau de douche en plastique.

— Elle a peut-être engagé deux Loki : un pour détourner l'attention de la cible, et l'autre pour lui tirer dessus.

Il leva un sourcil.

— Si tel était le plan, je ne t'aurais pas poussée à terre en voyant le petit rond rouge sur ton front.

— La Prospero t'utilise peut-être à ton insu.

Elle écarta brutalement le rideau, dont les anneaux métalliques s'entrechoquèrent sur la tringle.

— Crois-tu réellement que Jack Coburn n'est pas au courant, pour nous deux ? Il sait depuis le début, et c'est pour ça qu'il t'a engagé. Il s'est dit que tu étais la personne la mieux placée pour me retrouver. Que je te ferais confiance, plutôt que de m'enfuir... ou de te tuer.

— J'espère qu'il a vu juste.

Il accrocha un pouce à la poche de son pantalon et esquissa un petit sourire en coin.

— Je ne vois pas ce que ça a de drôle ! pesta-t-elle.

— Coburn ne te ferait pas exécuter avant d'avoir entendu ce que tu avais à dire, argua-t-il. Ma mission consistait à te trouver et à te ramener.

— Oui, *ta* mission.

Elle dirigea son regard vers la porte ouverte de la salle de bains.

— Il a peut-être donné des ordres différents à quelqu'un d'autre.

Il s'écarta du lavabo et lui prit la main.

— Je pense que tu regardes dans la mauvaise direction, Deb. La Prospero ne souhaite pas ta mort.

— Mais quelqu'un d'autre oui, et ce n'est pas Zendaris — du moins, pas encore.

— Partons d'ici, dit-il en serrant sa main dans la sienne. Règle ta note et allons ailleurs.

— Mais… Mais je ne suis pas censée partir !

— Tu ne crois pas que Zendaris te préfère vivante ? Tu es ici, à Boston, comme il le souhaitait. Il ne va pas gâcher cette occasion.

Elle se mordilla l'intérieur de la lèvre.

— Et si tout cela n'était qu'un jeu ? Si Zendaris se souciait comme d'une guigne de ces plans ? Il a enlevé Bobby, et maintenant il me torture. Il a des comptes à régler avec nous, tu sais.

— Avec la Prospero ?

— Et plus spécialement avec mon équipe. L'un de nos agents a récemment découvert que la femme de Zendaris faisait partie des victimes du raid que nous avons lancé contre une de ses usines de munitions. Il nous tient pour responsables de sa mort.

Beau siffla entre ses dents.

— Ce n'est plus la même histoire !

— Exactement. Il veut se venger. Et quel meilleur moyen pour cela que de kidnapper mon fils, de jouer au chat et à la souris avec moi avant de… de nous tuer tous les deux ?

Beau l'attira contre son torse et l'entoura de ses bras.

— Cela n'arrivera pas. Je ne le permettrai pas.

Elle frotta son nez contre l'étoffe douce de sa chemise.

— Pourquoi m'aides-tu, Beau ? Est-ce simplement pour augmenter tes chances de capturer Zendaris ?

— C'est pour cette raison, oui, et aussi parce que j'ai un faible pour… les enfants.

De l'index, il lui releva le menton.

— Me prendrais-tu pour une espèce de tueur sans pitié, par hasard ?

Elle cligna des yeux.

— Avant de te croiser à Zurich, j'avais déjà entendu parler de toi. Le mystérieux Loki… Comme le dieu scandinave du même nom, le dieu de la discorde… Je connaissais toutes les histoires qu'on racontait sur toi : la libération d'otages au Mali, l'embarquement clandestin sur un bateau de pirates somaliens, le démantèlement de l'organisation qui était à l'origine des attentats à la bombe perpétrés contre les ambassades à Londres, les exécutions…

Il lui posa un doigt sur les lèvres.

— Ce sont des légendes.

Elle haussa les épaules.

— Si tu le dis…

Elle était déjà un peu amoureuse de Loki avant d'avoir posé les yeux sur lui. La première fois qu'elle l'avait vu, c'était dans ce bar d'hôtel à Zurich. Elle y était venue récolter des informations lors d'une conférence entre pays producteurs de pétrole.

Evidemment, elle ignorait que cet homme intimidant aux yeux bleu cobalt, qui sirotait un verre de scotch à l'autre bout du comptoir en acajou, était Loki en chair et en os. Mais inconsciemment, elle l'avait deviné. Une aura de puissance, de danger émanait de lui, aussi enivrante qu'un philtre d'amour.

Leurs regards s'étaient rencontrés, et elle s'était sentie électrisée jusqu'aux orteils.

Trois ans plus tard, c'était exactement pareil.

Il passa un pouce râpeux sur sa joue et sur ses lèvres, la faisant palpiter. Elle baissa les paupières pour éviter son regard, craignant d'être de nouveau brûlée par le feu qui brillait dans ses prunelles.

Effort chimérique.

Il prit son visage en coupe et effleura ses lèvres d'un baiser. Comme si tout son corps se liquéfiait, elle laissa échapper un soupir contre sa bouche et se suspendit à son cou pour garder l'équilibre.

Approfondissant son baiser, il glissa sa langue entre ses dents.

Mon Dieu, aidez-moi, pria-t-elle en silence. Elle était prête à coucher avec lui aussi rapidement que la première fois. S'il le désirait, il pourrait l'avoir là, à même le sol de la salle de bains, et elle supporterait avec joie n'importe quel inconfort, n'importe quel désagrément pour qu'il soit de nouveau en elle.

Mais elle avait des responsabilités.

Elle posa les mains sur son torse. Ses doigts la picotaient, tant son désir était grand d'explorer les muscles fermes qui jouaient souplement sous la chemise de flanelle.

Elle le repoussa, ses lèvres toujours soudées aux siennes.

Malgré ce message contradictoire, il dut saisir l'allusion, car il se recula, mettant fin à leur baiser passionné.

— Désolé.

— Moi aussi.

Elle cacha sa bouche derrière sa main, comme pour conjurer la tentation.

— Cela m'a fait du bien de partager ma peine, tu comprends ?

Bien sûr, partager sa peine ne signifiait pas se retrouver au lit avec le premier inconnu qui lui proposait son aide. Même si Loki n'était pas un inconnu… Au contraire, il avait été le seul homme dans sa vie ces trois dernières années.

— Allons-nous-en d'ici, lança-t-elle.

— Je vais te chercher ta perruque. Tu la mettras pour sortir. Nous allons devoir utiliser la voiture que Zendaris a mise à ta disposition. Sinon, il se demandera comment tu te déplaces.

— Elle est garée dans le parking de l'hôtel. Où allons-nous ?

— Dans un autre hôtel, mais nous resterons à Cambridge, histoire de montrer à Zendaris que tu es de bonne volonté. Il ne faut pas qu'il aille s'imaginer que tu essaies de t'enfuir.

— Et si ce tireur embusqué était une mise à l'épreuve ? S'il attendait de moi que je ne bouge pas de cet endroit quoi qu'il arrive ?

— Même Zendaris n'exigera pas de toi que tu te mettes en danger de mort. D'ailleurs, il ne se fierait pas à ce genre de personne pour trouver les plans de l'antidrone.

Beau récupéra la perruque blonde et le téléphone, puis revint en traînant le sac de marque derrière lui sur la moquette.

— Tiens, dit-il en poussant le tout vers elle.

Elle ramena ses cheveux sous le postiche, enfila prestement son manteau et suspendit le lourd bagage à son épaule.

— Je suis prête.

Après avoir jeté un bref coup d'œil dans le couloir, il s'effaça pour la laisser passer. Lui posant une main au creux des reins, il la guida en direction des escaliers.

— Tu peux descendre avec ces chaussures ? Je ne veux pas prendre le risque d'utiliser l'ascenseur, nous serions trop exposés.

Elle ôta ses escarpins, perdant d'un seul coup dix centimètres. Ainsi, elle lui arrivait à peine au menton.

Il hocha la tête.

— Je te suis, Deb.

Ils dévalèrent les marches. Les semelles en caoutchouc des baskets de Beau crissaient sur les degrés tandis qu'elle progressait silencieusement à côté de lui.

Quand ils furent parvenus au rez-de-chaussée, elle montra du doigt une porte métallique.

— Il faut passer par le hall d'entrée pour rejoindre le parking, précisa-t-elle en remettant ses chaussures.

— Garde la tête baissée, recommanda-t-il.

Puis il poussa le battant.

Des gens rentrant d'excursion ou de leurs rendez-vous professionnels circulaient dans le hall. Deb passa rapidement en revue les petits groupes. Chacun d'eux semblait receler une menace.

Beau la poussa vers la porte de service, qui donnait sur

un sentier bétonné menant au parking. Tout en avançant, il lui faisait un bouclier de son corps. Son regard bleu était circonspect, et sa main restait enfoncée dans la poche où était dissimulée son arme.

Il ne lui avait pas rendu la sienne, se rappela soudain Deb. Il avait peut-être l'intention de l'aider à sauver Bobby, mais il n'avait pas confiance en elle.

Et elle, devait-elle lui faire confiance ?

Il était possible que son attitude bienveillante soit une ruse pour la ramener à l'agence. Auquel cas ce baiser n'avait eu d'autre but que de l'amadouer.

S'il comptait la livrer à la Prospero, il ne tarderait pas à s'apercevoir qu'elle avait encore quelques tours dans son sac. Elle se battrait comme une lionne pour sauver Bobby. Elle était même prête à affronter son père.

Le cliquetis de ses talons résonnait sur le sol en ciment du parking.

— La voiture est garée dans l'aile suivante.

A l'approche du véhicule, elle déverrouilla les portières. Beau se coula sur le siège passager et elle lança le cabas sur la banquette arrière. Tout en faisant ronfler le moteur, elle se tourna vers lui.

— Où allons-nous ?

Elle sortit de la structure tandis qu'il lui indiquait le chemin en quelques mots.

— Quand ce sniper a visé ta tête, je m'apprêtais à te poser d'autres questions, dit-il. Où étais-tu quand Bobby a été enlevé ? Où habites-tu ?

— En Virginie, près du district de Columbia.

— Tu es donc venue à Boston sur ordre de Zendaris ?

— Oui. Je tourne là ?

Il acquiesça.

— Le cambriolage de la bijouterie est-il la première chose qu'il t'ait demandé d'accomplir ?

— Oui, après m'avoir ordonné d'atterrir à l'aéroport de Boston-Logan.

— Selon toi, Bobby se trouve-t-il ici, ou est-il resté en Virginie ?

— Mon instinct me dit qu'il est ici. Si les plans de l'anti-drone sont à Boston, Zendaris préférera procéder à l'échange ici plutôt que de retourner en Virginie.

Elle agrippa le volant pour tenter de contenir la panique qui s'emparait d'elle chaque fois qu'elle pensait à son fils kidnappé.

— Que peut-il y avoir à Boston qui l'intéresse ? s'interrogea Beau.

— A part une bijouterie sur Beacon Hill ? Aucune idée. Pour autant que nous le sachions, Zendaris n'a pas de relations ici.

— Intéressant, fit Beau en se tapotant le menton du bout du doigt.

— Qu'est-ce qui est intéressant ? Boston ?

Il soupira :

— L'ancienne Deb Sinclair n'aurait jamais oublié qu'un symposium sur les armes du futur a lieu cette semaine. Au MIT, le Massachusetts Institute of Technology.

Elle tourna vivement la tête vers lui.

— Vraiment ?

Elle n'eut pas le cœur de lui révéler la vérité : l'ancienne Deb Sinclair avait été littéralement réduite à l'état de flaque sur le sol à l'annonce de la disparition de son fils.

Mais la nouvelle Deb ne l'était pas tant que ça : c'était la Deb qui avait été dirigée par la peur et la colère pendant les seize premières années de sa vie, jusqu'au jour où elle avait eu l'heureuse initiative d'essayer de voler Robert Elder.

— A mon avis, ce n'est pas un hasard si Zendaris t'a justement fait venir à Boston pendant cette conférence. Il veut les plans de l'antidrone. Il pense peut-être que l'un des participants les a en sa possession.

— S'agit-il d'une conférence internationale ?

— Oui, en effet. Les scientifiques et ingénieurs du monde entier seront là.

Elle fit tambouriner ses pouces sur le volant. Pour la première fois depuis le début de ce cauchemar, une étincelle de vie s'allumait au fond d'elle. Son cerveau se mit à ronronner et cliqueter comme s'il se réveillait après une longue période d'hibernation hivernale.

— Il est possible que Zendaris ait raison, réfléchit-elle à voix haute. La femme qui a volé les plans à Stark, mon coéquipier, a pu les vendre au plus offrant avant de mourir. Elle n'a peut-être jamais eu l'intention de les rendre à Zendaris.

— La femme qui a volé les plans est morte ? s'étonna Beau. Est-ce Zendaris qui l'a tuée ?

— Non, c'est l'un des nôtres. Légitime défense. C'était une déséquilibrée mentale.

— Ces gens-là sont les plus difficiles à déchiffrer. Impossible, donc, de savoir ce qu'elle a fait des plans, ou de deviner ses motivations.

— Cela dit, tu as raison. Ma présence ici à la période du symposium n'est pas une coïncidence. Les sessions ont-elles déjà commencé ?

— Depuis deux jours.

— Avais-tu fait le rapprochement entre ma présence ici et cette conférence ?

— Seulement quand tu m'as parlé des plans de l'antidrone.

— Alors comment se fait-il que tu aies été au courant, pour le symposium ?

Il détourna la tête pour regarder par la fenêtre.

— C'est mon métier de savoir…

En un clin d'œil, Beau le gentil agent secret venait de se métamorphoser en Loki, homme à l'aura de danger et de mystère.

Elle se gara sur la zone de chargement de leur nouvel hôtel pendant qu'il allait leur réserver une chambre.

Il revint, se laissa tomber sur le siège passager et, d'un petit signe de tête, lui indiqua la direction à suivre.

— Prends cette rampe, tu peux te garer là-haut.

Dix minutes plus tard, ils longeaient un nouveau couloir

d'hôtel, mais cette fois, avec Beau près d'elle, elle était bien plus rassurée. Peut-être avait-elle tort, d'ailleurs ?

La sollicitude dont il faisait montre à son égard pouvait n'être qu'un stratagème destiné à endormir sa méfiance. Au moment où elle s'y attendrait le moins, ses coéquipiers de la Prospero, prévenus par Beau, s'inviteraient à la fête et l'embarqueraient pour l'interroger.

D'un autre côté, ses partenaires étaient comme des frères. Ils savaient forcément qu'elle ne les trahirait jamais.

Alors, pourquoi ne pas te confier à eux ?

Qu'elle se pose la question était déjà en soi une trahison.

Beau ouvrit la porte de la chambre.

— Une seule chambre, mais deux lits. J'espère que cela te convient.

— C'est très bien, dit-elle en lançant son sac sur le lit qui se trouvait près de la porte. Ça ne te dérange pas que je prenne celui qui est le plus éloigné de la fenêtre ?

— J'allais te le proposer.

Il alluma la télévision à l'aide de la télécommande, puis prit sur la table un exemplaire de la carte du service d'étage.

— Tu as faim ? Nous pourrions nous contenter de manger dans la chambre, ce soir.

Elle écarta légèrement le rideau.

— Tu es sûr que nous n'avons pas été suivis ?

— Certain. Alors, veux-tu quelque chose ? demanda-t-il en agitant le menu.

— Oui. Peu importe quoi, ça m'ira.

Elle n'avait pas avalé un seul vrai repas depuis l'enlèvement de Bobby.

Elle tira de sa poche le téléphone de Zendaris et le posa sur la table de nuit.

— Il prend son temps, c'est le moins que l'on puisse dire ! fit observer Beau.

— C'est lui qui dicte les règles.

D'un mouvement d'épaules, elle se débarrassa de son manteau, le suspendit dans le placard, puis ôta ses talons hauts et s'étendit sur le lit, chevilles croisées et dos confortablement calé sur les oreillers.

— Je vais commander pour nous deux, d'accord ?

Il l'examina par-dessus la carte et ajouta :

— Tu as la mine de quelqu'un à qui un bon repas ne ferait pas de mal.

— Manger n'a pas été ma priorité ces derniers jours.

— Toi qui suis un entraînement sportif, tu devrais savoir qu'il te faut rester en forme pour être apte au combat.

— Tu ne comprends pas…

Voilà pourquoi elle ne se confiait jamais à ses coéquipiers, même s'ils étaient comme des frères. Ils ignoraient ce que signifiait être mère. En lui arrachant son fils, Zendaris lui avait creusé un trou dans le cœur. Depuis, elle n'était plus qu'une moitié de personne.

Beau était le père de Bobby, mais il ne le savait pas. Il lui était facile de parler d'aptitude au combat ou de baisse de vigilance : il était encore une personne entière, alors qu'elle, elle n'était plus qu'une coquille vide.

Il haussa les épaules et décrocha le téléphone. Coinçant le combiné sous son menton, il commanda assez de plats pour nourrir l'hôtel entier.

Deb retapa les oreillers derrière elle et, paupières mi-closes, suivit les informations locales à la télévision. Comme le MIT apparut à l'écran, elle se redressa brusquement et claqua des doigts pour attirer l'attention de Beau. Il était en train de choisir les desserts.

Elle lui fit signe de monter le son. Il lui lança la télécommande.

De sa voix monocorde, le journaliste annonçait un symposium sur les armes, ces jours-ci à Boston. Le reportage était bref et ne mentionna de nom que dans les toutes dernières secondes :

« C'est le Dr Scott Herndon, professeur émérite au MIT et conseiller régulier au Pentagone, qui préside le symposium. Un gala de clôture sera organisé demain soir, afin de récolter des fonds en faveur des zones de guerre sinistrées partout dans le monde. »

Lorsque le reportage fut terminé, Deb coupa le son.

— C'est bien ce que tu pensais, non ? Apparemment, c'est un gros événement.

— Toutes les questions abordées lors de ces réunions seront top secret, renchérit Beau. Comment Zendaris peut-il espérer obtenir la moindre information ?

— D'autant que la conférence se termine demain.

Elle jeta un coup d'œil au téléphone, posé sur la table de chevet.

— Si Zendaris avait voulu que je passe à l'action, il m'aurait déjà appelée. A moins que ce viseur pointé sur mon front n'ait été sa façon de prendre contact.

— Je ne crois pas qu'il cherche à te tuer. Ça ne serait pas logique.

Beau s'assit à côté d'elle.

— S'il a une mission pour toi, il ne te préviendra qu'à la dernière minute, pour que tu aies moins de temps pour te préparer. Il veut garder l'avantage.

— Et il y parvient brillamment.

Elle lança la télécommande sur le lit de Beau et se laissa tomber sur les oreillers.

— Il ne m'a toujours pas autorisée à avoir le moindre contact avec Bobby. Je ne sais même pas avec certitude si mon fils est en vie ou…

Beau se frappa la cuisse.

— Mais enfin, Deb, qu'est-ce qui cloche, chez toi ? Il te faut une preuve qu'il est vivant, voyons ! N'obéis plus à un seul de ses ordres avant de savoir à quoi t'en tenir concernant Bobby.

— J'ai exigé cette preuve lors de notre dernière conversation, mais Zendaris a refusé.

A ce souvenir, un froid glacial l'envahit et elle rentra la tête dans les épaules pour s'en protéger.

— Toi aussi, tu as quelques cartes à jouer, la rassura

Beau. Avant d'accomplir ta prochaine mission, tu dois être sûre que Bobby est sain et sauf.

— Et s'il refuse de nouveau et qu'il menace de lui faire du mal ? Je ne peux pas jouer à « t'es cap ou t'es pas cap » quand la vie de mon fils est en jeu !

Les larmes lui picotaient les yeux et elle se frotta le nez.

— Pour aggraver encore les choses, Bobby n'était pas au mieux de sa forme quand il a été enlevé.

— Il était malade ?

— Il manquait d'énergie, ce qui ne lui ressemble pas du tout. J'ai pensé qu'il avait peut-être attrapé un virus, mais il n'avait aucun symptôme de grippe ou de rhume.

— Tu l'as amené chez le docteur ? questionna Beau en pivotant sur le lit pour lui faire face.

Elle lui jeta un coup d'œil à la dérobée. Sentait-il inconsciemment le lien qui l'unissait à Bobby ?

— Nous y avons été la veille de l'enlèvement. Le médecin a procédé à quelques tests ainsi qu'à des prélèvements de sang et d'urine. Je n'ai pas encore eu les résultats, mais c'était il y a seulement une semaine.

— Raison de plus pour exiger de voir Bobby, ou de lui parler. Que lui a raconté Zendaris ?

— Je n'en ai pas la moindre idée. Bobby n'a que deux ans. Il ne peut pas comprendre pourquoi je l'ai laissé.

Elle se recouvrit le visage de ses mains.

— Un enfant ne se remet jamais d'avoir été abandonné.

Beau la prit par les poignets.

— Tu dis des bêtises. Regarde, tu t'en es remarquablement bien sortie, toi. Tu es une des personnes les plus équilibrées que je connaisse !

— Tu ne me connais pas. Nous n'avons passé qu'une nuit ensemble.

— C'est assez pour me faire une idée de quelqu'un.

Elle s'écarta un peu de lui et le toisa.

— Vu le genre de personnes que tu fréquentes, ça ne veut pas dire grand-chose.

Il leva les sourcils.

— Quand je ne suis pas un espion, je mène l'existence la plus ennuyeuse qu'on puisse imaginer. Mon père est mécanicien, ma mère secrétaire dans un lycée. Rien de plus banal et de plus barbant.

— Est-ce pour cela que tu as fait toutes ces choses dans ton parcours, et que tu es devenu l'un des tueurs les plus redoutés de la profession ?

Ses mâchoires se crispèrent, et il secoua la tête.

— Je ne suis pas un tueur, Deb. Seuls ceux qui le méritaient, ceux qui menaçaient la sécurité des autres ont perdu la vie.

Quelqu'un frappa à la porte en criant :

— Service d'étage !

Beau fit signe à Deb de ne pas bouger. Il se leva du lit et tira son arme de son étui tout en s'avançant silencieusement vers la porte. Il se posta en retrait et regarda à travers le judas.

— Pouvez-vous glisser l'addition sous la porte, mon vieux ? Je vais la signer, vous la renvoyer, et vous nous laisserez le plateau.

— Bien sûr !

Un morceau de papier apparut sous le pas de la porte. Beau le ramassa sur la moquette, se dirigea vers le bureau et signa la note. Puis il la renvoya par le même chemin et colla son œil sur le judas.

— Merci ! lança le serveur à travers le panneau.

Beau attendit quelques secondes avant d'ouvrir, puis fit rouler le chariot à l'intérieur.

— On n'est jamais trop prudent, n'est-ce pas ?

— S'il travaille dans l'hôtellerie depuis un moment, je suis certaine que plus rien ne le surprend, dit Deb.

Beau s'approcha du chariot et souleva les couvercles en argent.

— Ça a l'air bon. Tu as faim ?

Les délicieux parfums qui montaient des plats fumants vinrent chatouiller les narines de Deb. Elle n'avait pas fait de vrai repas depuis plusieurs jours, et comme si son estomac en prenait soudain conscience, il se mit à émettre des gargouillements de protestation.

— Oui, j'ai faim !

Beau transporta les assiettes sur la table et tira une chaise.

— Assieds-toi.

Elle étala l'une des serviettes blanches empesées sur ses genoux, entama la soupe et ne s'arrêta de manger qu'après avoir léché la dernière trace de crème fouettée sur sa cuiller.

— Depuis combien de temps n'avais-tu rien avalé ?

Elle se tapota la bouche avec sa serviette.

— Depuis qu'ils ont enlevé Bobby.

— C'est bien ce que je pensais. Tu sembles…

Les yeux de Beau descendirent sur son corps puis se posèrent sur son visage.

— … un peu plus mince que la dernière fois que je t'ai vue.

Deb ne put s'empêcher de rougir et s'essuya de nouveau la bouche pour se cacher derrière sa serviette.

Beau était bien placé pour le savoir, songea-t-elle. Ils étaient restés nus presque toute une nuit dans sa chambre d'hôtel. Ils s'étaient fait monter à dîner, mais ils n'avaient pas mangé assis à table avec leur serviette sur les genoux. Installés sur le lit king size, ils s'étaient mutuellement fait goûter les aliments, incluant même le gâteau au chocolat dans leurs jeux érotiques. Et au lieu de s'essuyer délicatement la bouche avec leurs serviettes, ils avaient pris une douche ensemble.

Elle toussota.

— Quand on est maman, on est constamment sur le qui-vive. Je n'ai plus autant de temps pour m'entraîner à la salle de gym, mais l'aire de jeux est un bon endroit pour faire du sport : pour courir, jouer au ballon, rattraper un tricycle qui roule trop vite…

— Cela se voit que tu aimes ça… Que tu aimes ton enfant.

Deb l'étudia avec attention. Etait-ce le bon moment pour lui dire la vérité : que Bobby était son fils ?

Non. Loki ne voudrait pas d'un tel fardeau. Comment trouverait-il le temps de livrer bataille à des pirates somaliens entre deux matches de base-ball ? Même si Beau Slater était issu d'un milieu ordinaire, il ne voulait certainement pas y retourner.

Le téléphone gazouilla près du lit. Elle lâcha sa cuiller, qui tomba avec fracas dans l'assiette, et se leva à demi.

— C'est lui !

— Réponds. Depuis le temps que tu attends ce coup de fil !

Elle déglutit péniblement. La douceur sucrée du gâteau à la carotte avait brusquement un goût de cendres. A la quatrième sonnerie, elle plongea sur le lit et saisit l'appareil.

— Oui ?

— Vous avez fait du beau boulot. Vous pouvez garder le butin.

— Je n'en veux pas. Quel était l'intérêt de me faire dévaliser cette bijouterie ? Quelqu'un aurait pu être blessé.

Comme Beau levait le pouce, elle appuya sur la touche du haut-parleur.

— Quelqu'un aurait pu être blessé si vous n'aviez pas suivi nos instructions, Deb. C'est ainsi qu'il faut le voir.

— J'ai… J'ai changé d'hôtel. J'ai été prise pour cible dans ma chambre cet après-midi. Avec un fusil longue portée. J'ai vu le point rouge sur le mur.

Zendaris prit une brusque inspiration.

— Etes-vous en train d'essayer de me rouler, Deb ?

— Et vous ? protesta-t-elle. Avez-vous tenté de me tuer ?

— Pourquoi ferais-je une chose pareille ? Notre collaboration commence à peine.

Il claqua la langue et ajouta :

— Ce sont peut-être vos collègues.

— Impossible !

Elle tourna son regard vers Beau, qui était renversé sur son siège, le menton en appui sur ses doigts. Pourquoi la Prospero lui avait-elle envoyé le meilleur agent de la profession ?

— En êtes-vous sûre ? répliqua Zendaris. Si le puissant Jack Coburn a vent de votre trahison, vous êtes finie.

Elle grinça des dents.

— Quand on agit sous la contrainte, il ne s'agit pas de trahison.

— Mais Coburn l'ignore, n'est-ce pas, Deb ?

— Pour la Prospero, je suis en congé. Ils n'ont pas de raison de soupçonner autre chose.

— Où êtes-vous ?

— Dans un autre hôtel, à Cambridge.

Elle retint son souffle. Allait-il lui demander l'adresse exacte ?

— Parfait.

— Quelle est la suite du programme, Zendaris ? Un braquage de banque ? Une course-poursuite ?

— Une fête.

Elle se tourna vers Beau et répéta :

— Vous voulez que j'aille à une fête ?

— C'est une fête très spéciale, avec des invités très spéciaux.

Elle s'humecta les lèvres.

— Où cela ?

— A Boston. Vous allez assister à un gala organisé dans le cadre du symposium sur les méthodes alternatives de défense.

— A part boire, manger et m'amuser, que suis-je censée y faire ?

— Vous rapprocher du Dr Scott Herndon.

— Me rapprocher de lui ? Pourquoi donc ?

— Pour le tuer.

5

Beau se redressa sur son siège. Zendaris ne pouvait pas être sérieux !

— Pourquoi ? lâcha Deb d'une voix étranglée.

— Ne vous occupez pas de cela pour l'instant. Disons simplement que je fais passer un message.

— Comment suis-je censée tuer le Dr Herndon dans une salle pleine de monde ?

Elle avait les yeux écarquillés, le regard fixe, nota Beau.

Il aurait voulu la rejoindre et dissiper sa peur, mais ce n'était pas le moment. Et d'ailleurs, qu'aurait-il pu dire pour la réconforter ? Cet individu avait son fils, et elle ferait n'importe quoi pour protéger Bobby.

Zendaris poursuivit d'une voix implacable :

— Je vous laisse régler les détails techniques. Vous êtes un agent de la Prospero. Faites comme vous l'entendez, mais à la fin de la soirée, le Dr Herndon doit avoir rendu son dernier soupir.

Beau se leva d'un bond et tapota le genou de Deb.

— Bobby, articula-t-il en silence.

Elle ferma les yeux.

— Je ne tuerai pas le Dr Herndon, ni qui que ce soit d'autre, avant d'avoir eu la preuve que mon fils est en vie.

— Ça va, il est juste un peu fatigué, répondit Zendaris. Vous le verrez quand je l'aurai décidé.

Beau lui serra le genou et secoua la tête. En cet instant, le pouvoir était entre ses mains, elle devait le comprendre. Zendaris avait besoin d'elle.

— Non, fit-elle. Je dois le voir ou lui parler avant le gala de demain soir. Sinon, rien ne se passera.

Zendaris marqua un silence, puis soupira.

— D'accord, mais pas ce soir. Demain matin.

Pendant les cinq minutes qui suivirent, il donna ses instructions. Il lui expliqua d'abord comment se procurer son billet d'entrée pour le gala, puis lui indiqua le nom d'emprunt et le genre de tenue qu'elle devrait porter à la soirée. Voilà pourquoi il avait mis cette liasse de billets dans le fourre-tout, se dit Beau. C'était pour qu'elle puisse effectuer des achats. Une carte de crédit aurait laissé des traces.

Quand elle raccrocha, il tendit la main. Elle lui remit le téléphone, qu'il examina une nouvelle fois sans parvenir à identifier ni le numéro de Zendaris, ni le lieu de l'appel. Il ne voulait pas démonter l'appareil, de peur que cela ne déclenche une sorte de signal d'alerte.

— Je ne peux pas tuer quelqu'un ! gémit-elle.

— Tu ne vas pas tuer le Dr Herndon. Nous trouverons un moyen de tromper Zendaris.

— Je ne vois pas lequel… Si Scott Herndon mourait, cela ferait les gros titres de la presse.

— La Prospero n'a donc jamais mis en scène de fausse mort ?

— La Prospero, peut-être, mais pas moi.

— Tu as de la chance : moi, si.

Elle ramena ses jambes sous elle et se passa une main dans les cheveux.

— Tu avais raison pour Bobby, dit-elle. Zendaris a cédé.

Beau laissa tomber le téléphone sur le lit.

— Evidemment. Zendaris a besoin de toi. S'il s'en prenait à Bobby maintenant, tu cesserais d'être sa marionnette.

— Tu avais également raison à propos du symposium.

— Tu aurais fait le rapprochement toi-même si tu avais eu les idées claires, Deb. Tu es perturbée. Zendaris compte en partie là-dessus, d'ailleurs. Mais il ne m'avait pas prévu au programme.

— Moi non plus, je ne t'avais pas prévu au programme.

Elle lui agrippa le bras.

— Beau, pourquoi m'aides-tu, réellement ? Tu espères coffrer Zendaris tout seul ? Je n'arrive pas à me persuader que tu serais prêt à faire passer mon fils avant ton intérêt.

— Pourquoi me poses-tu sans arrêt cette question, Deb ? Je te l'ai dit : la perspective de me rapprocher de Zendaris est tentante, mais je ne mettrai pas la vie d'un enfant en danger pour arriver à mes fins.

Il lui caressa la main.

— Est-ce que tu pourrais mettre un instant de côté ta tendance naturelle au soupçon, et m'accorder ta confiance ?

Elle lâcha son bras. La marque de ses ongles resta imprimée sur sa peau.

— Pourquoi devrais-je te faire confiance ? D'après ce que je sais de toi, tu n'es pas le genre d'homme à aimer la vie de famille, ou à apprécier spécialement les enfants. Il est donc normal que je me demande pourquoi tu torpilles ta propre mission pour m'aider.

— Je n'apprécie peut-être pas spécialement les enfants…

Il lui passa une main sur la cuisse.

— … mais ça ne veut pas dire que je ne t'apprécie pas, toi.

— Ça t'arrive souvent de mettre ta carrière en péril pour des aventures d'une nuit ?

Il préféra changer de sujet :

— Tu as fini ton repas ?

Il se leva et commença à remettre assiettes et plats sur le chariot.

— Je suis contente d'avoir mangé avant que ce coup de fil ne me coupe l'appétit.

Elle roula sur le ventre et le regarda, les coudes plantés sur le matelas et la joue appuyée sur une main.

— Qu'as-tu pensé de Zendaris ? demanda-t-elle.

Il reposa un couvercle en argent.

— C'est une vermine de la plus belle espèce.

— Non, je veux dire : crois-tu que c'était lui au téléphone ? As-tu déjà entendu sa voix ?

— Non.

Il écrasa une miette de gâteau sous son doigt.

— Je sais qu'il est d'origine grecque et qu'il a vécu un temps en Italie. L'accent de ton interlocuteur pourrait correspondre. Je croyais que la Prospero avait enfin une piste. C'est du moins ce qu'on raconte.

— En effet. L'ancienne nounou des enfants de Zendaris a pu nous aider à réaliser un portrait-robot. Nous savons maintenant à quoi il ressemble — quand il n'est pas déguisé, bien entendu.

— Mais il est toujours déguisé.

— Comme toi.

Il se passa une main dans les cheveux, plus courts qu'ils ne l'étaient d'habitude.

— Pas toujours. Ce sont mes vrais cheveux, ma vraie couleur d'yeux.

— On t'a déjà vu avec une barbe, les cheveux longs, des lunettes, et même avec quelques kilos en plus. Pourquoi tu n'as pas modifié ton apparence pour remplir cette mission ?

Il poussa le chariot vers la porte.

— Parce que je voulais que tu me reconnaisses, j'imagine. Je ne portais pas non plus de déguisement cette fameuse nuit à Zurich.

— Tu ne portais même rien du tout…, fit-elle.

Ses paupières mi-closes, sa voix basse et rauque allumèrent en lui une brusque flambée de désir.

— Content que tu t'en sois aperçue.

Serrant la poignée du chariot à la briser, il avança jusqu'à la porte.

C'était la Deb dont il se souvenait, et qu'il désirait toujours.

Mais elle l'avait repoussé un peu plus tôt, après leur baiser. Alors que signifiait cette remarque équivoque ?

Elle était chamboulée, voilà sans doute l'explication. Elle cherchait du réconfort parce qu'elle avait peur pour son fils et, n'ayant connu avec lui qu'une intimité d'ordre sexuel, elle ne savait le lui réclamer que par le biais de la séduction. Elle avait peut-être simplement besoin d'être rassurée par un contact physique.

Ce n'était probablement pas une bonne idée de mêler travail et plaisir, décida-t-il. D'ailleurs, il n'aurait pas dû accepter cette mission. Il aurait dû avouer à la Prospero qu'il avait eu une liaison avec elle.

Il alla ranger le chariot contre le mur du couloir et retourna dans la chambre.

— Une longue journée t'attend demain, dit-il. Tu devrais te reposer. As-tu de quoi faire ta toilette ? Veux-tu que j'aille te chercher quelque chose en bas ? Personnellement, j'ai besoin d'une brosse à dents.

— C'est très aimable à toi. J'ai atterri à l'aéroport de Logan ce matin. Zendaris ne m'ayant pas dit d'emporter de bagages, je suis partie sans rien.

— Je vais aller acheter le minimum indispensable, et tu compléteras demain quand tu iras faire les boutiques pour te trouver une robe du soir.

Elle hocha la tête.

— Crois-tu que je sois sous surveillance ?

— Zendaris avait l'air sincèrement surpris quand tu lui as parlé du tireur embusqué, et il ne t'a pas demandé l'adresse de l'hôtel, donc je ne pense pas. Il n'a pas besoin de te surveiller, puisqu'il a ton fils. Ferme à clé derrière moi et n'ouvre à personne.

Il prit la précaution de tirer les rideaux, bien que leur fenêtre donne sur la rivière Charles.

— Et ne t'approche pas de la fenêtre.

Il se glissa hors de la chambre et demeura immobile, tête baissée, jusqu'à ce que Deb ait fermé derrière lui et remis la chaîne.

Alors qu'il attendait l'ascenseur, une porte se ferma sur sa gauche. Il alla jeter un coup d'œil dans le couloir. Toutes les portes étaient closes. Quelqu'un avait dû se rendre à la machine à glace ou au distributeur automatique.

Il remua les épaules et appuya une nouvelle fois sur le bouton de l'ascenseur. Il était nerveux, et cela lui donnait une agréable impression de normalité. Il s'était laissé distraire par cette rencontre avec Deb. Sa mission avait changé, certes, mais il était toujours en service.

La cabine descendit d'une traite au rez-de-chaussée.

Il traversa le hall et entra dans la boutique qu'il avait repérée en s'enregistrant à la réception.

Il acheta du dentifrice, deux brosses à dents, un peigne et plusieurs autres articles. Alors qu'il saisissait le sachet contenant ses emplettes, son téléphone vibra — une seule fois.

Il sortit du magasin et s'adossa à la façade du bar restaurant. C'était le numéro de l'agence. Brusquement, il respira plus vite.

S'il ignorait le texto, il n'aurait pas à mentir. Mais ignorer un message n'était pas dans ses habitudes, et Jack le savait.

Puisque Jack voulait des nouvelles, il allait lui en donner. Il lui dirait qu'il avait suivi la cible jusqu'à Boston, ce qui était la vérité. La Prospero n'enverrait pas quelqu'un le surveiller. Les patrons de l'agence avaient toute confiance en lui.

Ce en quoi ils avaient tort, pour la première fois depuis le début de leur collaboration.

En réponse à son message, Jack n'écrivit qu'un seul mot :

Roger.

Oui, il lui faisait toujours confiance, conclut Beau. Il ne le décevrait pas, pas plus qu'il n'abandonnerait Deb. Il resterait loyal envers la Prospero, aiderait la jeune femme et, pour couronner le tout, sauverait son fils.

De retour à la chambre, il frappa à la porte et se plaça de façon à être visible à travers le judas. Le personnel de l'hôtel avait emporté le chariot.

La chaîne coulissa dans son logement et le battant s'entrouvrit.

— Ça va ? s'enquit-il en ouvrant la porte.

Deb se frotta les yeux.

— Je me suis endormie. Tu as été long, non ?

Elle bâilla et prit le sac qu'il lui tendait.

Inutile de lui parler du message de Jack, décida-t-il en son for intérieur.

— J'avais pas mal de choses à acheter.

Inspectant le contenu du sac, elle fronça le nez.

— Il faudra que je fasse un peu mieux pour être présentable à la soirée de demain.

— Que *nous* fassions mieux…

Elle leva vers lui des yeux écarquillés de surprise.

— Tu viens aussi ?

— As-tu une meilleure solution pour mettre en scène un faux meurtre ?

Deb roula sur le ventre et enfouit son visage dans l'oreiller, s'efforçant de retenir les derniers lambeaux de son rêve. Les images avaient déjà disparu de sa conscience, mais une impression de contentement demeurait — impression trop rare pendant la journée.

Elle n'avait pas dormi aussi bien depuis la disparition de Bobby, et elle devait ce sommeil paisible à l'homme qui se trouvait dans le lit voisin.

Tournant la tête, elle ouvrit un œil et admira Beau. Etendu de tout son long, une jambe pendant dans le vide, il serrait un oreiller dans ses bras. Il bougea dans son sommeil et murmura quelque chose.

Faisait-il des rêves agréables, lui aussi ?

La veille au soir, elle n'avait eu qu'une envie, se glisser sous les couvertures à côté de lui. Elle avait besoin d'être réconfortée. Mais Beau faisait déjà beaucoup pour elle. Elle ne pouvait lui demander en plus de lui prêter une épaule compatissante.

Il ne lui devait rien. Il ne savait même pas que Bobby était son fils.

Elle s'éclaircit la gorge.

Il ouvrit les yeux et se redressa brusquement sur son séant.

— Quoi ?

— Désolée. Je ne voulais pas te réveiller.

A dire vrai, elle avait même pris plaisir à contempler son visage dans l'abandon du sommeil. Le drap avait glissé sur sa taille, et elle goûtait la vue de son torse dénudé.

Ce qu'elle ressentait pour lui dépassait peut-être le simple besoin de réconfort, après tout. La flamme qui s'était allumée en elle lors de leur première rencontre ne s'était jamais éteinte, et avait jailli, plus vive que jamais, en le retrouvant.

Elle détourna le regard, l'estomac noué. Eprouver une telle attirance la faisait culpabiliser. Son fils était entre les mains de Zendaris. Comment pouvait-elle penser au sexe ?

Est-ce que cela faisait d'elle une mauvaise mère ? Elle l'était déjà, puisqu'elle n'avait pas pu empêcher l'enlèvement.

Elle cacha son visage dans l'oreiller.

— Veux-tu prendre ton petit déjeuner en bas avant d'aller faire les magasins ? proposa Beau.

— C'est aujourd'hui que Zendaris doit m'apporter la preuve que Bobby va bien, rappela-t-elle d'une voix étranglée. Avant la soirée de gala.

Beau lança ses jambes hors du lit, le drap toujours enroulé autour du torse.

— Il le fera par téléphone. Garde avec toi le portable qu'il t'a donné.

— Je n'ai que mes vêtements d'hier à me mettre, dit-elle en s'adossant à la tête de lit. J'ai apporté de l'argent liquide, je m'en servirai pour acheter un jean et quelques chemisiers.

— C'est la même chose pour moi. Et il me faut un smoking pour ce soir.

— Tu ne m'as toujours pas expliqué comment tu comptais t'y prendre pour te faire admettre au gala.

— L'un des invités perdra son billet d'entrée. N'est-ce pas ce que Zendaris t'a expliqué ? Que tous les convives devaient avoir une invitation ?

— Il a dit qu'il en mettrait une à ma disposition aujourd'hui, confirma-t-elle.

— S'il t'envoie la récupérer dans un point de retrait, tu iras seule. Lui et ses complices pourraient te surveiller.

Il se leva, et le drap tomba par terre. Son boxer épousait ses cuisses athlétiques, remarqua-t-elle avec trouble. Il s'étira, et ses muscles roulèrent sous sa peau.

Elle s'obligea à penser à autre chose.

— Et ce soir ? lança-t-elle. Il nous faudra entrer séparément.

— Oui, au cas où il observerait la foule. Mais j'en doute. Il ne voudra pas s'approcher, surtout si la Prospero dispose maintenant d'une description détaillée de sa personne.

— Tu oublies que c'est le roi du camouflage !

Beau haussa les épaules.

— Nous le sommes tous, non ?

Il désigna la salle de bains :

— Veux-tu y aller la première ?

— A toi l'honneur.

Quand il eut disparu dans la pièce voisine, elle alluma la télévision et monta le son. Elle ne voulait pas imaginer Beau sous la douche, l'eau ruisselant sur son corps musclé. Elle n'avait même pas besoin de se figurer la scène, elle l'avait déjà vue en vrai.

Au fond, c'était fou, la manière dont cette nuit de passion débridée avait abouti à l'existence de Bobby, puis les avait ramenés l'un vers l'autre de façon détournée. Elle s'était dit que la paternité de Beau était un atout dans sa manche, un levier dont elle userait pour l'amener à renoncer à sa mission, et à l'aider. Mais finalement, elle n'avait pas eu besoin de le convaincre.

Sans même savoir que Bobby était son fils, il s'était mis spontanément de son côté dès qu'elle lui avait exposé la situation délicate dans laquelle elle se trouvait.

L'eau cessa de couler, et quelques minutes plus tard, il sortit en annonçant :

— Tu peux y aller ! Je t'ai laissé de l'eau chaude.

Ce problème ne s'était pas présenté lorsqu'ils avaient pris leur douche ensemble, songea-t-elle.

Elle tira sur le drap, s'en enveloppa, coinça sa jupe et son chemisier froissés sous son bras et s'achemina à petits pas vers la salle de bains.

Retenant son souffle, elle se faufila derrière Beau, qui se tenait debout devant le miroir de la coiffeuse. Il ne portait qu'une serviette blanche nouée à la taille, et de la chaleur émanait de sa peau nue.

— Je ne serai pas longue, dit-elle.

— Où est ton téléphone ? Au cas où il t'appellerait pendant que tu es sous la douche.

Elle ouvrit la main.

— Je l'ai.

— Laisse-le là, fit-il en tapotant le plateau de la coiffeuse.

Elle passa vivement devant lui pour poser l'appareil sur le meuble. Puis elle se précipita dans la salle de bains et ferma la porte. Avec un soupir de soulagement, elle laissa tomber le drap à ses pieds et se débarrassa de ses sous-vêtements.

Il n'avait pas menti à propos de l'eau chaude. Les gouttes tambourinaient, bienfaisantes, sur ses épaules. Elle ferma les paupières.

S'ils trouvaient un moyen de faire croire à Zendaris qu'elle avait tué le Dr Herndon, pourrait-elle récupérer son fils ? Elle ne doutait pas de la parole de Beau lorsqu'il affirmait avoir déjà accompli de tels exploits au cours de sa glorieuse carrière. Elle le connaissait de réputation avant de le rencontrer en chair et en os, et il ne l'avait pas déçue. En aucune façon…

Des coups frappés à la porte la tirèrent brutalement de sa rêverie.

— Deb, tu as reçu un message !

Elle ferma le robinet et saisit la serviette sur le portant.

— Une minute !

Elle essora ses cheveux et s'enroula dans le drap de bain. Encore dégoulinante, elle ouvrit la porte à la volée.

— Tu l'as lu ?

— Non.

Les mains encore humides, elle prit le téléphone qu'il lui tendait et dut s'y reprendre à deux fois pour ouvrir le message.

C'était une photo.

Elle en tomba par terre, privée de forces.

— De quoi s'agit-il ? demanda Beau au-dessus d'elle.

En larmes, elle tourna l'écran vers lui.

— C'est Bobby.

6

Un frisson parcourut Deb alors que Beau s'accroupit à côté d'elle. Il frappa légèrement l'écran du bout du doigt.

— Peux-tu agrandir l'image ? On dirait qu'il tient un journal.

Elle fit glisser son doigt sur la photo pour obtenir un plan plus large.

— Encore, demanda-t-il.

Refermant sa main sur la sienne, il approcha l'appareil de son visage et scruta l'écran.

— Le journal date d'aujourd'hui. C'est la preuve qu'il est vivant.

— Dieu merci, souffla-t-elle en serrant le téléphone sur son cœur.

— Comment le trouves-tu ? s'enquit-il.

Elle se concentra de nouveau sur l'image.

— Il a l'air endormi. Il vient sans doute de se réveiller. Et toi, qu'en penses-tu ?

Beau examina son fils, les yeux plissés. Allait-il déceler la ressemblance qui existait entre eux ?

— Il semble fatigué.

— J'ai tellement peur qu'il soit malade ! Comment peuvent-ils savoir ce dont il a besoin ?

Il se releva et caressa ses boucles mouillées.

— Chaque chose en son temps. On va commencer par le récupérer.

Deb s'habilla, puis se sécha les cheveux devant le miroir à l'aide du sèche-cheveux de l'hôtel. Zendaris voulait qu'elle se déguise de nouveau pour le gala du soir, mais cette fois sans la perruque blonde. La femme qu'elle avait incarnée la veille avait dévalisé une bijouterie.

Et celle du cocktail serait une meurtrière, pensa-t-elle en se penchant vers la glace, touchant presque la surface avec son nez.

Zendaris lui avait donné une grosse somme pour réaliser sa métamorphose, et puisqu'il lui avait donné la preuve que Bobby était sauf, il attendait évidemment d'elle qu'elle exécute les ordres. Sans quoi…

Elle trembla et se redressa.

— Je suis prête.

Beau, vêtu du même jean et de la même chemise de flanelle bleue que la veille, s'éloigna du mur où il était appuyé, et mit son téléphone dans sa poche.

Elle se figea.

— Qui étais-tu en train d'appeler ?

— Je consultais simplement mes messages.

— Quelqu'un de ma connaissance ?

Elle scruta le visage impénétrable de Beau en retenant son souffle. Mais espérait-elle vraiment que l'expression de Loki allait lui apprendre quoi que ce soit ? Dans leur profession, trahir ses émotions pouvait coûter la vie.

— Un nouveau contrat, répondit-il.

Levant les sourcils, il ajouta :

— Tu penses vraiment que j'irais aussi loin avec toi si j'avais l'intention de te doubler ?

— Je ne sais pas.

Elle gagna le placard à grands pas et arracha son manteau du cintre.

— En tout cas, rappelle-toi bien…

Il l'interrompit d'un signe de la main.

— Pas la peine de me le répéter. Tu ne te laisseras pas emmener sans te battre.

Elle leva le pouce.

— Tu saisis vite !

— Allons manger.

Elle suspendit son manteau à son bras tandis qu'il lui ouvrait la porte.

Elle l'avait mal jugé, se sermonna-t-elle. Même dans ses rêves, elle n'aurait jamais imaginé qu'il viendrait à son secours sans avoir un intérêt direct dans l'affaire. Peut-être se doutait-il inconsciemment que Bobby était son fils, mais avait-il trop peur pour poser la question. Les dates correspondaient, même si elle avait un peu brouillé les pistes en prétendant que Bobby avait presque deux ans, alors qu'il en avait deux passés.

Alors qu'ils attendaient l'ascenseur, elle chuchota :

— Tu as ton arme ?

— Bien sûr.

Elle connaissait déjà la réponse, mais c'était un prétexte pour amener la question suivante.

— Quand pourrais-je récupérer la mienne ?

— Dès que je serai certain que tu ne t'en serviras pas pour me fausser compagnie.

— Pourquoi je ferais une chose pareille ? Je suis contente que tu m'aides. Je ne crois pas que j'y arriverais sans toi.

— Deb Sinclair, la seule femme de la Prospero, désemparée ? pouffa-t-il. Le jour où cela se produira n'est pas encore arrivé !

Elle appuya frénétiquement sur le bouton de l'ascenseur.

— Je te l'ai dit : je ne suis pas la même qu'il y a trois ans.

Les yeux de Beau balayèrent son corps de la tête aux pieds.

— Tu n'es pas si différente.

L'ouverture des portes et la présence d'autres personnes dans la cabine la dispensèrent heureusement de répondre. Il fallait absolument dissiper la tension sexuelle qui régnait entre eux. Ce n'était pas cela qui servirait sa cause. Ou qui sauverait Bobby, se morigéna-t-elle.

Peut-être devraient-ils coucher ensemble une bonne fois pour toutes. Ils seraient probablement déçus par cette rencontre, qui serait loin d'égaler le feu d'artifice de leur seule et unique nuit d'amour.

Comme l'ascenseur atteignait le rez-de-chaussée, il posa une main légère sur sa hanche, et elle frémit à ce contact. Au fond d'elle, elle le savait : cet homme ne pourrait jamais la décevoir.

Ils réussirent à trouver une table dans le restaurant du hall, puis commandèrent le petit déjeuner.

Beau tira de sa poche un smartphone. Ce n'était pas l'appareil sur lequel il avait consulté ses messages quelques minutes plus tôt, remarqua-t-elle. Apparemment, elle n'était pas seule à avoir un téléphone spécial.

Il tapota l'écran à plusieurs reprises.

— Je dois louer un costume et réaliser quelques achats pour ma transformation de ce soir, expliqua-t-il.

Elle versa du lait dans son café et demanda :

— Tu trouves prudent qu'on se montre ensemble dans la rue ?

— Cela m'étonnerait que Zendaris te fasse suivre, la rassura Beau. Il ignore dans quel hôtel tu résides à présent, et apparemment ça lui est égal. Mais ce n'est pas une mauvaise idée de garder nos distances en public.

Tout en jouant machinalement avec son téléphone, il continua :

— Si tu achètes un portable jetable, cela me permettra de t'indiquer où je me trouve, et réciproquement. Ça ne signifie pas que nous ne pouvons pas nous rendre dans les mêmes boutiques, mais il vaut mieux arriver et repartir séparément.

Sur une serviette en papier, il griffonna l'adresse de plusieurs magasins et la fit glisser vers elle.

— Quand Zendaris te fera signe d'aller chercher ton invitation pour le bal, préviens-moi. Je veux procéder à une reconnaissance des lieux d'abord.

Un soupir lui échappa :

— J'aurai un peu l'impression d'être Cendrillon ce soir.

Elle plia la serviette et la fit tomber dans son sac, suspendu au dossier de sa chaise.

Beau leva un sourcil.

— J'ai dû rater le passage de l'histoire où Cendrillon doit éliminer quelqu'un !

Une fois le petit déjeuner achevé, Deb prit le métro jusqu'au centre de Boston. Elle fit d'abord halte dans une boutique de perruques haut de gamme. Sans Beau à ses côtés, et surtout sans son arme, elle se sentait très vulnérable. Il aurait dû avoir assez confiance en elle pour la lui rendre.

Zendaris ne lui avait pas donné d'instructions particulières concernant son apparence. Il lui avait seulement demandé de porter une tenue appropriée pour le gala et de n'avoir rien de commun avec la blonde cambrioleuse de la veille.

Du bout des doigts, elle effleura les perruques présentées sur des têtes de mannequin sans visage. En contemplant les yeux vides de l'une d'elles, elle crut se regarder dans le miroir. Depuis l'enlèvement de Bobby, elle se sentait épuisée, privée d'énergie.

La vendeuse s'approcha d'elle, semblant glisser sur l'épaisse moquette.

— Puis-je vous aider ?

— Je voudrais des cheveux aile de corbeau, répondit Deb en secouant la tête. Longs, raides et noirs.

La femme pencha légèrement la tête sur le côté.

— Avec votre carnation pâle, cela créera un effet assez dramatique.

Le doigt levé, elle traversa le magasin.

— Je crois que j'ai ce que vous cherchez.

Seul Zendaris avait ce qu'elle cherchait, rectifia Deb en son for intérieur.

La vendeuse ôta une perruque du crâne lisse de l'un des mannequins, et la tint en l'air pour la lui montrer. Les longues mèches dansèrent sur son bras.

— Cela vous irait-il ?

— C'est parfait, répondit Deb.

— Asseyez-vous, intima la femme en tapotant un siège placé devant une coiffeuse.

Deb prit place dans le fauteuil. La vendeuse lui rassembla les cheveux en queue-de-cheval, les fixa avec des épingles, puis disposa un bonnet en Nylon sur sa tête.

Lorsque Deb releva les yeux, une étrangère lui faisait face dans le miroir. Les mèches noires et soyeuses tombaient en cascade sur ses épaules et dans son dos. Il ne lui restait plus qu'à assortir ses yeux à sa chevelure.

Elle s'arrêta ensuite au rayon cosmétique d'un grand magasin. Ne pouvant se résoudre à acheter une coûteuse panoplie de maquillage qu'elle jetterait ensuite, elle réclama des échantillons et décida de se procurer le reste dans une parapharmacie. Puis elle fit un tour dans le magasin et choisit quelques vêtements afin de ne pas être condamnée à porter la même jupe et le même chemisier tout le temps que Zendaris déciderait de la garder prisonnière à Boston.

Pourvu que tout cela finisse au plus vite, pria-t-elle.

Bobby avait l'air trop endormi sur cette photo, même pour quelqu'un qui venait de se réveiller. Etait-il ligoté ? Enfermé dans une pièce ?

Prise de nausée, elle s'appuya au présentoir de vêtements. Il fallait qu'elle sauve son petit garçon.

Elle inspira et expira à deux reprises, inhalant du même coup le parfum fleuri qu'elle avait vaporisé sur ses poignets au rayon cosmétique. Elle allait y arriver. Elle allait traverser cette épreuve. Elle n'avait pas le choix.

Elle fit un détour par le rayon lingerie, attrapa plusieurs culottes et choisit rapidement un pyjama sur le présentoir réservé aux articles soldés. Si elle devait passer une autre nuit à l'hôtel avec Beau, que ce soit avec quelques couches de vêtements supplémentaires…

Les mains chargées de sacs, elle héla un taxi pour se rendre à sa dernière étape : trouver la robe idéale pour un meurtre.

Elle était légèrement essoufflée lorsqu'elle pénétra dans

le magasin spécialiste des tenues de soirée. Mais une fois rentrée, elle n'arriva même plus à respirer.

Planté devant la glace, Beau tirait sur les manches d'un smoking noir. Un instant, leurs regards se croisèrent dans le miroir.

— Vous ne trouvez pas les manches trop courtes ? demanda-t-il.

La vendeuse voletait autour de lui comme un papillon.

— Peut-être un petit peu. Ce sont les épaules qui me préoccupent. Les vôtres sont si larges que la veste plisse dans le dos.

Deb esquissa un sourire narquois. Etait-il possible d'être moins subtile ?

Elle s'éclaircit la gorge pour attirer l'attention.

— Quelqu'un va venir s'occuper de vous tout de suite, répondit la femme sans quitter Beau des yeux.

Une deuxième vendeuse passa la tête par la porte du salon d'essayage.

— Jetez un coup d'œil sur la collection, proposa-t-elle. J'arrive dans une minute.

Deb fit un crochet pour éviter Beau et sa fervente admiratrice. Elle parcourut le magasin, tâtant les étoffes et consultant les étiquettes — bien que la question du prix ne la concerne pas, puisque c'était Zendaris qui payait la note.

Une robe à deux mille dollars en rétribution d'un meurtre ? Ses services étaient devenus bon marché.

La deuxième vendeuse s'approcha d'elle en se frottant les mains.

— Je verrais bien un vert soutenu avec votre teint et vos cheveux.

Ils auraient changé de couleur d'ici le soir, songea Deb. Mais elle n'allait pas le dire à la vendeuse.

— Il s'agit d'une cérémonie officielle, avec robes du soir et smokings…

— Oh ! Le nec plus ultra ! Voulez-vous aller voir les robes vert émeraude, là-bas ?

Deb se cramponna à la robe noire qu'elle tenait à la main. On ne portait tout de même pas du vert pour commettre un meurtre, si ?

— Je pensais à quelque chose de plus subtil, confia-t-elle. J'aimerais pouvoir me fondre dans la foule.

Son interlocutrice fit la moue.

— En effet, le noir est la couleur idéale pour ne pas se faire remarquer !

Après plusieurs minutes d'intense activité, la fille abandonna Deb en cabine avec trois modèles de robes noires : licou, bustier et à fines bretelles.

Elle enfila d'abord la robe licou et, quand elle eut ramené les bretelles sur ses épaules, la laissa retomber à ses pieds. Trop sévère.

Elle passa ensuite la robe bustier et ajusta le corset. Pas mal du tout.

— Voulez-vous que je vous donne mon avis ? proposa la vendeuse à travers la porte.

Remontant le bas de sa jupe, Deb sortit de la cabine et tourna sur elle-même.

— Qu'en pensez-vous ?

— Epoustouflant !

C'était la voix de Beau, et Deb tourna vivement la tête. Il avait remis son jean et était confortablement installé dans un fauteuil face aux cabines, une bouteille d'eau gazeuse à la main.

La vendeuse gloussa.

— Pardon ? fit Deb.

— La robe…, dit-il. Prenez-la. Elle est faite pour vous.

Deb affecta un ton offensé pour répondre :

— Je ne crois pas vous avoir demandé votre opinion.

— Je n'ai pas pu m'empêcher de remarquer que cette tenue vous allait à ravir.

La vendeuse qui s'était occupée de Beau s'interposa entre eux, une housse en plastique sur le bras.

— Monsieur Shelton, votre smoking est prêt.

— Merci, Adèle, dit-il en se levant.

Il s'éloigna d'un pas nonchalant vers la sortie et lança par-dessus son épaule :

— Qui sait, nous sommes peut-être invités à la même soirée !

Tu as intérêt à être là, répondit Deb en silence.

Elle choisit une paire d'escarpins assortis à la robe, paya, puis chargea tous ses achats dans un taxi pour rentrer à l'hôtel.

En se dirigeant vers l'ascenseur, elle jeta un coup d'œil à la grosse pendule accrochée au-dessus du comptoir de la réception. Il était 14 heures passées, et pas un mot de Zendaris sur l'endroit où elle devait retirer l'invitation pour la soirée. Beau allait-il réellement parvenir à trouver un moyen d'y assister ?

Autre question — plus préoccupante encore — comment comptait-il s'y prendre pour simuler un meurtre dans une salle de réception bondée ?

Lorsqu'elle arriva enfin à la chambre, elle avait les bras en compote à force de porter les sacs. Elle toqua à la porte avec la pointe de sa chaussure.

Beau lui ouvrit et elle lui tendit une partie de son chargement.

— Qu'est-ce que c'est que tout ça ? questionna-t-il en prenant les sacs.

— Comme je n'ai pas emporté d'affaires en quittant la maison, j'avais besoin de vêtements de tous les jours.

Elle s'effondra sur le lit, laissant ses jambes pendre dans le vide.

— As-tu trouvé tout ce qu'il te fallait ? s'enquit-elle.

Il plongea la main dans l'un de ses sacs et brandit ce qui ressemblait à une chenille.

— Zendaris n'est pas le seul à pouvoir changer d'apparence.

— Qu'est-ce que c'est ?

— Une fausse moustache.

— Tu sors le grand jeu, dis donc !

Elle se déchaussa et remua les orteils. Elle avait hâte de glisser ses pieds dans les confortables chaussures plates qu'elle venait d'acheter.

— As-tu des nouvelles de Zendaris ? lança-t-il.

Elle roula sur le ventre.

— Pas encore. Tu ne penses tout de même pas qu'il a changé d'avis ?

— Probablement pas, mais cela vaut mieux, de toute façon. Tu as intérêt à faire tout ce qu'on te demandera si tu veux te rapprocher de ton fils.

— Y compris un meurtre ?

Elle s'empara d'un oreiller et le serra contre sa poitrine.

— Je ne vois pas comment nous allons contourner le problème, ajouta-t-elle.

— Nous y arriverons. Pour l'instant, il est l'heure de déjeuner.

Mais elle avait absorbé plus de nourriture au dîner de la veille et au petit déjeuner du matin que dans toute la semaine. La digestion l'amollissait, la ralentissait, et il fallait qu'elle soit au mieux de sa forme dans les heures à venir.

— Je n'ai pas faim, lâcha-t-elle.

— Ta mère ne t'a jamais dit qu'il fallait manger pour prendre des forces ?

Il poussa un juron dans la foulée, s'apercevant clairement de son erreur.

— Désolé, Deb.

— Je n'ai pas eu ce genre de mère, mais je vois ce que tu veux dire.

Il prit sa carte-clé magnétique sur le plateau de verre du bureau.

— Faire toutes ces boutiques m'a mis en appétit. Je descends en vitesse à la charcuterie du coin acheter un sandwich. Ne sors pas sans moi, et mets le verrou et la chaîne de sécurité, recommanda-t-il en reculant vers la porte.

Quel idiot ! se réprimanda-t-il en glissant la carte-clé dans son pantalon. Deb avait grandi sans sa mère, une toxicomane qui l'avait placée dans un orphelinat lorsqu'elle avait quatre ans.

Deb n'avait même pas eu la chance d'être encore un bébé à ce moment-là. Trop âgée pour être facilement adoptée, elle avait été ballottée de famille d'accueil en famille d'accueil, avant de s'enfuir de l'une d'elles à l'âge de seize ans. La rigueur et la discipline de la marine américaine avaient dû constituer un agréable changement à ses yeux après cette enfance chaotique. Et elle avait appris à piloter des hélicoptères.

C'était stupéfiant, tout ce qu'il avait appris sur sa vie, vu le peu de temps qu'ils avaient eu pour discuter entre leurs ébats enflammés.

Il descendit en courant les escaliers et, lorsqu'il ouvrit la porte, un agréable vent frais le saisit. Les yeux rivés au sol, il s'achemina vers la charcuterie. Il se sentirait beaucoup plus à son aise lorsqu'il aurait mis sa perruque et sa fausse moustache. En cette période de symposium, il courait le risque d'être reconnu en ville.

L'heure de pointe étant passée, il n'y avait qu'un client devant lui. Alors qu'il attendait son sandwich au pastrami, son téléphone vibra. Le nom de Deb apparut sur l'écran.

— Que se passe-t-il ? Tu as du nouveau ?

— Ça y est, l'opération est lancée. J'ai ordre d'aller chercher l'invitation dans une librairie de White Street, L'Envolée lyrique.

— Une librairie ?

— L'invitation sera cachée dans un livre.

— Attends une seconde.

Beau posa brièvement le téléphone pour payer son sandwich.

— Quand ? reprit-il ensuite.

— Dans une heure.

Il remonta sa manche pour consulter sa montre.

— Je vais passer là-bas tout de suite. Zendaris ne prendra pas le risque de laisser cette invitation dans un livre trop longtemps. Si ça se trouve, on est en train de l'y placer au moment où nous parlons.

— Et si tu surprends quelqu'un, tu interviendras ?

— Non. Il nous faut ce billet. Par contre, je serai peut-être en mesure de reconnaître le commis de Zendaris. Donne-moi l'adresse et le titre du livre.

Deb lui fournit les informations nécessaires. Il pouvait se rendre à pied là-bas, mais il irait plus vite en voiture, réfléchit-il. Il retourna donc à l'hôtel pour prendre un taxi.

Après cinq minutes de trajet, il parvint à la librairie, mais demanda au conducteur de le déposer trente mètres plus bas dans la rue.

Mains dans les poches et menton collé à la poitrine, il pénétra dans un bar pour commander un café et prendre un journal, puis retourna dehors s'installer en terrasse.

Il déplia le quotidien, déballa son sandwich et se mit à manger. Entre deux bouchées, il surveillait la porte de la librairie par-dessus le bord de son journal, prenant en photo chaque personne qui entrait ou sortait du magasin. Ils auraient peut-être de la chance. Zendaris ne prendrait pas le risque de cacher trop tôt l'invitation au gala de bienfaisance, de peur qu'un inconnu ne la trouve. Il commencerait par s'assurer que Deb avait pu venir.

Deux suspects potentiels — deux hommes — entrèrent dans la boutique d'un pas traînant, et en ressortirent presque aussitôt. Il n'était pas exclu qu'ils aient affaire à une femme. D'un autre côté, il n'y avait pas beaucoup de Deb Sinclair dans le monde.

Et dire que l'espace d'une nuit, elle lui avait appartenu ! songea Beau.

Après qu'il eut passé un certain temps à prendre des photos et à tourner les pages de son journal sans les lire, un taxi s'arrêta devant la librairie. Deb en descendit, arborant une longue queue-de-cheval couleur d'ébène.

Le pouls de Beau s'accéléra. Elle avait troqué sa jupe tailleur et ses talons aiguilles contre un jean cigarette et des ballerines noires. Des lunettes sombres dissimulaient à demi son visage. Boston était une ville universitaire, et avec son allure fraîche et juvénile, elle aurait aisément pu passer pour une étudiante.

Elle jeta un coup d'œil autour d'elle, puis entra dans la boutique.

Les secondes s'égrenèrent, interminables. Beau finit son café froid et laissa tomber le journal sur la table.

Enfin, au bout de plusieurs minutes, Deb émergea sur le trottoir, les lunettes perchées sur le sommet du crâne. Elle avait dû demander au chauffeur de taxi d'attendre, car le même véhicule descendit la rue en trombe et s'arrêta devant elle.

Beau se releva, jeta gobelet en plastique et papier sale à la poubelle, puis replaça le journal dans le porte-revues situé à l'entrée du café.

Il décida de rentrer à l'hôtel à pied, goûtant la morsure vivifiante de l'air froid. Puisque Deb avait son invitation, il fallait qu'il s'occupe d'emprunter ou de voler la sienne. Il n'allait pas laisser Deb descendre seule dans la fosse aux lions.

Zendaris voulait un meurtre, il allait l'avoir.

Il ouvrit la porte de la chambre à l'aide de sa carte-clé, mais la chaîne de sécurité l'empêcha d'entrer. Visiblement, Deb commençait à retrouver ses réflexes, émoussés après l'enlèvement de son fils.

— C'est moi ! appela-t-il.

Elle referma la porte, ôta la chaîne et lui ouvrit.

Elle avait un étrange regard. Ses yeux étaient devenus marron foncé. D'ordinaire, le vert émeraude donnait à son visage un aspect ouvert, éclatant. Cette nouvelle femme semblait receler des secrets derrière ses prunelles sombres.

— Joli déguisement, dit-il.

Elle lui agita une carte en plastique sous le nez.

— Je m'étais dit que je ressortirais discrètement pendant la soirée pour te la donner, mais il y a un code-barres. Une fois scannée, elle ne sera probablement pas réutilisable.

— Et ce code-barres va rendre l'imitation plus difficile à réaliser.

Il prit la carte en plastique et la retourna.

— Je vais devoir en voler une, conclut-il.

— Tu penses pouvoir y arriver ?

Il roula les yeux et lui rendit la carte.

— C'est toi qui te plais à m'appeler Loki, je te rappelle.

— J'ignorais que Loki comptait le vol parmi ses autres talents.

— Certains des exploits qu'on me prête ont été exagérés, et d'autres non, dit-il en tirant un petit appareil de sa poche.

— C'est un appareil photo ?

— Oui, madame l'espionne. Il ne me quitte jamais.

— Tu as réussi à prendre l'associé de Zendaris ?

— *L'associé ?* Ce n'est pas quelqu'un de si important.

Il sortit son ordinateur portable du placard, le posa sur la table près de la fenêtre et l'alluma.

— Dis-moi si tu reconnais l'une de ces personnes. Eventuellement, l'homme qui a fait tomber le téléphone dans ta poche à ce coin de rue.

Deb se mit à faire les cent pas pendant qu'il reliait avec un câble USB le mini-appareil photo à l'ordinateur, puis importait les photos.

— C'est prêt, annonça-t-il finalement.

Deb se pencha pour regarder. Sa queue-de-cheval lui chatouilla le bras. Son parfum, mélange de fleurs, de musc et de citron, lui fit tourner la tête. Ou alors c'était sa proximité, la façon dont son souffle tiède lui caressait la joue…

Il appuya sur une touche pour faire défiler les images.

— Est-ce que l'un d'eux te semble familier ?

A la troisième photo, elle frappa l'écran du doigt.

— Ce type, là !

Il fit un gros plan sur le visage de l'homme. Celui-ci portait des lunettes de soleil qui lui cachaient partiellement le visage, et un chapeau vissé bas sur le front.

— Non, dit-elle, fais un zoom arrière. Son visage ne me parle pas, mais j'ai reconnu son corps. Le type qui m'a bousculée dans Beacon Hill était fortement charpenté, et il portait une veste matelassée comme celle-ci. Il avait de larges épaules et un cou épais.

Beau appuya sur la touche fléchée plusieurs fois, jusqu'à ce que le corps de l'homme emplisse l'écran.

— Costaud, un torse large, un cou de taureau… Penses-tu qu'il s'agisse du même homme ?

— C'est possible, répondit-elle. C'est l'un des premiers que tu as photographiés devant la librairie ?

— Oui. C'est mon troisième suspect. Jette quand même un coup d'œil aux autres avant de te prononcer.

Il lança le diaporama. Un seul autre suspect — un type imposant avec un blouson en cuir — provoqua une réaction chez Deb.

— La veste de celui-ci ne correspond pas, dit-elle. Ce pourrait donc être le premier qu'on a vu.

— Je vais envoyer sa photo à mon assistant pour voir s'il peut l'identifier.

Elle fit un pas en arrière et enroula ses doigts autour du dossier de sa chaise.

— Tu as un assistant ?

— Tu as bien la Prospero. Moi aussi, j'ai une équipe.

— Savent-ils sur quoi tu travailles ?

— Jamais.

Elle arrondit les lèvres et poussa un long soupir.

— Et l'agence ? demanda-t-elle. Tu n'as pas encore fait le point avec eux ? Ils n'attendent pas un rapport ?

— Je suis Loki, pas un enfant de douze ans.

Il retailla l'image, l'enregistra, puis l'envoya à une base d'analyse afin de la comparer avec les milliers de terroristes et de malfaiteurs déjà recensés.

— Ça risque de prendre un moment, mais de toute façon nous avons une soirée de gala qui nous attend.

— Encore trois heures à attendre. Comment vas-tu te procurer cette invitation ?

Il s'étira et fit craquer les articulations de ses doigts.

— Je suis un habile pickpocket. Chiper un billet à un savant distrait est un jeu d'enfant pour Loki !

Elle rit, et les plis soucieux qui assombrissaient son visage disparurent.

— Tous les savants ne sont pas tête en l'air ou distraits !

— J'en trouverai un qui l'est.

Il croisa les mains sur sa nuque et étendit ses jambes devant lui.

— J'ai mangé un sandwich à midi. Veux-tu prendre un repas avant le gala ?

— Je ne pourrai rien avaler, répondit-elle en posant les mains sur son ventre. Trop nerveuse. Nous n'avons toujours pas discuté du plan de ce soir. Comment vas-tu mettre en scène un faux meurtre ?

— Il faudra évaluer la situation sur place. Je pourrai peut-être m'approcher du Dr Herndon et lui faire une proposition.

— Il n'acceptera pas d'écouter un inconnu à moitié dérangé, ni de jouer les cobayes.

— Qui te dit que je suis un inconnu pour lui ?

Elle écarquilla les yeux. Décidément, il n'arrivait pas à s'habituer à cette nouvelle couleur.

— Tu connais le Dr Herndon ?

— On peut dire ça comme ça.

Elle poussa une exclamation étouffée, et ses narines frémirent.

— Pourquoi tu ne me l'as pas dit ?

— Nous avons tous nos secrets, Deb…

Elle rougit et se détourna.

Il comptait l'aider à sauver son fils, mais il ne lui devait pas toute la vérité pour autant, songea-t-il.

Il poussa l'ordinateur vers le centre de la table.

— Si tu n'y vois pas d'inconvénient, je vais faire un tour à la salle de gym de l'hôtel avant d'entamer ma transformation.

— Pas de problème. Je vais me reposer, et ensuite je commencerai ma propre transformation. Je suis sûre que cela me prendra davantage de temps qu'à toi.

— Tu as déjà commencé, fit-il observer. Tu… C'est très joli. Ça te change.

— C'est le but recherché.

Sur ce, il partit pour la salle de gym, attendant derrière la porte qu'elle ait poussé la chaîne.

Deb ouvrit le placard, prit la pochette du soir qu'elle avait achetée, et glissa l'invitation à l'intérieur.

Beau sentait-il qu'elle lui cachait quelque chose ? Chaque fois qu'il parlait de secret, c'était comme s'il lisait dans son cerveau.

Dans tous les cas, s'il ne s'apercevait pas lui-même de sa ressemblance flagrante avec Bobby, elle n'aborderait pas le sujet. Ce n'était ni le moment ni l'endroit pour lui annoncer qu'il avait un fils.

Ils avaient un « meurtre » à planifier. A ce sujet, elle aurait été bien plus à l'aise si elle avait eu son arme.

Beau avait enfermé les deux revolvers dans le coffre, mais avait omis de lui communiquer la combinaison. Croyait-il vraiment qu'elle tirerait sur lui pour s'enfuir, après tout ce qu'il avait fait pour elle ?

C'était peut-être lui qui l'abattrait lorsqu'il apprendrait qu'elle lui avait caché pendant deux ans l'existence de son fils. Il fallait qu'il comprenne. Elle saurait quoi dire pour qu'il comprenne.

Ou peut-être n'aurait-elle pas à se donner cette peine. Aussitôt cette affaire résolue, il se hâterait vers sa prochaine mission.

En soupirant, elle se laissa tomber sur le lit, ôta ses ballerines et s'allongea en position fœtale. Tendant le bras, elle attrapa le téléphone sur la table de nuit et ouvrit la photo de Bobby tenant un journal.

Du bout du doigt, elle traça les contours de son doux visage.

— Tiens bon, mon trésor. Maman arrive. Et papa aussi.

7

Deb enfilait ses dessous en dentelle, lorsqu'on frappa à la porte. Serrant les pans de son peignoir en éponge autour de sa taille, elle alla ouvrir, mais en laissant la chaîne.

C'était Beau.

Il entra dans la pièce, humant l'air.

— Ça sent bon, ici… Bien meilleur qu'à la salle de gym !

— C'est le parfum que m'a donné la vendeuse du rayon cosmétique. Je l'ai convaincue de me donner quelques échantillons.

Il poussa un grognement de dérision.

— A quoi bon perdre ton temps à économiser l'argent de Zendaris ?

— Oh ! Ça m'est égal ! dit-elle en tirant une chaise devant la coiffeuse. C'est simplement que je veux pouvoir jeter toutes ces choses quand ce sera fini. Peu importe qui a payé la note, je ne pourrai pas me résoudre à mettre des produits de luxe à la poubelle.

Elle étala une serviette-éponge sur la table et commença à aligner tubes, flacons et pinceaux.

— Comment s'est passée ta séance de gym ?

— J'en avais vraiment besoin.

Il ôta son T-shirt humide de sueur et le fourra dans un sac plastique à l'intérieur du placard.

Elle se pencha vers le miroir, mais au lieu d'étudier son propre reflet, elle se concentra sur celui de Beau. Il devait avoir fait des achats, lui aussi, car elle ne l'avait jamais vu avec ce short de sport. Il le portait bas sur les hanches.

Il leva les yeux et croisa son regard dans la glace. Elle tendit aussitôt la main vers un flacon de fond de teint. Et le renversa.

Cesse de te comporter comme une adolescente amoureuse, se tança-t-elle intérieurement.

Elle devait rester focalisée sur Bobby et sa libération. Si elle cessait de penser à lui, ne serait-ce qu'une minute, il lui serait arraché pour toujours. Du moins le craignait-elle.

Au moment où le kidnapping avait eu lieu, elle avait l'esprit occupé à autre chose. Rationnellement, elle le savait : cela n'avait pas de rapport avec l'enlèvement, mais elle culpabilisait quand même. Ce qui ne servait à rien…

— Je file sous la douche, annonça-t-il.

Elle agita la main, comme s'il lui était complètement indifférent de le savoir nu dans la pièce d'à côté.

Elle étala une épaisse couche de fond de teint foncé sur sa peau, jusqu'au décolleté. Ensuite, elle appliqua le mascara, l'eye-liner et trois sortes d'ombres à paupières. Son reflet dans la glace était celui d'une étrangère au regard charbonneux.

La touche de blush corail sur ses pommettes modifia les contours de son visage. Elle décida d'attendre d'avoir enfilé sa robe pour mettre le rouge à lèvres.

La douche cessa de couler alors qu'elle parachevait son maquillage. Beau émergea de la salle de bains.

— Alors ? demanda-t-il en écartant les bras.

Comme elle, il avait fait l'acquisition d'une perruque — des cheveux noirs peignés en arrière avec quelques fils argentés sur les tempes. Il portait des lentilles sombres pareilles aux siennes. Une épaisse moustache et une barbe fournie dissimulaient le bas de son visage.

Il aurait eu l'air du parfait intello sans sa serviette nouée à la taille, qui dévoilait son buste sculptural.

— Waouh ! s'extasia-t-elle. On dirait un authentique savant.

La bouche de Beau forma un « o » au milieu de sa barbe.

— Et toi, tu es splendide dans le genre « Maîtresse des Ténèbres » !

Elle se mordit la lèvre. Elle ne voulait pas se faire remarquer dans la foule.

— C'est trop voyant ?

— Cela fonctionnera. Zendaris lui-même ne te reconnaîtrait pas.

— De toute façon, il n'y sera pas. Je ne crois pas qu'il osera montrer son visage.

— Je crois qu'on peut montrer les nôtres sans risquer d'être reconnus.

— Mais tu n'espères pas l'être par le Dr Herndon ?

— Il y a d'autres façons de se rappeler à sa mémoire.

De toute évidence, il n'avait pas l'intention de lui expliquer lesquelles. Elle décrocha la lourde robe de son cintre.

— Je vais enfiler ça. Tu as encore besoin de la salle de bain ?

Il sourit légèrement.

— Tu n'es pas obligée de changer de pièce pour t'habiller. Nous n'avons qu'à nous tourner le dos. Moi aussi, je dois mettre mon smoking.

Ils allèrent se poster chacun dans un coin de la chambre. Trouvait-il naïve sa pudeur ? s'interrogea-t-elle.

Visiblement, il ne se doutait pas qu'elle avait du mal à contrôler son imagination lorsqu'elle le voyait à moitié nu.

Elle défit la ceinture de son peignoir, laissa tomber celui-ci à ses pieds et entra dans la robe.

— Peux-tu m'aider ? demanda-t-elle en remontant le bustier sur sa poitrine.

— Avec plaisir !

Ses doigts tièdes coururent sur son dos nu tandis qu'il ajustait les pans de la robe et remontait la fermeture Eclair.

— Il y a une agrafe en haut. Vu mon manque d'habileté, je risque d'être un peu long à l'attraper.

Il pouvait mettre autant de temps qu'il le souhaitait, pensat-elle. Elle goûtait avec délices la chaleur qui émanait de son corps, ainsi que son odeur fraîche et virile.

— Voilà.

Il posa les mains sur ses épaules et la fit pivoter vers lui. Une lueur s'était allumée au fond de ses prunelles sombres. Ce n'était pas la flamme bleue qu'elle connaissait, mais elle la faisait fondre de la même façon.

— Tu es sublime.

Elle laissa échapper un petit rire et fit un pas en arrière, manquant de marcher sur le bas de sa robe.

— C'est à cause du maquillage. Les hommes se plaisent à dire qu'ils préfèrent les visages frais et naturels, mais ils ne résistent jamais devant une femme savamment maquillée.

— Je ne peux pas te résister, avec ou sans maquillage.

Elle se dirigea vers le placard pour prendre ses escarpins, le frôlant au passage.

— Oui, eh bien… Nous sommes déjà passés par là. Et ça n'a pas été une réussite.

Il surgit près d'elle alors qu'elle relevait sa jupe pour glisser un pied dans sa chaussure.

— Vraiment ? Moi, j'ai toujours pensé que ça avait été une réussite, au contraire. Je n'ai rien regretté. Toi oui ?

En équilibre sur un pied, elle se tint à la porte du placard pour enfiler sa deuxième chaussure. Lorsqu'elle avait découvert qu'elle était enceinte, cette nuit d'amour avait soudain semblé désastreuse. Mais dès qu'elle avait eu son bébé dans les bras, elle s'était dit qu'elle ne voudrait pas en changer une seule minute, même si Bobby ne devait jamais avoir de père.

Si Beau connaissait l'issue de leur brève liaison, il ne la considérerait certainement plus comme une réussite.

— Je… Je veux simplement dire que nous ne nous sommes jamais revus par la suite, bredouilla-t-elle. Je n'avais même pas un numéro où te joindre.

S'il lui demandait pourquoi elle ne lui avait rien dit à propos de Bobby, elle avait une excuse toute trouvée.

Il rassembla dans son dos les longues mèches de sa perruque.

— Tu m'aurais appelé si tu avais eu mon numéro ?

Elle fit volte-face, et il laissa filer entre ses doigts sa

lourde chevelure. Sur ses hauts talons, elle pouvait presque le regarder les yeux dans les yeux.

— Tu savais qui j'étais. Pourquoi tu ne l'as pas fait, toi ? lança-t-elle.

Il se caressa la moustache.

— Nous n'avions pas abordé la question du prochain rendez-vous, me semble-t-il.

— Ce n'était ni le lieu ni le moment.

— Précisément. N'oublie pas, Deb. C'est toi qui as filé à l'aube, en ne laissant derrière toi qu'un mot griffonné sur un bout de papier et ton parfum sur les draps.

A ces mots, le souvenir de ce qu'ils avaient vécu surgit dans la mémoire de Deb, la frappant de plein fouet. Elle agrippa la porte du placard et ferma les yeux.

— Je t'ai laissé un mot, en effet.

Il laissa échapper un petit rire.

— C'est bien les femmes d'attendre d'un homme qu'il sache interpréter ce genre de message ! Le tien suggérait que tu considérais cette nuit comme une aventure sans lendemain. Je pouvais déjà m'estimer heureux d'avoir connu une telle expérience ! En tout cas, j'ai pensé que tu ne souhaitais pas que je donne suite, et apparemment j'ai eu raison, puisque tu avais quelqu'un à l'époque — le père de Bobby.

Le cœur serré, elle pressa ses mains contre sa poitrine.

— Je suis désolée.

Il lui chatouilla le menton et retourna dans son coin de la pièce.

— Pas besoin de t'excuser. A présent, je peux mourir content.

— Ne parle pas de malheur.

Baissant la tête, elle fit mine d'arranger les plis de sa robe.

Il enfila une paire de chaussures noires vernies et passa sa veste de smoking.

— Peux-tu m'aider à fixer mon nœud papillon ?

— Bien sûr.

Il revint près d'elle alors qu'elle venait juste de retrouver une respiration normale. Son pouls s'accéléra de nouveau, et un frisson électrique la parcourut.

Elle aurait aimé le détromper concernant sa prétendue relation avec un autre homme à l'époque de leur rencontre. Mais il aurait fallu pour cela confesser qu'il était le père de Bobby. Or, elle n'y était pas encore prête. Ni lui, d'ailleurs.

Ils devaient d'abord libérer Bobby.

Il leva le menton alors qu'elle attachait son nœud papillon, sa longue barbe lui chatouillant les doigts. Elle ajusta les ailes, puis, d'une main légère, lissa son plastron amidonné.

— Et voilà.

Il se posta devant le miroir, mais dirigea son regard sur elle.

— Pourquoi le père de Bobby vous a-t-il laissés partir ?

Elle déglutit.

— C'est une longue histoire. Je n'ai pas le temps de te la raconter maintenant.

C'était certainement l'euphémisme de la soirée, se dit-elle.

Il haussa les épaules et passa derrière elle pour fourrager dans un autre sac.

— Et maintenant, le clou du spectacle.

Il posa une paire de lunettes à montures foncées sur le bout de son nez. Elle rit.

Il passa une main sur ses cheveux lissés en arrière.

— C'est trop ?

Elle secoua la tête.

— Avec ce smoking, tu vas être le professeur dans la lune le plus sexy de la soirée.

A son tour, il sourit.

— Les dames d'abord. Tu vas prendre un taxi pour te rendre au Grand Marquis et je te suivrai dans un autre. On se retrouvera là-bas.

Elle attrapa sur le lit sa pochette ornée de perles et la serra contre sa poitrine.

— Je ne devrais pas emporter une arme ?

— Tu ne vas pas tuer le Dr Herndon.

— D'accord, mais est-ce qu'il ne m'en faut pas une, au moins pour faire semblant ?

Les sourcils de Beau s'arquèrent au-dessus de ses épaisses lunettes.

— Faire semblant de quoi ? Tu veux être arrêtée pour tentative de meurtre ?

— Et si tu n'arrivais pas à entrer ?

— J'y arriverai.

Elle tapa du pied, et sa robe noire bruissa autour d'elle.

— Bon sang ! J'ai l'impression de me rendre sur un ring sans gants de boxe. Zendaris attend de moi que je tue le Dr Herndon, et je ne sais même pas quel est ton plan.

— Techniquement, dit-il en lui entourant le cou de ses mains et en calant ses pouces sous son menton, tu es toujours ma prisonnière. Je risque gros en te faisant confiance. Tu es à bout de nerfs, et il est difficile de prévoir jusqu'où tu irais pour récupérer ton fils.

Elle s'arracha à son étreinte et essuya une larme au coin de son œil.

— Je n'aime pas me sentir vulnérable.

— Aie confiance en moi. J'ai la situation bien en main.

— Il faut que j'aie confiance en toi, alors que tu viens juste d'admettre que la réciproque n'est pas vraie ? fulmina-t-elle.

— Tu m'as menti.

Elle cligna des yeux. *Il savait.*

— Que… Que veux-tu dire ?

— Quand je suis arrivé, tu as prétendu ne pas avoir de contact avec Zendaris.

Il fallut plusieurs secondes pour que son cœur retrouve un rythme normal.

— Bien sûr. La vie de mon fils était en jeu.

— Elle l'est toujours.

Elle frappa du doigt son torse, juste sous son nœud papillon impeccablement ajusté.

— Ne fiche pas tout en l'air !

— Moi ? Ça ne m'est jamais arrivé.

Deb retint un mouvement de colère.

— Faux ! Tu as coulé la mission que t'a confiée la Prospero, non ? Ils croient que tu vas leur servir ma tête sur un plateau.

Il réajusta les pans de sa veste.

— Ne sois pas si sûre de toi. Je peux encore le faire.

Le taxi filait à vive allure à travers les rues de Boston. Deb soupira. Elle avait le pouvoir d'effacer le sourire condescendant de Beau. Il suffisait pour cela qu'elle lui dise la vérité.

Ce n'était pas un motif valable pour lui révéler qu'il était le père de Bobby, mais elle devrait de toute façon lui parler à un moment ou à un autre. Il méritait de savoir. Ce qu'il ferait de cette information le regardait.

Tous les pères ne souhaitaient pas connaître leur enfant. Toutes les mères non plus, d'ailleurs.

Pour la deuxième fois depuis le début de la soirée, elle essuya rapidement une larme pour éviter de faire couler son mascara.

Elle avait depuis longtemps réglé sa problématique de l'abandon, mais elle ne voulait pas que Bobby passe par les mêmes affres qu'elle. Au moins, il avait une mère qui l'aimait : c'était plus que ce qu'elle avait jamais reçu. Mais elle avait eu Robert et, au bout du compte, cela s'était révélé suffisant.

Son taxi rejoignit une file de véhicules qui faisaient la queue devant le Grand Marquis.

— Préférez-vous que je m'arrête ici, ou que je vous dépose devant l'entrée ? lui demanda le chauffeur.

— Ici, ce sera très bien.

D'une main légèrement tremblante, elle prit un billet de banque dans son sac. Si seulement elle savait de quelle façon Beau comptait s'y prendre !

Le conducteur sauta à terre avec légèreté et vint lui ouvrir la portière. Ce devait être à cause de la robe, se dit-elle. Elle lui mit l'argent dans la main et le remercia.

Puis elle ferma les paupières, prit une grande inspiration et pinça les lèvres.

Le moment était venu de se couler dans la peau de son nouveau personnage. Elle ne pouvait montrer le visage d'une mère aux abois sur le point de commettre un meurtre. Cette personne-là ne lui attirerait pas beaucoup d'amis.

Elle rejoignit la foule d'invités qui se pressait devant l'entrée de l'hôtel, réajusta son bustier et tâta son décolleté pour s'assurer que ses seins ne risquaient pas de s'échapper. Puis elle plaqua un sourire sur ses lèvres et sortit son invitation de sa pochette.

Relevant légèrement sa jupe, elle monta sur l'escalier roulant. En haut, des hommes en smoking barraient l'accès à la salle de bal, scannant les codes-barres et inspectant l'intérieur des sacs. Il n'y avait pas de détecteur de métaux : passer avec une arme aurait été un jeu d'enfant.

Elle présenta son billet au vigile. Il lui fit signe d'entrer, et elle fut aspirée par la foule.

Elle saisit au vol une coupe de champagne sur un plateau qui passait là, et avala d'un trait la moitié de l'élixir à fines bulles. Puis, se frayant un chemin à travers les robes de taffetas, de soie et de brocard luxueusement parfumées, elle mit le cap sur un groupe de gens massés à l'angle du buffet. Qui n'aimait discuter de nourriture ?

Jouant des coudes, elle parvint à leur hauteur, piqua une crevette sur un cure-dents en plastique rouge et demanda à sa voisine :

— Avez-vous goûté les sauces ?

Sa nouvelle amie lui indiqua une coupe en argent.

— Essayez le beurre de cacahuètes thaï.

Cette remarque entraîna un échange sur les allergies, le temps, les Red Sox et l'anthrax.

Ainsi mise en jambe, Deb se dirigea vers le groupe suivant, où elle laissa d'autres propos insipides couler de ses lèvres.

Postée face à la porte, elle surveillait les arrivées. Si elle était à même de reconnaître le Dr Herndon sur une photo de journal, elle aurait été incapable de le retrouver dans cette foule.

Ses yeux glissèrent, puis revinrent vivement se poser sur un homme de haute taille à la barbe fournie. Elle laissa échapper un soupir de soulagement. Beau avait réussi à passer le barrage de l'entrée.

Comme s'il avait senti ses yeux sur lui, il tourna brusquement la tête. Son regard sombre croisa le sien à travers ses épaisses lunettes, et il fendit la foule en direction du bar.

Elle eut soudain envie de quelque chose de plus fort que du champagne. S'excusant auprès de son cercle du moment, elle traversa une colonie de pingouins pour le rejoindre.

— Sacrée foule, hein ?

Il tourna à peine la tête.

— Un scotch, s'il vous plaît. Sec. Oui, sacrée foule.

— Je ne suis même pas sûre de pouvoir reconnaître l'invité d'honneur.

Elle frappa deux petits coups sur le comptoir.

— La même chose pour moi, s'il vous plaît.

Beau entoura son verre de ses grands doigts et s'éloigna du bar. Elle le suivit, sans trop s'approcher toutefois.

— Là-bas, près de la scène, dit-il.

Elle tourna son regard vers le fond de la pièce, où une bande de musiciens accordaient leurs instruments.

— Grand, les cheveux dégarnis, un nœud papillon à pois un peu de travers ? questionna-t-elle.

— Tu les trouves dégarnis ? dit-il en passant sa main sur sa perruque. Va faire sa connaissance, joue les sirènes brunes. C'est un amateur de jolies femmes. Arrange-toi pour te retrouver seule avec lui.

— Et comment ? Il a une véritable foule autour de lui !

Il baissa les yeux sur son décolleté.

— Sers-toi de tes atouts.

Elle hocha la tête en signe d'assentiment. Ce ne serait pas la première fois qu'elle jouerait la carte de la séduction dans son métier. En revanche, cela risquait d'être la dernière si elle ne menait pas à bien cette mission.

Elle prit une petite gorgée de scotch et la garda un instant sur sa langue. L'alcool coula dans sa gorge comme une traînée de feu. Elle redressa les épaules et, cette fois, ne prit pas la peine de remonter son bustier.

Elle se dirigea vers la scène d'un pas nonchalant, roulant des hanches et entortillant une mèche de cheveux noirs autour de son doigt. Herndon la vit approcher et interrompit sa conversation pour l'encourager d'un sourire.

Elle marqua une halte un peu brusque près de la scène, et quelques gouttes jaillirent de son verre. Elle lécha son doigt et ouvrit de grands yeux.

— Les musiciens vont-ils bientôt jouer ?

La pomme d'Adam de Herndon monta et descendit dans sa gorge.

— Oui. Vous aimez danser, mademoiselle… ?

Il tendit la main, et elle se pencha vers lui pour la serrer.

— Désirée. Comme dans « désir », mais avec « ée » à la fin. Oui, j'adore danser.

Herndon gloussa, et sa main, devenue moite, pressa la sienne avec plus de force.

— Moi aussi. Promettez-moi de m'accorder la première danse.

— C'est promis, docteur Herndon.

— Vous savez qui je suis ?

— Bien sûr, répondit-elle en lui faisant un clin d'œil. Vous êtes le héros du jour, n'est-ce pas ?

Le savant sourit jusqu'aux oreilles.

— Je suis flatté, Désirée. Je vous en prie, appelez-moi Scott. Je vais me chercher un autre verre, mais revenez me voir dès que l'orchestre entamera les premières mesures.

Elle but une gorgée de scotch et se passa la langue sur les lèvres.

— Avec plaisir, Scott.

Elle pivota sur ses talons et s'éloigna en chaloupant. Le

regard de Herndon était rivé à ses hanches, cela ne faisait aucun doute. Aurait-il le sentiment d'avoir été ridicule quand il découvrirait sa vraie identité ? Probablement pas, s'il savait qu'elle avait épargné sa vie.

Tout en se dirigeant vers les toilettes pour dames, elle jeta un coup d'œil à Beau : il discutait avec deux jeunes hommes à l'air sérieux et l'ignora.

Elle s'engouffra dans les toilettes et appuya ses deux mains sur le bord du lavabo. Elle n'aimait pas utiliser ce genre de méthodes, mais même un scientifique renommé comme le Dr Herndon n'était pas insensible au charme féminin et à la flatterie. Etait-ce sa faute à elle ?

Il se montrerait moins empressé si elle était un jeune homme studieux passionné de physique nucléaire.

Elle lui porterait le coup de grâce après la danse, en l'invitant à l'accompagner dehors pour respirer un peu d'air frais.

Beau prendrait certainement le relais à ce moment-là.

Elle attrapa un tube argenté dans son sac et remit du rouge à lèvres. Il y eut un bruit de chasse d'eau, et une femme émergea de l'une des cabines en lissant sa robe à godets.

Elle rejoignit Deb devant les lavabos et croisa son regard dans la glace.

— Jolie robe ! Mais vous devriez remonter votre bustier avant qu'elle ne se transforme en moitié de robe.

Deb baissa les yeux et se hâta de recouvrir sa poitrine de ses mains.

— Oh ! Merci.

Pour la énième fois de la soirée, elle tira sur son bustier mais, dès qu'elle fut sortie des toilettes, elle lui redonna sa position initiale. Son décolleté osé était peut-être son atout majeur pour convaincre le Dr Herndon de la suivre dehors… et lui sauver la vie.

Quelques minutes plus tard, le son mélodieux des violons s'éleva de l'estrade. Elle se dirigea sans attendre vers le savant, entouré de disciples éperdus d'admiration. Elle se faufila entre les costumes noirs et agita un doigt dans sa direction.

— Vous avez promis !

Comme attirés par un aimant, les yeux de Herndon se fixèrent sur sa poitrine. Il remit d'autorité son verre à l'un de ses admirateurs et se frotta les mains.

— Je vous attendais, Désirée.

Elle prit le bras qu'il lui offrait. Il la guida vers la piste, où plusieurs couples tournoyaient déjà au son d'une valse.

Sans hésiter, il posa une main sur sa taille et l'attira contre lui, plaquant ses seins presque entièrement dénudés contre son plastron. Il avait les mains moites et son cœur battait violemment contre le sien.

Il devait être très excité, songea-t-elle avec écœurement. Elle se mordit la lèvre et maudit Beau entre ses dents.

Il virevolta, et fit un faux pas.

— Tout va bien, Scott ?

— Ça va, répondit-il, la respiration sifflante. Je n'avais pas dansé depuis un certain temps, et il fait chaud ici, vous ne trouvez pas ?

Il ne pouvait lui fournir de meilleure entrée en matière. Elle se dégagea de son étreinte et lui offrit son plus beau sourire. Il avait le visage tout rouge.

— Moi aussi, je meurs de chaud ! minauda-t-elle. Si cela vous dit, nous pourrions aller dehors respirer un peu d'air frais.

— Marché conclu. Nous sortirons après cette valse, dit-il.

Une goutte de sueur coula le long de sa joue et atterrit sur son col rigide.

— Etes-vous sûr que vous vous sentez bien, Scott ? Tant pis pour cette danse, allons nous aérer maintenant.

Il bougea les lèvres, mais aucun son n'en sortit. Un filet de bave coula sur son menton.

— Etes-vous malade ?

Zut ! songea-t-elle. Il allait attirer l'attention sur eux.

Il lui enfonça les ongles dans le bras, ses genoux cédèrent sous son poids, et il s'affaissa. Elle eut tout juste le temps de s'écarter avant qu'il ne l'entraîne dans sa chute.

Il porta les deux mains à sa gorge. Du sang jaillit de sa bouche, et il tomba à la renverse.

Une femme cria.

Deb recula pour ne pas marcher dans la flaque de sang qui se formait sur la piste.

Quelqu'un la prit par le bras.

Plusieurs personnes s'accroupissaient déjà auprès du Dr Herndon. L'une d'elles releva la tête et annonça, la mine grave :

— Il est mort.

8

— Allons-nous-en.

Beau tira une nouvelle fois Deb par le bras. Elle était la dernière personne à avoir parlé au Dr Herndon et n'avait pas intérêt à faire l'objet d'un interrogatoire de police.

Elle trébucha et se cogna à lui. Il eut le réflexe de remonter son bustier avant que ses seins ne jaillissent hors de sa robe. Pas étonnant que le Dr Herndon ait en l'air aussi fasciné, pensa-t-il.

Désormais, il était mort. L'avait-elle tué ?

Il la guida à travers la foule qui affluait pour voir le cadavre allongé au milieu d'une mare de sang. Celui-ci avait coulé de la bouche de la victime. Poison, conclut Beau.

Deux agents de sécurité passèrent devant eux en courant. Des cris fusaient de toute part.

Il devait lutter contre le courant pour continuer à avancer.

Quand ils furent sortis de la salle de bal, il pilota Deb vers l'escalier.

— Il n'y a qu'un étage à descendre. Tu vas y arriver ?

Elle souleva sa jupe et se mit à dévaler les marches, aussi légère que Cendrillon après le bal. Sauf que Cendrillon n'avait pas laissé de cadavre derrière elle, songea Beau.

Il poussa la porte de secours et entraîna Deb à sa suite. L'air froid lui gifla le visage et lui fit monter les larmes aux yeux. Il esquissa un pas en direction de la file de taxis et de limousines rangés le long du trottoir, et se rabattit brusquement contre le mur, Deb toujours à son côté.

Des ambulances étaient en train de se garer en double

file. Du personnel médical en descendit et se précipita à l'intérieur de l'hôtel.

La tenant toujours par la main, Beau pivota sur ses talons et partit rapidement dans la direction opposée au tumulte. Il tira d'un coup sec sur la perruque noire de Deb, ôta sa propre moustache, puis ouvrit la portière d'un taxi et poussa Deb sur le siège arrière.

Il donna au chauffeur le nom de leur hôtel et se laissa choir sur la banquette, coulant un regard à Deb. Sa poitrine montait et s'abaissait au rythme de sa respiration précipitée. Son visage était auréolé de mèches auburn. Comme pour éloigner la tentation, il posa un doigt sur ses lèvres.

Arrivés devant l'hôtel, ils descendirent de voiture et se retrouvèrent, frissonnants, sur le trottoir. Il lui indiqua le hall d'entrée.

— Entre de ce côté, je passe par-derrière.

Il monta les marches deux à deux.

Lorsqu'il parvint devant la chambre, Deb avait déjà mis la chaîne de sécurité. Elle le fit entrer, puis s'allongea sur le lit. Sa robe noire se gonfla autour d'elle.

— Est-ce toi qui l'as tué ? questionna-t-il.

Elle bondit sur ses pieds.

— Tu es fou ? Bien sûr que non !

Il fut soudain libéré d'un grand poids. La tension accumulée dans ses épaules s'envola.

— D'accord, d'accord.

— Tu me crois réellement capable d'assassiner quelqu'un ?

— Un agent secret ne recule devant rien pour accomplir sa mission. Tu es aussi une mère qui veut récupérer son fils.

— Je ne suis pas une meurtrière qui tue de sang-froid.

— Que s'est-il passé, là-bas ?

— Poison.

— C'est exactement ce que je pensais. Mais comment ? Pourquoi ? Qui ?

— Je l'ignore, fit-elle, triturant le tissu soyeux de sa robe. Tout se passait comme prévu. Le Dr Herndon me mangeait dans la main. Il m'aurait suivie jusque sur la lune après cette danse.

— Lui et la moitié des hommes dans la salle.

Comme elle lui décochait un regard furieux, il étendit les mains.

— C'est une bonne chose, Deb. Tu ne faisais que ton travail. Quand as-tu remarqué les premiers signes de malaise ?

— Presque tout de suite en arrivant sur la piste : rythme cardiaque accéléré, transpiration, visage empourpré.

Elle serra les bras contre sa poitrine et acheva :

— D'un coup, il a été sans réaction, puis il s'est écroulé par terre.

— Apparemment, il n'y a pas eu d'autre victime. C'est donc lui qui était visé. Mais comment l'assassin s'y est-il pris ?

— Herndon buvait beaucoup. Son verre était presque toujours vide. Quelqu'un a dû verser le poison dedans.

— Ça ne peut pas être Zendaris, puisque c'est à toi qu'il avait confié cette tâche.

— Et s'il avait compris que je ne le ferais pas ? Il voulait que Herndon meure. Il avait peut-être un plan B.

Elle ôta les épingles qui retenaient ses cheveux et les laissa tomber sur le couvre-lit.

— Et s'il apprend que j'ai échoué ? s'alarma-t-elle.

— Comment veux-tu qu'il devine de quelle façon tu comptais t'y prendre ? S'il te faisait espionner à la fête, il a dû savoir que tu t'étais rapprochée de Herndon.

Elle posa son front dans ses mains, et ses cheveux dénoués se répandirent sur ses épaules nues.

— C'est une catastrophe.

— Deb ?

— Oui ? fit-elle en le regardant à travers un rideau de cheveux.

— Ce n'est pas une catastrophe.

— Le Dr Herndon est mort, souffla-t-elle.

— Exactement.

Elle pinça ses lèvres généreuses.

— Je ne l'ai pas tué. Je ne ferais pas une chose pareille.

— Mais cela, Zendaris l'ignore. Et demain, il lira dans la presse que le Dr Herndon est décédé pendant la soirée de gala donnée en son honneur.

Il se débarrassa de sa veste et desserra son nœud papillon.

— Entendons-nous bien. Je suis désolé pour le Dr Herndon. Mais le fait est que sa mort arrange tes affaires.

— C'est affreux !

— Peut-être, mais c'est la réalité.

— Penses-tu vraiment que Zendaris croira que je suis l'auteur du meurtre ?

— Pourquoi pas ? Il a enlevé ton fils, il t'a confié une mission, et la cible a été neutralisée comme convenu.

— Mais qui est l'assassin ?

— Quelqu'un qui poursuit le même but que Zendaris. Si ça se trouve, c'est la personne qui a essayé de t'abattre à l'hôtel.

Elle se passa les mains dans les cheveux et pressa ses paumes contre ses tempes.

— Si une opération fantôme est menée en parallèle de la mienne, c'est vraiment une catastrophe. Car, si quelqu'un mettait la main sur les plans de l'antidrone avant moi, quelle raison Zendaris aurait-il de me rendre Bobby ?

Il défit sa ceinture de smoking.

— Nous devons être plus rapides.

— Mais je ne sais même pas ce que Zendaris veut vraiment.

— Si, Deb. Il veut les plans, et d'une façon ou d'une autre le Dr Herndon était mêlé à tout cela.

Elle se mit à trembler.

— *Etait*.

Il s'agenouilla devant elle et lui ôta ses escarpins.

— Tu t'es bien débrouillée, Cendrillon.

— Je me suis servie de mon physique pour appâter un savant de renommée mondiale.

Elle se laissa tomber à plat dos sur le lit.

— Tu as fait ce qu'il fallait.

Il prit son pied délicat dans sa main et lui massa la cheville.

— Nous faisons ce qu'il faut, c'est la règle numéro un dans notre métier, conclut-il.

Elle se redressa sur ses coudes.

— Tu n'es jamais fatigué de tout ça ? D'être Loki ?

Il s'assit sur ses talons et posa le pied de Deb sur sa cuisse.

— Bien sûr que si. Mais c'est la vie que j'ai choisie. Si j'avais eu envie de m'installer dans une maison exiguë avec six enfants, et d'aller tous les jours au bureau de 9 heures à 17 heures, j'aurais suivi les traces de mon père. J'aurais pu travailler quatre-vingts heures par semaine dans l'entreprise familiale, comme lui.

A ces mots, les yeux de Deb étincelèrent de colère. Beau eut un mouvement de recul. Pourquoi s'agaçait-elle qu'il rejette le mode de vie de ses parents ? Depuis qu'elle était mère, elle n'était plus la même. C'était naturel, sans doute. Les enfants faisaient de vous une autre personne. Il avait constaté ce phénomène nombre de fois chez ses amis. Personnellement, cela ne lui disait rien du tout.

Il lâcha le pied de Deb.

— Ne te méprends pas. J'aime mes parents, et j'aime mon frère, qui est resté auprès de papa pour l'aider et qui finira par reprendre l'affaire. J'aime mes neuf neveux et nièces. Ou plutôt dix, puisque ma petite sœur vient d'avoir un bébé.

Deb s'essuya le nez.

— Ce doit être merveilleux d'avoir une grande famille autour de soi.

Beau ne put retenir un sourire.

— C'est vrai. J'ai un neveu qui me fait beaucoup rire avec ses questions complètement saugrenues. L'une de mes nièces est un vrai garçon manqué. Elle est aussi turbulente que ses cousins — le contraire de sa sœur, qui refuse de porter une autre couleur que du rose.

Deb se pencha vers lui.

— Apparemment, tu les connais bien. Tu les considères comme des personnalités à part entière.

— Quoi de surprenant ? Ce sont des personnes. Chacun a un caractère unique.

Il sauta sur ses pieds et épousseta son pantalon.

— Tu dois t'en apercevoir avec ton fils, même s'il n'a que…

— Deux ans, dit-elle en se levant à son tour. Bobby aura bientôt deux ans.

Il fronça les sourcils. Ne s'étaient-ils pas rencontrés trois ans plus tôt ? Elle n'avait pas traîné avant de rejoindre son amant. Il crispa la mâchoire.

— Je vais me déshabiller et me coucher. Mission accomplie.

— Oui. Herndon est mort.

— Tu n'y es pour rien. Espérons seulement que Zendaris croira le contraire.

Le lendemain matin, le bruit de la télévision tira Deb d'un sommeil peuplé de rêves vagues. Elle enfouit sa tête sous l'oreiller, mais Beau se mit à lui secouer les pieds.

— Deb, réveille-toi ! On parle de Herndon aux informations.

Elle roula sur le dos et s'assit, plissant les yeux pour distinguer les images à l'écran. Un reporter, debout devant le Grand Marquis, jacassait dans son micro.

— Que dit-il ? Est-il question de meurtre ?

— La police de Boston attend les résultats de l'autopsie et de l'analyse toxicologique pour se prononcer.

Elle ramassa la télécommande au pied du lit et monta le son. Une présentatrice blonde apparut en simultané sur l'écran.

« La police a-t-elle des raisons de penser qu'il s'agit d'un homicide, Dave ?

« — Non, Charlotte, mais elle recherche cette femme. »

La pièce se mit soudain à tourner. Deb agrippa le couvre-lit à deux mains. Une photo d'elle entrant au Grand Marquis s'affichait à l'écran. Le grain était grossier, et sa perruque noire dissimulait à moitié son visage.

— Oh ! Mon Dieu ! souffla-t-elle.

« Cette personne dansait avec le Dr Herndon quand celui-ci a perdu conscience. La police souhaiterait s'entretenir avec elle », reprit le reporter.

— Tu m'étonnes, lâcha Beau.

Il s'assit à côté d'elle sur le lit.

— Ne t'inquiète pas. Personne ne fera le rapprochement entre toi et la femme sur cette photo.

— Le meurtrier a peut-être été assez malin pour maquiller son crime en accident, dit-elle en reculant pour s'adosser à la tête de lit. Moi, c'est ce que j'aurais fait.

Il la contempla, le sourcil levé, puis éteignit le poste.

— Espérons que Zendaris a vu ce bulletin.

Deb tendit le bras vers la table de nuit, où son téléphone était en train de se recharger.

— Toujours pas de nouvelles.

— Tu dois avoir besoin d'un bon petit déjeuner, après avoir sauté le dîner hier soir. A moins que tu ne te sois rattrapée sur les petits fours au gala.

Elle plissa le nez.

— J'ai mangé une crevette, et après ce qui est arrivé au Dr Herndon, je ne regrette pas de ne rien avoir avalé d'autre !

— Je vais descendre au restaurant de l'hôtel, on se retrouve là-bas quand tu es prête, lança-t-il en s'éloignant.

La main sur la poignée, il se retourna.

— Sauf si tu préfères que je t'attende. Je sais que tu es un agent de la Prospero, Deb, mais tu n'es pas au mieux de tes capacités dans l'immédiat. Si tu ne veux pas que je te laisse seule…

— Je veux mon arme.

Elle pointa le doigt en direction du coffre, où se trouvait son .45.

— Cinquante et un, quatre-vingt-dix-huit.

Sans attendre que la porte se soit refermée derrière lui, elle sauta à bas du lit et se précipita vers le placard. Elle tapa le code, et le mot « ouverture » clignota sur l'écran. Elle ouvrit la porte, s'empara de son pistolet, vérifia que le chargeur était plein et poussa un soupir de soulagement. Désormais, elle pouvait affronter n'importe quelle situation.

Elle emporta l'arme dans la salle de bains pour se doucher et s'habiller.

De retour dans la chambre, elle ramassa la robe qui gisait en bouchon sur le sol depuis la veille au soir. En la secouant, elle remarqua deux petites taches brillantes sur la jupe.

Elle les examina de plus près et laissa échapper une exclamation étranglée. Du sang séché. Elle fourra la robe dans le placard et referma la paroi coulissante.

Si elle l'avait attiré dehors plus tôt, aurait-elle sauvé la vie du Dr Herndon ? Impossible de le savoir. Elle ignorait quand on avait glissé le poison dans son verre, et en combien de temps celui-ci avait agi.

Le destin avait frappé, l'heure de la mort avait sonné pour Herndon.

Elle glissa l'arme dans son sac et quitta la chambre pour aller rejoindre Beau. Elle pouvait s'échapper tout de suite, si elle le voulait. Rien ne l'en empêchait. Elle avait son pistolet et le téléphone de Zendaris — son seul lien avec son fils.

Mais Loki la retrouverait. Elle ne s'était même pas aperçue qu'il était sur ses traces la première fois.

Qu'avait-il dit en partant ? Qu'elle n'était pas au mieux de ses capacités. Elle en avait été privée, en effet, le jour où Zendaris lui avait enlevé son fils.

Mais ce n'était pas la vraie raison pour laquelle elle restait. Avec Beau, elle était protégée, en sécurité. Comme si elle avait encore une chance. Comme si Bobby avait encore une chance.

Et puis, il y avait la question de sa paternité. Certes, il lui avait clairement fait comprendre qu'avoir des enfants n'entrait pas dans ses projets à court terme. Mais il avait évoqué ses neveux et nièces avec tant de chaleur ! Cela donnait de l'espoir.

Quand les portes de l'ascenseur s'ouvrirent sur le hall d'entrée, elle soupira et, d'une chiquenaude, ramena sa queue-de-cheval sur son épaule. Elle donnerait cher pour avoir une grande famille vivante et animée comme la sienne.

La tête de Beau dépassait d'un journal, et elle louvoya entre les tables pour s'asseoir en face de lui. Il interrompit sa lecture.

— Tu n'en es encore qu'au café ? s'étonna-t-elle.

— Je ne voulais pas commencer sans toi. Je lisais le compte rendu des événements d'hier soir.

— Il y a du tapage ?

— Oh ! Oui !

— Quel est le ton de l'article ?

— Le journaliste reste prudent, mais l'accusation d'homicide apparaît clairement entre les lignes.

— Est-il question d'un mobile ?

— On parle beaucoup du symposium et des intérêts particuliers de certains intervenants dans les discussions.

— Aucune mention de Nico Zendaris ?

Il remua son café.

— Non. Comme d'habitude, n'est-ce pas ?

— Notre objectif…, commença-t-elle.

Elle s'éclaircit la gorge et reprit :

— L'objectif de la Prospero est justement de le faire sortir de l'ombre.

— Tu fais toujours partie de la Prospero, Deb, rappela-t-il en faisant glisser la carte du menu vers elle. Le travail que tu es en train d'effectuer profitera à l'agence.

— Honnêtement, Beau, je ne me soucie que de Bobby. Je veux qu'il rentre à la maison.

Il recouvrit sa main de la sienne.

— Je sais. Cela doit être très dur. Je n'arrive même pas à imaginer comment réagiraient mes frères et sœur si l'un de leurs enfants venait à disparaître.

Et toi ? Peux-tu imaginer ce que, toi, tu ferais, si ton fils était entre les griffes d'un dangereux trafiquant d'armes ?

Baissant les paupières, elle joignit les mains sur ses genoux. Elle ne parvenait même plus à le regarder dans les yeux quand ils évoquaient Bobby. Il fallait qu'elle lui dise la vérité, mais elle avait tellement attendu que si elle lui parlait là, elle aurait l'air de vouloir faire pression sur lui pour qu'il secoure Bobby. A ce stade, il risquait même de ne plus la croire.

— Fais-moi une faveur, Deb. Mange. J'aurais dû te rendre ton arme à cette condition, d'ailleurs.

Il ouvrit le menu devant elle.

— Pourquoi tu me l'as rendue ? questionna-t-elle. Maintenant que la première mission de Zendaris est accomplie, j'aurais pu filer à l'anglaise pour terminer seule le travail.

Il haussa les épaules.

— Cela ne risquait pas d'arriver.

Cette réponse déplut à Deb. Si des personnes telles que Loki ne la considéraient plus comme une menace, elle avait réellement perdu de son tranchant.

La serveuse s'arrêta devant leur table, prit la commande et remplit leurs tasses de café. Quand elle eut tourné les talons, Beau entoura sa tasse de ses mains et déclara :

— Nous sommes du même côté, à présent. Je veux t'aider à récupérer Bobby, ainsi qu'à retrouver une vie normale, que la Prospero en fasse partie ou pas.

Et toi, en feras-tu partie ?

Ces mots avaient surgi de nulle part, et elle posa sa main devant sa bouche comme si elle les avait prononcés à voix haute. D'où lui venait l'idée saugrenue qu'elle pourrait vivre avec Beau ? Il avait choisi une existence itinérante, sans attaches, loin des contraintes du foyer et de la vie domestique.

Il avait connu tout cela avec sa famille. Et il l'avait rejeté.

— Pourquoi, Beau ? Pourquoi m'aider alors que tu pouvais me ramener sans délai au quartier général de la Prospero ? Tu aurais pu ramasser ta récompense et passer à autre chose.

— Apparemment, tu as besoin de preuves supplémentaires.

Il prit son portefeuille dans sa poche arrière. Une pochette de photos en tomba. Des enfants de tous âges, aux minois édentés ou couverts de taches de rousseur, sourirent à Deb à travers le plastique brillant.

— Tes dix neveux et nièces ?

— Neuf. Le petit dernier n'est pas encore dans le trombinoscope.

Deb fit courir son doigt sur les visages souriants et s'arrêta, le cœur battant, sur un petit garçon blond.

— Qui est-ce ?

— Grant, le fils de mon frère.

Deb déglutit. Grant aurait pu être le frère jumeau de Bobby. Beau ne percevait-il pas la ressemblance entre les deux cousins ? Peut-être avait-il seulement retenu l'image d'un petit garçon effrayé et fatigué.

Dieu que Bobby avait l'air fatigué sur la photo qu'avait envoyée Zendaris ! Ses ravisseurs le nourrissaient-ils correctement ? Le droguaient-ils ?

Tout appétit envolé, elle reposa la pochette plastifiée.

— Ils sont mignons.

— Je suis navré. J'ai manqué de tact.

— Pas du tout. Tu veux m'aider parce que mon fils te rappelle tes neveux et nièces. Je comprends.

Il inclina la tête, et deux rides verticales se dessinèrent entre ses sourcils.

— Parce qu'il me rappelle mes neveux et nièces ? Non, n'importe quel enfant en danger toucherait mon cœur de la même façon. Cela te surprend que Loki ait un cœur ?

— Je sais que Loki a un cœur. Je me suis endormie une nuit en l'entendant battre contre mon oreille.

Son visage s'éclaircit.

La serveuse revint avec leur commande. Lorsqu'elle partit, il versa du ketchup dans son assiette et dit avec un franc sourire :

— Je croyais qu'il s'agissait d'un sujet tabou.

— Mais on va forcément finir par l'aborder, n'est-ce pas ?

Et c'est tellement plus important que ce que tu crois, ajouta-t-elle en son for intérieur.

A voix haute, elle continua :

— Nous nous sommes vus en tenue d'Eve et Adam, nous avons fait l'amour, nous avons pris une douche ensemble.

— Arrête ! dit-il en formant une croix avec son couteau et sa fourchette. Je vais essayer de finir mon petit déjeuner sans me décrocher la mâchoire.

Elle sourit à son tour et attaqua son assiette. Une part d'elle voulait rester concentrée sur son objectif, ne pas cesser d'être triste et inquiète une seule minute de la journée. Mais d'un autre côté, grâce à Beau, le fardeau était moins lourd à porter ; elle se sentait plus humaine, davantage en mesure d'être la mère dont Bobby avait besoin.

Une super-maman qui boxait les méchants.

Le téléphone laissé par Zendaris vibra deux fois. Deb s'essuya les mains sur sa serviette et lut le message.

Beau se pencha en avant, bousculant couverts et assiette.

— Que dit-il ?

Elle lui montra l'écran.

Joli meurtre.

Deb en avala son café de travers. « Joli meurtre » : les mots résonnaient affreusement dans sa tête.

Beau se pencha vers elle, l'air bien moins stressé :

— C'est une bonne chose, Deb. Il croit que tu as tué le Dr Herndon. C'est ce que nous voulions.

Et il planta sa fourchette dans son omelette.

— Mais lui, que veut-il ? demanda-t-elle en tapotant le téléphone. Pourquoi ce message énigmatique ? Pourquoi il ne se contente pas de me dire ce que je dois faire ?

— Parce qu'il joue avec toi. Ne le laisse pas t'atteindre. C'est exactement ce qu'il cherche.

Elle s'étrangla presque.

— Il a enlevé mon fils ! Il ne pourrait m'atteindre plus profondément.

— Il te donnera de nouvelles instructions, ne t'inquiète pas. Et lorsqu'il le fera…

Il piqua un morceau de pomme de terre et le brandit en l'air.

— … tu auras une autre exigence à lui soumettre. C'est toi qui tiens les commandes, à présent. Tu as tué un homme. Tu as montré que tu étais prête à aller jusqu'au bout. Maintenant, c'est à lui de te donner quelque chose s'il désire que tu continues à collaborer.

— Je veux revoir Bobby, m'assurer qu'il va bien.

— Cette fois, tu lui parleras. Zendaris te le passera au téléphone pour que tu puisses entendre sa voix.

Ces paroles emplirent Deb d'une force nouvelle. Elle n'aimait pas se sentir impuissante. Cela la ramenait à son enfance, au temps où Robert, son ange gardien, n'était pas encore entré dans sa vie.

Elle n'avait aucune envie de revenir à cette époque sombre. Heureusement, un autre ange gardien était apparu, sous la forme d'un dangereux espion au physique ravageur. Cet homme-là lui donnait de l'espoir et du courage. C'était ce dont Bobby avait besoin.

— Je t'attends, Zendaris, déclara-t-elle, soudain revigorée.

Puis elle avala son petit déjeuner jusqu'à la dernière miette.

En remontant à la chambre, Beau demanda :

— Veux-tu t'entraîner avec moi à la salle de gym ?

Elle s'arrêta sur le seuil.

— Comment l'as-tu deviné ? C'est exactement ce dont j'ai besoin !

Il posa ses mains sur ses épaules et appuya ses pouces sur la base de sa nuque, faisant naître des frissons le long de sa colonne vertébrale.

— Il est temps que tu retrouves tes pouvoirs, Deb.

— Est-ce pour cette raison que tu m'as rendu mon pistolet ?

— Oui. Mais aussi parce que j'ai l'impression qu'il y a quelqu'un à Boston qui est sur la même piste que nous. Il faut que tu puisses te défendre.

Elle se tourna vers la porte et glissa la carte-clé dans le lecteur. Les mains de Beau étaient toujours posées sur ses épaules.

— Et si Zendaris découvre que ce n'est pas moi qui ai tué le Dr Herndon ?

— Cela n'arrivera pas, à moins que le tueur lui-même ne le lui révèle. Et je doute qu'il aille s'en vanter, car dans ce cas Zendaris le verrait comme un rival. Or nous savons quel sort Zendaris réserve à ses rivaux.

Une fois dans la chambre, Deb enfila une tenue de sport improvisée : son jean de la veille, un T-shirt et des tennis. Beau avait remis le short et le maillot qu'il avait portés la fois précédente. Pinçant un morceau d'étoffe entre ses doigts, il dit :

— Si Zendaris continue à te retenir ici, je vais devoir rentrer chez moi chercher des affaires.

— Où vis-tu ?

— Dans un appartement à Washington.

— Alors, nous n'habitons pas loin. J'ai une petite maison dans la banlieue, en Virginie.

Et dire que, tout ce temps, Bobby avait été si près de son père ! songea-t-elle. Cela serait pratique, lorsque Beau serait au courant. Lui et Bobby pourraient se voir. Il pourrait passer un peu de temps avec son fils, entre deux missions.

Elle lui jeta un regard de biais tandis qu'il appuyait sur le bouton d'appel de l'ascenseur.

— Je… Je suppose que cela doit te sembler affreusement ennuyeux, une maison en banlieue.

— A moi, oui, mais c'est exactement le genre de cadre qu'il faut à un enfant. Les petits ont besoin d'espace et de verdure.

— Tu as eu toutes ces choses, et tu ne les as pas appréciées.

Il appuya son épaule à la paroi de la cabine.

— J'ai dit cela ?

— C'est toi-même qui m'as raconté qu'après ton bac tu t'étais engagé chez les marines, et que tu avais suivi un entraînement intensif pour obtenir les missions les plus périlleuses.

Il ouvrit la porte de la salle de gym à l'aide de sa carte-clé.

— J'avais soif d'aventure.

— Cette soif est-elle étanchée, à présent ?

Elle prit une serviette en éponge sur le comptoir et l'enroula autour de son cou.

— Et la tienne ? répliqua-t-il.

Elle étala sa serviette sur un banc et s'assit à califourchon dessus.

— Dans mon cas, la question ne s'est pas posée en ces termes. Je n'avais pas le choix : j'ai dû ralentir pour m'occuper de mon fils.

Il fit courir sa main sur une rangée d'haltères, en saisit une et la souleva de son support.

— Exactement. Lorsque les circonstances évoluent, on change un peu sa vie.

Il hissa le poids au niveau de ses épaules.

— Bon, tu vas t'y mettre, ou continuer à bavarder ?

Elle pouffa de rire.

— Avec mes amies, nous arrivons à faire les deux à la fois !

— Les hommes ne savent que grogner pendant l'effort.

Ils s'exercèrent en échangeant quelques paroles de temps à autre.

Ensuite, Deb s'installa sur un tapis pour faire des étirements, éprouvant une plaisante douleur dans les muscles. Une séance d'entraînement ne pouvait suffire à faire disparaître tout son stress, mais cela l'aidait à se détendre.

Le téléphone laissé par Zendaris se mit alors à vibrer.

Elle s'en empara vivement et jeta un coup d'œil en direction de Beau : il travaillait ses pectoraux sur une machine. D'autres clients les ayant rejoints dans la salle de gym, elle ne voulut pas l'interpeller à travers la pièce. Elle décrocha.

— Oui ?

La voix détestée ronronna à son oreille.

— Beau travail, Deb. Je savais que les agents de la Prospero étaient des tueurs, vous ne m'avez pas déçu.

L'allusion était claire, comprit Deb : l'épouse de Zendaris faisait partie des victimes du raid que la Prospero avait mené contre une de ses usines de munitions.

Aussi rappela-t-elle :

— Nous ne savions pas que votre femme se trouvait dans l'usine.

Pour toute réponse, Zendaris prit une brusque inspiration, puis s'éclaircit la gorge.

— L'assassinat du Dr Herndon n'était qu'une étape. Etes-vous prête à passer à la suivante ?

— Attendez. Je ne peux pas parler ici.

Elle se leva rapidement et agita la main pour attirer l'attention de Beau. Elle lui indiqua la terrasse couverte, et il la suivit dehors.

« Zendaris », articula-t-elle silencieusement. Puis elle dit à voix haute :

— D'accord. Je suis prête pour la prochaine étape si vous l'êtes aussi.

Il y eut un silence, puis son interlocuteur répondit :

— Comment cela ?

— Je souhaite parler à mon fils. Vous m'avez montré une photo, et j'ai tué le Dr Herndon pour vous. Maintenant, je veux lui parler.

— C'est un tout-petit. Il ne parle pas beaucoup.

La colère la gagna et elle dut prendre une profonde inspiration.

— C'est mon fils. Je veux entendre sa voix.

— Moi aussi, j'ai un fils, Deb. La Prospero le sait, puisqu'elle a capturé la nounou de mes enfants.

— La nounou que vous avez laissée pour morte, vous voulez dire ? Vous avez un fils et une fille, en effet. Vous savez donc qu'un enfant de deux ans peut parler, et je veux avoir le mien au téléphone.

Elle tâchait de faire appel à son instinct paternel, mais il en était probablement dépourvu.

Beau hochait la tête en signe d'encouragement.

Zendaris poussa un soupir excédé.

— Vous commencez à devenir un peu trop pénible.

— Je n'exécuterai plus un seul de vos ordres avant d'avoir parlé à mon fils.

— Je vais arranger ça, mais ensuite vous serez à moi.

— Je me chargerai de votre sale boulot parce que vous avez mon fils, mais je ne serai jamais à vous.

Pendant que Deb prenait une douche, Beau alluma la télévision pour savoir s'il y avait des nouvelles concernant la mort du Dr Herndon, mais ce n'était pas encore l'heure des informations locales, et l'événement n'était pas assez important pour que les chaînes nationales en parlent.

En tout cas, il était fier de Deb. Elle semblait reprendre du poil de la bête. Non qu'elle soit à blâmer d'avoir eu un moment d'égarement au début. Si l'un de ses neveux ou nièces avait été enlevé, il aurait lui aussi perdu la tête.

Elle devait beaucoup aimer les enfants. D'ailleurs, elle en voudrait probablement d'autres. Les photos de famille qu'il lui avait montrées avaient eu l'air de la passionner. Elle avait dû le prendre pour un grossier personnage, si elle avait réellement cru qu'il n'appréciait pas sa famille à sa juste valeur. Rien n'était plus éloigné de la vérité.

Il repensa à leur discussion dans l'ascenseur. Avait-il étanché sa soif de frissons et de sensations fortes ? Probablement pour une vie entière — de quoi écrire au moins trois livres. Mais la femme avec qui il vivait devrait être spéciale : à mi-chemin entre indépendance et féminité. Il ne l'avait pas encore rencontrée.

Du moins, jusqu'à cette fameuse soirée à Zurich, où il avait remarqué Deb à l'autre bout du bar.

Pendant longtemps, il s'était convaincu qu'il n'avait été question entre eux que de désir brûlant, d'alchimie des corps. Puis il s'était rendu compte qu'elle possédait toutes les qualités qui l'attiraient chez une femme. Passer du temps avec elle, même dans ces circonstances — ou *surtout* dans ces circonstances — ne faisait que le conforter dans l'idée qu'elle possédait quelque chose d'unique, mélange de traits de caractère et de valeurs qui correspondaient aux siens.

Parviendrait-il à la laisser partir après cette mission ?

Son ordinateur portable émit un bip. Il s'en approcha et appuya sur une touche du clavier pour ranimer l'écran. Une icône était apparue sur le bureau : la recherche d'identité de l'homme de la librairie venait de se conclure. Il double-cliqua dessus, et une liste de photos agrémentées de texte — le bottin mondain criminel — s'ouvrit.

Un effluve parfumé parvint en même temps à ses narines. Il tordit le cou pour regarder par-dessus son épaule : Deb étalait de la lotion dans ses mains.

— Le programme de recherche est-il terminé ?

— Oui, répondit-il. Il nous a donné quelques identités possibles pour notre client de la librairie.

— On regarde maintenant, ou tu préfères manger avant ?

— Le sandwich que j'ai acheté en remontant de la gym me suffit. Lisons les résultats maintenant.

Il tourna l'ordinateur vers elle et tira l'autre chaise.

Puis ils passèrent plusieurs visages en revue, étudiant les parcours criminels correspondants et prenant quelques notes sur le papier à lettres de l'hôtel.

— Est-ce que l'un d'eux te semble familier ?

— Certains d'entre eux sont déjà dans la ligne de mire de la Prospero, je vais donc les éliminer pour le moment. Les autres n'ont pas de liens avec Zendaris. Il doit s'agir de quelqu'un qui n'est pas sous surveillance.

Après plusieurs heures de travail, leur sélection se réduisit à cinq hommes, dont la taille et la corpulence correspondaient à celles de l'individu de la librairie.

Beau frappa l'écran du bout du doigt.

— Je vais continuer mes recherches sur ceux-là. Si nous parvenons à localiser notre homme, qui sait ce que nous découvrirons ?

— L'endroit où ils séquestrent Bobby, par exemple.

— Exact.

Il entra les informations collectées sur leurs cinq suspects dans une autre base de données secrète.

Deb s'assit sur le lit, les jambes repliées sous elle.

— Le fait que tu te serves de ces logiciels ne va pas déclencher une sonnette d'alarme quelque part ?

— Si, en effet.

— On pourrait remonter jusqu'à toi ?

— J'ai une excuse toute trouvée : je suis en mission. Et je me sers de ces outils tout le temps, cela ne devrait donc pas éveiller de soupçons.

— Sauf que tu es passé du côté des méchants en te ralliant à la cause de ta cible.

Il tapa la touche « entrée », puis se leva et s'étira.

— Aux dernières nouvelles, je suis toujours à la poursuite d'un agent de la Prospero soupçonné d'être sorti du droit chemin.

— J'espère que tu as raison, dit-elle en tirant nerveusement sur le couvre-lit. Veux-tu dîner au restaurant de l'hôtel, ou qu'on fasse monter un repas dans la chambre ?

— J'en ai assez de cet hôtel. Sortons.

— Déguisés ?

— Pas en brune comme hier soir ou en blonde comme la cambrioleuse de la bijouterie. Il semblerait que tes identités d'emprunt te portent malheur. Tu seras mieux avec ta couleur naturelle.

— Hier soir, j'avais plutôt le genre « Maîtresse des Ténèbres ».

— Oui, eh bien, c'est elle que la police de Boston recherche, alors il vaudrait mieux qu'elle ne réapparaisse pas.

Le téléphone de Deb se mit à vibrer. Elle pâlit, comme chaque fois qu'elle recevait un appel ou un message. Cette fois, c'était un appel.

Elle s'humecta les lèvres et décrocha, sans oublier d'activer le haut-parleur. Une voix bourrue demanda :

— Vous êtes prête à parler au gosse ?

Ce n'était pas Zendaris, il ne séquestrait donc pas Bobby en personne, conclut Beau.

Il mit son enregistreur en marche.

— Oui, répondit Deb d'une voix ferme.

Il y eut des bruits parasites à l'autre bout de la ligne, puis l'homme aboya :

— Il vous écoute.

— Bobby ? Bobby ? C'est maman !

— Maman ? fit une voix d'enfant.

— Ça va, Bobby ? Maman a très envie de te voir, et viendra te chercher bientôt.

— Maman, veux rent'er à la maison !

Elle ferma les paupières, et Beau eut soudain très envie de la soulager de sa peine.

— Oui, Bobby, bientôt. As-tu assez à manger ?

— Glace !

— Tu manges de la glace ?

Elle leva les yeux au ciel.

— Passque z'ai bobo. Suis fatigué.

— Tu es malade, Bobby ?

— Bobo à ma go'ze. Au'voir, maman.

— Bobby ? Bobby ?

— Terminé. Les gosses de cet âge ne parlent pas beaucoup, de toute façon.

Deb s'était laissée glisser à terre, le dos appuyé au lit.

— Est-il malade ? Il a dit qu'il avait mal à la gorge et qu'il était fatigué.

— Il m'a l'air d'aller assez bien. J'suis pas une nounou, moi.

Elle bondit sur ses pieds et se mit à faire les cent pas.

— Oh si ! Vous l'êtes ! Ecoutez-moi bien : vous avez mon fils. Vous l'avez enlevé. S'il lui arrive quoi que ce soit, la seule chose que votre patron récoltera, c'est une balle dans la tête. Je vous répète la question : mon fils est-il malade ?

L'homme toussa.

— Il a l'air d'aller bien. Il est très fatigué et il a commencé à pleurnicher parce qu'il avait mal à la gorge, alors je lui ai donné de la glace. Bon, vous lui avez parlé. Maintenant, faut que j'y aille. Je vous recontacterai.

Deb jeta violemment le téléphone sur le lit.

— Bobby avait l'air si mal en point.

— Il est peut-être simplement fatigué, suggéra Beau. Et il dort beaucoup parce qu'il est cloîtré avec ce type. Il est probable qu'ils ne l'emmènent pas jouer ou courir dehors.

Il alla récupérer le téléphone sur le lit. Mieux valait que cet appareil reste en état de marche.

— L'important, dit-il en traversant la pièce et en prenant les mains de Deb, c'est que tu lui aies parlé et qu'il soit en vie.

— Tu as raison. Que lui ont-ils raconté, à ton avis ?

Il joignit ses mains et les appuya contre son torse.

— Ils ne vont pas être méchants avec lui, ou lui faire peur. Mieux vaut pour eux avoir un enfant calme sur les bras. Ou, du moins, aussi calme qu'un enfant puisse l'être en étant séparé de sa mère. Qu'ils lui donnent de la glace est un bon signe. Ils essaient de lui faire plaisir.

Elle se mordilla la lèvre inférieure, mais laissa ses mains dans les siennes.

— Ce mal de gorge m'inquiète. Il avait déjà eu ce problème avant... avant le kidnapping. C'est pour ça que je l'avais amené chez le docteur.

— Ce n'est peut-être qu'une grippe. C'est la saison.

— Plus tôt je le ramènerai à la maison, mieux cela vaudra.

— En attendant, je suis là pour prendre soin de sa maman, et elle aussi a besoin de quelque chose de plus substantiel que de la glace. Alors, sortons dîner comme prévu.

— Si seulement Zendaris m'avait dit ce qu'il attend de moi à présent ! J'ai hâte d'en finir avec tout ça... Je suis fatiguée.

— Il te le dira bien assez tôt. Allons manger, nous avons quelque chose à fêter. Tu as parlé à Bobby pour la première fois depuis l'enlèvement, ce qui prouve que Zendaris a autant besoin de toi que toi, de lui.

— D'accord, mais à condition que ce soit dans un endroit sans prétention. Ma seule robe habillée, je l'ai portée hier, et on ne peut pas dire que cela m'ait réussi.

— Ça n'a pas réussi au Dr Herndon, mais les choses n'auraient pu mieux se passer pour toi.

Les épaules de Deb se voûtèrent, et elle lui retira ses mains.

— Quelle horreur ! Je n'aime pas voir les choses sous cet angle. Il y a des éclaboussures de sang sur ma robe, tu sais.

— Si plusieurs personnes voulaient la mort de Herndon, il n'avait aucune chance de s'en sortir. Que tu danses avec lui ou pas n'y aurait rien changé.

— Je sais que tu as raison.

Elle ramena ses cheveux en arrière, dégageant son visage dénué de fard.

— Depuis la naissance de Bobby, continua-t-elle, je n'accepte plus les missions dangereuses. Je ne suis plus habituée à tout ça... A la violence, aux courses-poursuites en voiture, aux cadavres. Je me concentre davantage sur l'analyse, et je vais moins sur le terrain.

— On ne s'habitue jamais à voir mourir quelqu'un.

— Je suis contente que ce ne soit pas un sentiment réservé aux femmes.

— Ça ne l'est pas, confirma-t-il en prenant sa veste dans la penderie. Et je te propose de manger dans un endroit simple, un de ces bars à homards où le sol est couvert de sciure, où l'on commande son repas directement à l'étalage du marché.

— Cela me paraît bien.

Ils se rendirent au restaurant en taxi. Zendaris ne faisait sans doute pas suivre Deb, jugea Beau, mais mieux valait ne pas rouler avec la voiture que le truand avait mise à sa disposition.

Ils rejoignirent la queue des clients qui attendaient de commander, puis optèrent tous deux pour un homard, des beignets de palourdes et de la salade de chou cru. Ils emportèrent leurs bouteilles de bière à leur table et attendirent que la commande arrive.

Au lieu de la plonger dans l'abattement comme il l'avait craint un moment, le coup de téléphone de Bobby semblait avoir galvanisé Deb. Elle avait visiblement recouvré toute sa combativité vis-à-vis de Zendaris.

Il en était à la moitié de sa bière lorsqu'on leur amena la commande. A la vue de l'assiette que le serveur déposait devant elle sur la table de pique-nique, Deb écarquilla les yeux.

— Je crois que j'ai eu les yeux plus gros que le ventre.

— Ce homard paraît gros, mais tu vas passer plus de temps à le décortiquer qu'à le manger.

Elle plissa le nez.

— Beurk !

Il rit et cassa la première pince. Il en retira la chair délicate, la trempa dans le beurre fondu et la déposa sur sa langue.

— Mmm…

Il voulut l'aider à rompre la carapace de son homard, mais elle insista pour se débrouiller seule. Ce serait merveilleux d'avoir une femme comme elle, libre et indépendante, pensa-t-il tandis qu'elle léchait ses doigts couverts de beurre.

Non qu'il songe à se marier. En tout cas, pas dans l'immédiat. Elle se cacha derrière une serviette en papier.

— Quoi ? fit-elle. C'est dégoûtant ?

— Qu'est-ce qui est dégoûtant ?

— De se lécher les doigts.

— Absolument pas. Tu peux lécher tout ce que tu veux.

Il s'empressa de sucer une carapace vide pour dissimuler un sourire malicieux.

Elle pointa vers lui sa petite fourchette effilée, au bout de laquelle pendait un morceau de homard.

— Loki est de retour ! Tu as dû faire des ravages avec ce regard-là.

Il manqua de s'étouffer avec sa bière.

— Tu crois que j'ai choisi ce métier pour cette raison ?

— Je sais que cela a joué un rôle dans la décision de Gage, mon coéquipier.

— Gage Booker, le fils du sénateur ? C'est un beau parleur, un dragueur sans foi ni loi.

— Tandis que toi…

— Je ne suis pas comme ça.

— Bien sûr.

Elle croqua un beignet, ses lèvres dessinant un cœur tandis qu'elle mâchait. Manger des fruits de mer gorgés de beurre pouvait être diablement érotique, songea-t-il. Il aurait dû s'en douter : leur premier repas, ils l'avaient en partie dégusté sur leurs corps nus.

Il tapota sa bouteille de bière vide.

— Tu en veux une autre ? Nous rentrons en taxi, et je ne pense pas que Zendaris te recontactera ce soir.

L'expression de Deb se figea, et elle reposa le beignet qu'elle s'apprêtait à manger.

— Non, il ne vaut mieux pas.

Il se serait giflé. Pourquoi avait-il fallu qu'il amène Zendaris sur le tapis alors qu'elle commençait juste à se détendre un peu ?

— Bobby se porte bien, Deb. Tu ne le récupéreras pas moins vite parce que tu as bu une autre bière.

— J'ai l'impression que c'est mal.

Elle froissa sa serviette en papier et la jeta dans le seau argenté rempli de carapaces de homard.

— Je sais ce que tu éprouves, et je n'essaie pas de te faire oublier la situation difficile dans laquelle il se trouve, mais te ronger les sangs ne t'avancera à rien.

— C'est une réaction plus appropriée que de s'empiffrer de homards et de siffler des bières, répliqua-t-elle.

— Tu ne siffles pas des bières !

Il se pencha en avant et essuya une petite perle de beurre fondu au coin de ses lèvres.

— Tu as été et continueras à lui être plus utile en retrouvant tes forces et ta confiance en toi. Tu lui as parlé pour la première fois. Cela lui a fait du bien, aucun doute là-dessus.

— Et à moi aussi. Cela dit, je préfère quand même éviter de boire une deuxième bière. Mais ne te prive pas pour moi.

Un téléphone vibra, et elle sursauta.

— C'est le mien ?

— Non, je crois que c'est le mien.

Il tira l'appareil de sa poche et consulta l'écran.

Jack.

Son cœur fit un bond dans sa poitrine.

— Je vais prendre cet appel dehors. Peux-tu commander une autre bière pour moi ?

Les yeux verts de Deb brillèrent dans son visage blême.

— Est-ce professionnel ?

— Oui. Une autre affaire.

Il proféra le mensonge avec aisance, comme il l'aurait fait avec n'importe quelle autre cible.

Foulant le sol couvert de sciure, il gagna une porte latérale qui donnait sur un porche isolé. Si Jack appelait au lieu de se contenter d'envoyer un texto, ce devait être important.

— Loki, j'écoute. Il y a un problème, Jack ?

— Oui, vous.

Les narines de Beau frémirent. Il observa Deb qui commandait une bière au comptoir. Apparemment, il allait en avoir besoin.

— Que voulez-vous dire ?

— Economisez votre salive, Loki. Nous sommes au courant, pour vous et Deb. Je vous enlève l'affaire.

10

Juste une petite gorgée.

Deb porta la bouteille de bière à ses lèvres. Le goût riche du malt et du houblon emplit sa bouche, pétillant agréablement sur sa langue.

Beau avait raison. Elle devait rester forte pour Bobby. Elle ne pouvait se transformer en loque comme cela avait été le cas après la découverte de l'enlèvement. Cette faiblesse lui avait fait perdre un temps précieux et manquer des occasions. Combien de détails avait-elle ratés depuis l'annonce du drame ?

Elle dirigea son regard vers Beau. Il tournait le dos à la fenêtre mais, à ses épaules crispées et son dos raide, elle comprit que la discussion était houleuse. S'il s'agissait d'un appel professionnel, les affaires n'étaient pas bonnes, conclut-elle.

Un soupçon l'assaillit soudain. Ses anciens réflexes, son instinct, émoussés par le choc initial, commençaient à resurgir. Puisque Beau souhaitait qu'elle s'enhardisse, eh bien ! C'était le moment.

D'un geste résolu, elle posa la bouteille sur la table et se leva. La sciure de bois crissa sous les semelles de ses tennis tandis qu'elle se dirigeait vers la porte. Elle l'ouvrit et retint son souffle. Elle n'entendait pas ce qu'il disait, mais son intonation était sans équivoque.

Comme elle s'avançait sur le porche, il fit volte-face, brandissant son téléphone comme une arme. Il émanait de lui une telle férocité qu'elle frémit. Entre les discussions sur la famille et le jeu de séduction qui existait entre eux, elle avait presque oublié à qui elle avait affaire.

— On écoute aux portes ?

Elle le défia du regard :

— As-tu peur de ce que j'aurais pu découvrir si cela avait été le cas ?

Il baissa la tête et appuya le téléphone sur son front.

— Le jeu est terminé, Deb.

Le cœur de Deb manqua un battement et ses genoux faillirent se dérober sous elle. Zendaris avait-il découvert la vérité à propos du meurtre du Dr Herndon ?

— Quel jeu ?

— Celui que je jouais avec la Prospero.

Ses jambes ne la portaient plus, mais elle parvint à s'asseoir sur un banc. Celui-ci était froid.

— Que… Qu'est-ce que ça signifie, exactement ? Savent-ils que tu es de mon côté ?

— Pas totalement. C'est moins grave que ça.

Prise de faiblesse, elle se carra plus solidement contre le dossier pour ne pas glisser et inspira l'air froid à pleins poumons.

— Viens-en au fait, Beau.

— Jack est au courant, pour nous deux. Il a appris que nous avions passé une nuit ensemble.

Elle relâcha l'air contenu dans sa cage thoracique par petites bouffées, créant des nuages de vapeur dans l'atmosphère.

— Il t'a dit comment il l'a appris ?

Beau haussa les sourcils.

— Quelle importance ? Il s'appelle Jack Coburn, voilà tout !

Cela avait de l'importance, songea Deb, car les seules personnes à qui elle s'était confiée étaient ses frères d'armes : Cade, J.D. et Gage. S'ils l'avaient dénoncée à Jack, cela signifiait qu'ils ne la couvraient plus. Et qu'ils la soupçonnaient du pire.

— Tu as raison.

Elle secoua la tête et se passa la main sur la bouche.

— Résultat ? questionna-t-elle. Pourquoi vous disputiez-vous ?

— Tu as entendu ?

— J'ai perçu le ton de ta voix. J'ai vu aussi comment tu te tenais, et la façon dont tu t'es retourné quand tu m'as entendue approcher.

Il se passa la main dans les cheveux.

— Désolé. Il m'enlève l'affaire, Deb.

— Il t'a dit cela ?

— Quand le Dr Herndon a été assassiné, il a fait le lien entre sa mort, toi et Zendaris. Il s'est demandé pourquoi je n'avais pas suivi le même raisonnement, et c'est là qu'il a découvert que nous nous connaissions.

— Il sait que tu m'aides ?

— Je ne crois pas, non. M'accuser d'être de ton côté reviendrait logiquement à penser que j'ai moi aussi changé de camp.

— Et maintenant ? demanda-t-elle sans pouvoir s'empêcher d'agiter nerveusement les jambes.

Elle craignait la réponse.

— Il met quelqu'un d'autre sur le coup.

Elle bondit sur ses pieds, marcha jusqu'à l'extrémité du porche, puis pivota brusquement sur ses talons.

— Génial ! fulmina-t-elle. Il y a Zendaris qui me manipule comme une marionnette, un espion fantôme qui poursuit le même but que moi, et maintenant Jack qui envoie un autre zèbre à mes trousses. Sans parler de Bobby qui est toujours captif.

Si elle ne s'était pas juré une minute plus tôt de se montrer forte, elle aurait fondu en larmes.

— Et moi ! lança-t-il.

— Hein ? Quoi, toi ?

Il accrocha ses pouces dans les passants de son jean et redressa les épaules.

— Tu m'as, moi.

C'étaient les mots les plus doux de la soirée. Elle se précipita vers lui et jeta ses bras autour de sa taille.

— Tu n'imagines pas à quel point tu me réchauffes le cœur.

Il lui caressa les cheveux, et tout à coup son envie de pleurer s'évapora. Ils formaient une équipe. En conjuguant leurs expériences et leurs compétences, ils seraient invulnérables.

Elle pressa sa joue contre son torse.

— Tu ne penses tout de même pas que Jack enverrait un de mes coéquipiers après moi ?

— Aucun risque.

Il prit son visage entre ses mains.

— Il sait à quel point le lien qui vous unit est fort. Il sait que c'est à toi que leur loyauté va en premier.

— Ce ne serait plus le cas si j'avais trahi leur confiance. Or c'est ce que pense Jack, non ? Mes coéquipiers le croient peut-être aussi.

Du pouce, il traça le contour de son oreille.

— Et toi, pourrais-tu imaginer cela d'eux ? Penserais-tu que l'un de tes coéquipiers est un traître, simplement parce que ton patron te dit qu'il l'est ?

Elle pinça les lèvres et secoua la tête de droite et de gauche.

— Non. Je ne croirais jamais cela d'eux.

— Et je suis sûr que c'est réciproque. Même si je suis maintenant un loup solitaire, j'ai noué ce genre de liens quand j'étais en service actif. Jack Coburn n'enverra pas tes partenaires à ta recherche.

— Dans ce cas, nous sommes tranquilles.

— Ne te réjouis pas trop vite. Il y a des gens doués dans la profession, et Jack les connaît tous. Je t'ai retrouvée, ce n'était pas difficile.

Elle haussa les épaules.

— Mais tu es Loki.

— Oui, eh bien, il se pourrait que Loki vienne de perdre sa réputation.

Passant un bras autour de ses épaules, il la guida vers la salle pleine de gens, de lumière et de chaleur.

— Je suis navrée.

— Ne le sois pas. Jack a raison : un mercenaire qui se

laisse tourner la tête par un joli visage et une nuit de passion doit songer à prendre sa retraite.

— Jack a dit cela ?

— Quelque chose dans ce goût-là. Tu le connais : il n'est pas bavard.

Main dans la main, ils regagnèrent leur table.

— Je vais reprendre une bière, finalement.

— Oui, pourquoi ne pas fêter ça ? La mascarade est terminée, je n'ai plus à mentir à la Prospero. J'ai horreur de tromper mes amis, de toute façon.

Deb baissa les paupières et tendit la main vers la bouteille de bière.

— Tu en veux une plus fraîche ?

— Absolument. Mais c'est à moi d'y aller, cette fois.

Il se leva et se dirigea vers le comptoir d'un pas nonchalant — trop nonchalant pour quelqu'un qui venait de se faire renvoyer, jugea Deb.

Elle aussi, elle détestait mentir. Elle devait trouver un moyen d'annoncer la vérité à Beau. Cependant, elle devrait attendre pour cela que Bobby soit rentré à la maison. L'inquiétude dont Beau faisait preuve envers lui était peut-être — peut-être seulement — due en partie à ses sentiments pour elle. Et si elle lui révélait sa paternité avant qu'ils n'aient eu le temps de sauver Bobby, les émotions que cela susciterait chez lui mettraient en péril la mission. Il serait encore plus inquiet s'il savait que Bobby était son fils. Et furieux de sa trahison.

Donc, elle attendrait.

Il revint avec deux bouteilles couvertes de buée.

— Ils ont échangé gratuitement ma bière entamée contre une fraîche. Quand toute cette histoire sera derrière nous, il faudra revenir.

Elle sourit et but une gorgée de bière. Son souhait le plus cher était de revenir déguster des homards ici avec Beau et Bobby, en famille. Mais Beau ne voulait pas d'une famille.

Et il détestait les menteurs.

Le lendemain matin, Deb se réveilla l'esprit encore embrumé. Beau était parti tôt à la gym, la laissant dormir. Elle avait du sommeil à rattraper après les longues heures passées à se tourner et se retourner entre les draps, à prêter attention au moindre bruit venant du lit voisin.

Plusieurs fois, elle avait cru que Beau se levait pour la rejoindre. Immobile, elle avait attendu qu'il la touche, que son odeur virile la submerge, qu'il lui chuchote des paroles enflammées.

Elle avait attendu toute la nuit.

Au matin, elle avait la nuque raide et les muscles endoloris. Une humeur sombre l'enveloppait tel un nuage noir.

Beau s'en était aperçu presque tout de suite. Il lui avait dit de rester couchée, et était parti à sa séance d'entraînement.

Ces quelques heures de sommeil n'avaient pas beaucoup atténué ses courbatures — dues sans doute aux exercices de la veille — mais elles avaient adouci son humeur.

Elle ne pouvait s'en prendre qu'à elle-même si Beau ne lui avait pas fait d'avances. Elle lui avait clairement signifié dès le départ que son désespoir et son inquiétude pour son fils avaient éteint en elle tout désir, toute libido.

Rien n'avait changé depuis, non ?

Chaque fois qu'elle fantasmait sur Beau, la culpabilité l'assaillait. Elle se reprochait sévèrement d'avoir ces préoccupations égoïstes alors que son petit garçon était retenu en otage quelque part.

Mais l'intense besoin qu'elle avait de Beau allait au-delà du simple désir sexuel. Elle avait soif de cette relation humaine qui manquait depuis si longtemps à sa vie, du réconfort et du sentiment de complétude que l'on éprouvait quand on faisait l'amour avec un homme. Particulièrement avec cet homme-là, le père de son enfant bien-aimé.

C'était comme si, en nouant ce lien avec Beau, elle recréait le cercle familial. Comme si souder la famille était un acte magique qui leur donnerait le pouvoir de trouver et de libérer Bobby.

L'ordinateur portable de Beau bipa. Elle jeta un coup d'œil en direction de l'appareil, mais mieux valait certainement ne pas toucher aux bases de données et aux moteurs de recherche.

Elle bâilla et s'étira. Elle n'aurait pas dit non à un verre de jus d'orange et à une tasse de café. En revanche, après le homard, les beignets de palourde et les bières de la veille, elle était incapable d'avaler une bouchée.

Elle sortit du lit et entra en titubant dans la douche.

L'eau chaude et la vapeur parfumée ne parvenant pas à la réveiller, elle tourna le mitigeur dans l'autre sens. L'eau froide lui donna la chair de poule, et elle se mit à claquer des dents. Exactement ce qu'il fallait.

Elle remit le même jean mais changea de T-shirt. Si Zendaris continuait à la garder ainsi, elle devrait retourner à la galerie marchande.

La porte s'ouvrit et Beau passa la tête dans la chambre.

— Tout le monde est présentable, ici ?

— Si tu considères ce jean sale et ce T-shirt comme présentables, alors oui.

Il posa une tasse de café sur la table et brandit un sachet en papier.

— J'ai pensé que tu ne serais pas réveillée à temps pour le petit déjeuner, alors je suis allé te chercher un café et deux scones.

— Oh ! merci !

Elle pointa sa brosse à dents vers l'ordinateur.

— Ton portable a bipé pendant ton absence, mais je n'y ai pas touché, de peur de faire une bêtise.

— Mes sources ont peut-être trouvé quelque chose sur notre type.

Il prit un scone dans le sachet et gagna le coin de la pièce.

— Je croyais que c'était pour moi ? dit-elle.

Remarquant son T-shirt mouillé qui lui collait à la peau et son sweat-shirt jeté sur le dossier de la chaise, elle continua :

— Où étais-tu, d'ailleurs ? On trouve du café et des scones dans une salle de gym, maintenant ?

— Je suis allé courir au bord du fleuve. Je n'avais pas envie de m'entraîner sur un tapis de course. Trop ennuyeux.

— As-tu noté quelque chose de suspect, dehors ? Personne ne rôdait autour de l'hôtel ?

— Crois-tu que mon remplaçant va te retrouver aussi vite ?

Il rassembla les miettes sur la table et les fit tomber dans le creux de sa paume.

— Je pense même que ton remplaçant ne me retrouvera pas du tout, répondit-elle.

Elle le rejoignit à la table. Il pressa quelques touches du clavier tout en buvant une gorgée du café qu'il avait pris pour elle.

— A présent que tu es discrédité en tant qu'espion, tu ne risques pas de te faire repérer si tu te sers de ces banques d'informations top secret ? demanda-t-elle.

— Penses-tu que Jack soit rapide à ce point ? Il m'a renvoyé hier soir. Je doute que toute la communauté du renseignement soit déjà au courant.

Il se frotta les mains tandis que des lignes de données défilaient sur l'écran.

— Je ne suis pas encore *persona non grata*.

Il tira une chaise et lui indiqua l'autre d'un signe de tête.

— Assieds-toi et commence à manger avant que j'attaque le deuxième scone.

Elle prit place à côté de lui et plongea la main dans le sachet blanc. Elle rompit un morceau de scone et le mit dans sa bouche.

— Tu comprends quelque chose à ce fouillis ?

Beau faisait courir son doigt sur l'écran, s'interrompant de temps à autre pour pointer une information.

— Regarde ce type, Deb.

Il fit défiler l'écran vers le haut et lui montra l'une des photos qu'ils avaient retenues.

— Il est connu sous le nom de Damon. Il est originaire

d'Amérique du Sud, où il était membre des cartels de drogue. Il a disparu de la circulation il y a quelques années, mais il a gardé des contacts là-bas. On peut donc considérer qu'il est toujours dans la partie.

— Il a cessé ses activités de narcotrafiquant ?

Elle sonda les yeux noirs et perçants de l'homme, espérant le reconnaître.

— Il a abandonné le trafic de drogue depuis des années, poursuivit Beau, mais il est peut-être maintenant dans les armes. Ses anciens contacts auraient pu être utiles à Zendaris.

— Ses points forts ?

— Les armes, la surveillance. Il joue aussi les gros bras.

— Il faut dire qu'il a de sacrés biceps.

Elle mordit dans son scone et plaça sa main devant sa bouche pour parler.

— Ce serait merveilleux s'il s'agissait de notre homme. Nous aurions au moins un visage à identifier dans la foule.

— Exact. Je serais capable de le reconnaître si je le voyais. Qui sait où il nous mènerait si nous le suivions ?

— Jusqu'à Bobby, peut-être.

— C'est le genre de coup de pouce dont nous aurions besoin.

— Personne d'autre sur notre liste ne correspond ?

Elle remua son café avant d'en boire une gorgée.

— Pas autant que ce type-là.

Elle froissa le sachet dans sa main et alla le jeter dans la corbeille à papier.

Ensuite, elle feuilleta le journal offert par l'hôtel, mais pas plus que la veille, la mort du Dr Herndon n'y était mentionnée. L'événement n'était pas assez important pour figurer dans les nouvelles nationales.

— As-tu du nouveau sur l'enquête ? s'enquit-elle.

— Non, rien. Je suppose qu'ils attendent les résultats de l'autopsie.

— Et rien de neuf non plus sur la mystérieuse vamp brune ?

— Non. Et, vu que Herndon était célibataire, les médias ne se penchent pas tellement sur cet aspect de l'affaire.

— A quel aspect Jack s'intéresse-t-il ? Pense-t-il que je sois coupable ?

— Impliquée ? Oui. Coupable ? La question est encore ouverte.

Elle replia soigneusement le journal.

— Qu'as-tu dit à Jack, hier soir ? Pourquoi te disputais-tu avec lui ?

— Il venait de me renvoyer. J'essayais de le faire changer d'avis.

Il étendit ses longues jambes sur la chaise qu'elle venait de libérer, et poursuivit :

— J'ai reconnu que nous avions eu une brève relation, il y a quelques années, en insistant sur le fait qu'elle n'avait rien signifié à mes yeux, et que l'idée de me lancer sur ta piste ne m'avait fait ni chaud ni froid.

— Ouille ! Pas très flatteur. Il t'a cru ?

— Je l'ignore. Tout ce qu'il a retenu, c'est que je n'avais pas été franc avec lui. Une erreur à ne pas commettre quand on a affaire à Jack Coburn.

— Je sais, dit-elle en se laissant tomber sur le lit. Regarde où cela m'a menée.

— Es-tu certaine que tu n'aurais pas eu davantage intérêt à prévenir la Prospero que Zendaris avait enlevé ton fils ?

Elle glissa les pieds dans ses tennis.

— Oui. Quand quelqu'un a votre enfant, votre instinct vous pousse à faire exactement ce qu'on vous dit de faire.

— Je comprends. Mais tes coéquipiers n'iraient pas mettre en danger la vie de ton fils en attaquant tête baissée Zendaris.

Elle fit la moue.

— J'avais le sentiment que, si j'allais voir la Prospero, Zendaris le devinerait. Je ne sais pas pourquoi, cette impression a réglé ma conduite dès le début.

— C'est vrai, il en savait assez sur ta vie pour demander à l'un de ses hommes de se faire passer pour Robert à la crèche.

Cela dit, j'ignore si tu as eu raison de laisser la Prospero dans le noir. Certes, tu as minimisé les risques pour Bobby, mais tu t'es rendu les choses plus difficiles par ailleurs. Croyais-tu vraiment que ton patron ne s'apercevrait pas que tu avais disparu de la circulation ?

Elle soupira.

— J'ai pris un congé. Je pensais que cela suffirait.

— Oui, et voilà le résultat.

— Je sais.

Elle laça ses chaussures et fit quelques pas sur la moquette.

— Tu sors ? demanda-t-il. Cela t'embête si je t'accompagne ?

Elle croisa les bras et pencha la tête sur le côté.

— Parce que tu en as envie, ou parce que tu penses que j'ai besoin d'une protection ?

— Est-ce important ?

Il ôta son T-shirt et fouilla dans le tiroir de la commode dans lequel il avait rangé ses achats. Il en sortit un T-shirt propre et le jean qu'il avait porté les jours précédents.

— Tu me laisses le temps de me doucher ? Je ne serai pas long.

Elle laissa son regard errer sur les muscles saillants de son torse et de ses épaules.

— Je t'attends.

Pour patienter, elle alluma la télévision et zappa d'une chaîne à une autre. La mort prématurée d'un savant était-elle déjà passée à la trappe ? Elle aurait dû s'en féliciter. Il était préférable que sa photo ne soit pas une nouvelle fois divulguée aux informations, même si cela faisait d'elle une meurtrière plus crédible aux yeux de Zendaris.

Et à ceux de la Prospero, malheureusement. Ses coéquipiers l'avaient-ils reconnue sur le cliché de mauvaise qualité ?

Beau se doucha en un temps record. Il émergea de la salle de bains tout habillé, en se frictionnant les cheveux avec une serviette. Au moins, pour une fois, il lui épargnait la vue de son corps à demi nu, se dit-elle. Surmonter de nouvelles tentations était au-dessus de ses forces.

— Tu es prête ? lança-t-il en étalant un peu de gel dans ses mains et en l'appliquant sur ses cheveux mouillés.

— Et toi ? Je ne me doutais pas que Loki utilisait autant de produit capillaire !

Il leva le tube.

— Ça ? C'est juste pour discipliner un peu ma tignasse.

Elle leva les mains en signe de reddition.

— D'accord.

— Où allons-nous ? demanda-t-il.

— J'avais envie de prendre le métro jusqu'au centre de Boston, puis de suivre cette ligne rouge qui passe devant tous les sites historiques de la ville. J'ai déjà fait ce parcours, une fois. Il mène du Boston Common à l'USS Constitution, dans le port.

— Cette excursion va nous prendre la journée !

— Qu'avons-nous d'autre à faire, à part attendre les instructions de Zendaris ? Et il n'a pas l'air pressé.

— Tu as raison. En plus, cela te distraira de… Cela te distraira.

— Rien ne peut me distraire de Bobby, si c'est ce que tu sous-entends.

Elle ferma sa veste et pinça les lèvres. Comme si elle pouvait oublier son fils ! *Leur* fils.

Il l'attrapa alors par le devant de sa veste, l'attira vers lui et lui remonta la fermeture Eclair jusqu'au menton.

— Hé ! Je le sais. Tu n'as rien à prouver. Si Bobby n'était pas tout pour toi, tu n'envisagerais pas de violer la loi juste parce que Zendaris te l'ordonne.

— C'est que parfois…

Elle se mordit la lèvre pour dissimuler un tremblement.

Il la prit aussitôt dans ses bras et la serra franchement contre lui.

Elle savoura avec bonheur les battements de son cœur contre sa joue, puissants, réguliers, et ferma les yeux pour s'imprégner de sa force.

Elle s'accorda encore une minute de faiblesse, puis s'écarta de lui.

— Allons réviser l'histoire de la Révolution américaine.

Ils prirent une brochure au Common et suivirent la ligne rouge peinte sur le trottoir.

Lorsqu'ils parvinrent à Faneuil Hall, l'estomac de Deb gronda, lui rappelant le maigre petit déjeuner — encore diminué de moitié par Beau — qu'elle avait pris à l'hôtel.

Il lui montra du doigt une aire de restauration.

— Je suis sûr que ce monument-là n'existait pas en 1776, mais je suis content qu'il y soit maintenant.

— Tu as lu dans mes pensées, ou bien tu as entendu mon ventre protester ? J'ai une faim de loup.

— J'ai envie d'un hamburger et de frites. Et toi ?

— Je vais aller me chercher une pizza, dit-elle en désignant du pouce un stand surmonté d'un auvent vert et rouge.

— On se retrouve à une table, sur cette place centrale. Tu as de l'argent ?

Elle agita en l'air un billet de vingt dollars.

— C'est Zendaris qui paye.

Elle commanda deux parts de pizza au pepperoni à pâte fine, une petite salade et un soda sans sucre.

Un désagréable souvenir l'étreignit alors : Bobby venait juste de découvrir cette délicieuse spécialité italienne quand il s'était mis à perdre l'appétit. L'inquiétude redoubla les crampes d'estomac de Deb.

Pourvu que son geôlier lui donne autre chose à manger que de la glace ! pria-t-elle en silence.

Elle plongea la main dans un pot, attrapa quelques sachets de sauce italienne et les laissa tomber sur son plateau en plastique.

Puis elle se fraya un chemin parmi un groupe de touristes en voyage organisé, et s'installa à une table au milieu.

Quelques minutes plus tard, Beau quitta son stand et la chercha du regard par-dessus deux assiettes pleines à ras bord. Elle lui fit signe. Il la rejoignit et posa son chargement devant lui.

D'un geste vif, elle lui vola une frite.

— C'est pour avoir mangé mon scone ce matin !

Il poussa l'assiette dans sa direction.

— Prends-en autant que tu veux.

— Ça ira, merci.

Elle saisit une part de pizza entre ses doigts.

— Comment trouves-tu cette excursion touristique ?

— Intéressante. Les hommes qui ont signé la Déclaration d'indépendance ont pris beaucoup de risques, n'est-ce pas ?

— Aucune chose de valeur ne s'obtient sans risque.

— Je suis d'accord.

Il hocha la tête et mordit dans son hamburger. Elle se tapota les lèvres avec sa serviette et but une gorgée de soda. C'était une chose dont elle ferait bien de se souvenir. Si elle voulait que Bobby connaisse son père, elle devrait prendre le risque d'avouer la vérité à Beau et d'affronter sa colère.

Ils mangèrent tout en discutant de ce qu'ils venaient de voir, d'histoire, des acteurs de la révolution qu'ils préféraient. Ils parlèrent de tout sauf de Zendaris, de la Prospero ou des plans de l'antidrone.

La conversation porta ensuite sur Bobby. Deb relata quelques anecdotes et évoqua la manière dont son fils avait transformé sa vie. Elle préparait le terrain progressivement. Ainsi, lorsqu'elle annoncerait sa paternité à Beau, il aurait déjà quelques sentiments pour son enfant, espérait-elle.

Il ouvrit la brochure.

— Es-tu prête à achever le circuit ? Il nous reste à voir la maison de Paul Revere, le *USS Constitution* et Bunker Hill.

— Allons-y. Nous ne serons peut-être plus là demain.

Ils jetèrent leurs déchets dans la poubelle et empilèrent les plateaux par-dessus, puis quittèrent l'aire de restauration.

Comme le feu piéton passait au vert, Deb descendit du trottoir. Dans sa vision périphérique, une voiture se détacha brusquement de la masse des véhicules.

Elle tourna la tête dans sa direction. Traversant l'inter-section tel un bolide endiablé, le gros SUV noir se dirigeait droit sur elle. Beau cria. Elle fit un pas et s'arrêta, pétrifiée. Devait-elle continuer d'avancer ? Reculer ?

Cela n'avait pas d'importance, comprit-elle tout à coup. Où qu'elle aille, le SUV suivrait.

11

Le bolide chargea dans leur direction, manquant de percuter une voiture qui arrivait au croisement. Beau appela Deb, mais elle semblait transformée en statue, hypnotisée par le SUV noir. Il la ceintura par la taille et la tira violemment en arrière sur le trottoir.

Elle émit un son étranglé, comme si ses poumons se vidaient d'un seul coup. Une femme cria. Il y eut un hurlement de pneus, et une odeur de gomme brûlée emplit l'air.

Quand Beau releva la tête, le SUV disparaissait en trombe au coin de la rue. La plaque d'immatriculation avait été recouverte de papier. Evidemment.

Une femme se pencha au-dessus d'eux.

— Vous avez vu ? Cet imbécile a failli nous tuer !

Ce ne serait pas la première fois, pesta-t-il intérieurement.

— Vous allez bien, madame ? s'enquit-il à voix haute.

— Ça va, même si je tremble comme une feuille. Et votre femme ? C'est elle qui était le plus exposée !

Deb leva la tête, le teint livide et les yeux agrandis par le choc.

— Oh ! Mon Dieu, il s'en est fallu de peu ! souffla-t-elle. Il a blessé quelqu'un ?

La femme se posa une main sur le front.

— Non, mais ce n'est pas faute d'avoir essayé ! Il a grillé le feu rouge, puis il a ralenti, comme s'il attendait que les piétons se soient engagés sur le passage clouté pour accélérer.

Deb s'adossa à la façade d'un immeuble. Une égratignure barrait sa joue lisse et douce, remarqua Beau.

— Dieu merci, personne n'a été touché, déclara-t-elle. Quelqu'un a relevé son numéro d'immatriculation ?

— C'était une espèce de mastodonte noir, c'est tout ce que j'ai vu, répondit la femme en haussant les épaules.

Puis elle rajusta sa veste tailleur, les salua et s'engagea pour la deuxième fois sur le passage piéton.

— Beau ? fit Deb.

— Je confirme que c'était un mastodonte noir. Les plaques étaient camouflées.

Deb se plaqua une main sur la bouche.

— Dans ce cas, c'était un acte délibéré, et à mon avis ce n'est pas mademoiselle Veste rose qui était visée.

— En effet.

— Et si Zendaris était bel et bien derrière tout cela ?

— Deb…, commença-t-il en passant un bras sous le sien. Nous n'allons pas discuter de ça dans la rue.

Elle se releva et épousseta son jean.

— Continuons à marcher.

— Tu es folle ?

— Pourquoi ? Tu crois vraiment qu'il va essayer de nouveau ?

— Reste près de moi.

— Pour qu'il puisse nous faucher tous les deux à la fois ?

— Tu disais à l'instant qu'il n'allait pas faire le même coup deux fois de suite.

— Il ne le fera pas, à moins qu'une autre voiture attende dans les coulisses.

Ils poursuivirent leur chemin, mais cette fois Beau laissa résolument son bras autour des épaules de Deb. Quand ce poids parut la fatiguer, il lui prit la main et l'attira près de le lui, accordant son pas au sien.

Au bout d'un moment, il demanda :

— Pourquoi voudrais-tu que Zendaris essaie de te tuer alors qu'il a besoin de toi pour récupérer les plans de l'antidrone ?

— Mais est-ce réellement pour cela qu'il a besoin de moi ? Jusqu'ici, il m'a demandé de cambrioler une bijouterie et de tuer un homme. En quoi cela le rapproche-t-il de son objectif ? Ou moi, de Bobby ?

— Alors qu'a-t-il en tête, selon toi ?

— C'est un jeu sadique. Comme il ne peut pas atteindre Cade, J.D. ou Gage, il défoule sa colère sur moi.

— J'ai un autre point de vue sur la question.

Il la fit asseoir sur un banc, d'où ils pouvaient admirer un parc à l'herbe brunie par l'hiver.

— Je pense que quelqu'un d'autre cherche ces plans, sait que tu poursuis le même but, et a peur que tu le doubles. Il essaie de se débarrasser de la concurrence.

— Et pour qui travaillerait-il ?

Beau cala une cheville sur son genou.

— Il s'agit peut-être d'un indépendant, comme moi.

— A moins qu'il ne soit missionné par la Prospero.

— Je te rappelle que j'étais encore sous les ordres de la Prospero quand on a essayé de te tirer dessus dans la chambre.

Elle se tourna vers lui et posa une main sur sa cuisse.

— Jack Coburn a beaucoup d'intuition. Il savait peut-être depuis le début qu'il ne pouvait pas te faire confiance.

— Merci.

— Ou alors il te mettait à l'épreuve.

— Cela me paraît tiré par les cheveux.

— En tout cas, si ton scénario est juste, nous ne pouvons pas le laisser nous coiffer au poteau, déclara-t-elle.

Lui enfonçant ses ongles dans la jambe, elle continua :

— S'il trouve les plans avant moi, c'en est fini de Bobby.

Il lui donna un petit coup sur le sommet du crâne.

— Ne te mets pas martel en tête. Nous sommes deux, et nous sommes les plus forts.

Elle parvint à sourire.

— Alors, c'est parti pour le *USS Constitution* ? proposa-t-elle.

— « Liberté et justice pour tous » !

— Non, ça, c'est le serment d'allégeance, pas la Constitution.

— Alors : « Une nation conçue en liberté et vouée à cette idée que tous les hommes naissent égaux » ?

— Discours de Gettysburg.

— J'abandonne.

Il se mit debout et l'aida à se lever.

— A l'évidence, j'ai besoin d'entendre le reste de cette leçon d'histoire.

En rentrant à l'hôtel, Deb s'arrêta dans une pharmacie et acheta du coton et un spray antiseptique. Une fois dans la chambre, Beau lui nettoya sa plaie.

Ensuite, elle s'assit d'un bond léger sur le lit et fit bouffer les oreillers derrière elle.

— Si le conducteur du SUV et le tireur de l'autre jour sont une seule et même personne, c'est qu'il doit nous suivre. Et c'est l'une des nombreuses choses qui me font peur. S'il est derrière nous, qui nous dit que Zendaris ne l'est pas aussi ? Et, dans ce cas, il est au courant pour nous deux.

— Hé, tu prends beaucoup de raccourcis, là !

Elle inclina la tête en arrière et ferma les yeux.

— Je veux juste que Bobby revienne. Je me fiche des plans, de Zendaris et même de la Prospero. Tout ce que je désire, c'est serrer mon fils dans mes bras.

Le matelas s'affaissa à côté d'elle. Elle ouvrit les paupières. Beau était assis sur le lit, et ses yeux bleus débordaient d'une émotion impossible à identifier.

Etait-ce de la pitié ? s'interrogea-t-elle. Cela ne la dérangeait pas. A ce stade, elle était prête à prendre tout ce qui venait de lui. Une fois qu'elle lui aurait dit la vérité, elle n'aurait peut-être plus jamais la chance de le voir.

Beau se rapprocha.

— Tourne-toi.

Elle s'assit en tailleur et lui présenta son dos. Les mains fortes de Beau se refermèrent autour de son cou.

— Depuis une semaine, tu passes par des hauts et des bas…

Avec ses pouces, il se mit à tracer des cercles à la base de sa nuque.

— C'est plus facile à supporter depuis que tu es arrivé, confessa-t-elle en laissant tomber son menton sur sa poitrine.

— Ce n'est pas une situation que l'on devrait affronter seule, rappela Beau. Même quand on est un agent secret et que l'on a du cran.

Elle laissa échapper un soupir.

— C'est ce que tu penses de moi ?

— Tout à fait. C'est le profil de la femme qui m'a séduit à Zurich, et que j'ai vue réapparaître par instants à Boston. Une femme courageuse et déterminée.

— Je te l'ai dit, j'ai changé depuis la naissance de Bobby.

— Et j'aime cette Deb-là encore plus. Tu es toujours courageuse et déterminée, mais il y a maintenant en toi une douceur qui te manquait avant.

Les mains de Beau descendirent dans son dos, passant avec légèreté sur ses omoplates.

— C'est l'effet que les enfants ont sur vous.

Elle laissa sa tête rouler en arrière, et quand il exerça une pression des doigts de chaque côté de sa colonne vertébrale, elle ne put retenir un soupir.

— C'est douloureux ? s'enquit-il.

— Oui, mais c'est une bonne douleur.

— Tu as des nœuds partout au niveau du cou, des épaules et du dos. Tu accumules la tension dans ces zones.

— Es-tu masseur à tes moments perdus ?

Il émit un petit rire bref, aux sonorités graves, qui la fit frissonner de plaisir.

— Ma sœur l'est. Elle m'a appris une ou deux techniques. Quand je retourne dans ma famille, elle dit toujours que je suis une vraie boule de nerfs.

— Cela ne me surprend pas. Tu sembles toujours tendu, prêt à bondir.

Il lui souleva les cheveux et pressa ses lèvres sur sa nuque.

— Pas toujours.

Si elle se laissait aller contre lui tout de suite, prendrait-il cela pour une invitation ?

— Beau…

— Chut…

Il enfouit son visage dans ses cheveux.

— Si tu ne souhaites pas aller plus loin, je comprendrais, Deb. Et si tu veux continuer, je comprendrais aussi. Je ne t'estimerais pas moins en tant que mère ou agent parce que tu as envie de faire l'amour avec moi.

Elle se tourna vers lui, et ses cheveux glissèrent des mains de Beau, retombant sur ses épaules.

— Je ne peux plus feindre, faire comme si tu étais un simple étranger. Tu es davantage qu'un protecteur à mes yeux. Tu es l'homme qui occupe mes pensées depuis trois ans.

— Je suis content de te l'entendre dire…

De ses bras, il lui encercla la taille.

— Je croyais être le seul à éprouver cela. Je pensais avoir élevé une expérience sexuelle exceptionnelle au rang de rencontre historique.

Elle sourit et lui caressa les épaules.

— Une rencontre historique… Oui, c'est aussi comme cela que je l'ai vécue.

Elle ne put résister plus longtemps à l'appel de ses lèvres. Elle se pencha légèrement en avant, et il parcourut le reste du chemin. Au moment où leurs bouches se rencontrèrent, une onde de pur désir la traversa. Il dut s'en rendre compte, car il la serra plus fort contre lui, comme s'il craignait qu'elle ne tombe du lit.

Il glissa les mains dans ses cheveux et inclina la tête sur le côté. Leurs langues se mêlèrent, leurs souffles se firent plus précipités.

Serait-ce comme la première fois ? Fébrile, éperdu, haletant… ? se demanda Deb.

Non. Là, ce n'était pas Loki qui la tenait dans ses bras. Là, elle était dans les bras de Beau Slater, le père de son enfant.

Il approfondit leur baiser tout en lui caressant le dos, d'un geste doux, sans hâte. Avait-il deviné ses pensées ? La fougue ardente avec laquelle ils s'étaient livrés l'un à l'autre trois ans plus tôt avait laissé place à une danse lente et sensuelle.

Se reculant légèrement, il glissa les mains sous ses jambes et la tira vers lui pour l'allonger sur le dos. Il souleva légèrement son T-shirt, promena ses doigts sur son ventre.

— Cette fois, j'ai envie de savourer pleinement chaque centimètre carré de ton corps.

Il remonta un peu plus le vêtement de coton et traça du pouce le contour de ses seins à travers la dentelle de son soutien-gorge.

Elle le considéra entre ses cils.

— Combien de temps va-t-il te falloir pour m'enlever mon T-shirt ?

D'un mouvement rapide, il le fit passer par-dessus sa tête, et le posa sur ses yeux.

— Ce serait peut-être bien que tu cesses de diriger les opérations, que tu te laisses faire et que tu profites.

— Je pense pouvoir y arriver.

Grâce au bandeau improvisé, chaque caresse, chaque sensation devenait une surprise — une divine surprise. Alors qu'elle s'attendait à ce qu'il continue à explorer ses seins, il lui titilla le lobe de l'oreille du bout de la langue. Et quand elle crut recevoir un baiser sur les lèvres, il glissa une main sous son soutien-gorge, emprisonna l'un de ses seins et lui pinça doucement le mamelon.

Et ainsi de suite... Privée de l'usage de ses yeux, elle était une toile sur laquelle il créait à l'aide de ses doigts, de sa bouche, de ses lèvres et de sa langue. Et elle avait encore presque tous ses vêtements...

Enfin, il fit descendre son jean sur ses hanches et l'en débarrassa en même temps que de sa culotte. Il effleura l'intérieur de ses cuisses, lui écartant les jambes avec douceur.

Elle retint son souffle, parcourue de frissons d'excitation qui convergeaient dans les zones les plus sensibles de son corps. La chaleur qui émanait de la peau de Beau la brûlait presque. Un bruit de cliquetis et d'étoffe froissée la fit frémir encore plus : Beau se déshabillait à son tour.

Avide d'admirer son corps nu, elle faillit arracher son bandeau, mais s'en abstint pour ne pas lui gâcher le plaisir.

Il s'installa à califourchon sur elle, et son sexe érigé lui frôla le ventre.

Spontanément, elle leva les hanches vers lui.

Beau claqua la langue.

— Femme impatiente !

De ses lèvres, il agaça la pointe de l'un de ses seins.

Elle poussa un soupir étranglé et, par réflexe, resserra les jambes, mais il l'arrêta en posant les deux mains à l'intérieur de ses cuisses.

— Garde les jambes écartées. Pour moi…

Le grondement rauque dans sa voix la laissa aussi tremblotante qu'un bol de gelée, mais elle fit ce qu'il lui ordonnait. Avait-elle le choix ?

Usant de ses doigts, de sa langue, il continua à lui infliger ce doux supplice. Entre douleur et plaisir, elle se tortillait sous lui. Il pinça l'un de ses mamelons puis l'aspira entre ses lèvres tandis que son doigt traçait sans hésitation une ligne entre son nombril et les replis palpitants de son intimité.

Sous le choc, elle se tendit vers lui, et un gémissement franchit ses lèvres.

— Pourquoi me tortures-tu ?

Il lui emprisonna la lèvre inférieure entre ses dents.

— Veux-tu que j'arrête ?

Levant les mains, elle planta ses ongles dans ce qui se présentait — en l'occurrence, une hanche et un bras.

— Tu n'as pas intérêt ! Mais tu ne pourrais pas soulever le bandeau, pour que je voie arriver la prochaine attaque en traître ?

— Pourquoi ferais-je une chose pareille ?

Le matelas s'affaissa un peu plus autour d'elle, et les genoux de Beau lui enserrèrent les hanches.

De nouveau, elle se tendit vers lui, mais il prit ses seins

en coupe et les serra l'un contre l'autre. Son sexe brûlant s'enfonça entre les deux globes de chair et vint buter contre le menton de Deb.

Ils pouvaient être deux à jouer à ce jeu-là.

Pliant le cou, elle lécha la peau douce.

Il émit un grognement, mais n'interrompit pas son va-et-vient. Pas plus qu'elle ne cessa ses caresses.

Au bout d'un moment, il arrêta de bouger. Elle se redressa alors sur ses coudes et le prit complètement dans sa bouche. Comme elle levait la main pour retirer le bandeau, il lui encercla les poignets.

— Pas encore. Je n'en ai pas fini avec toi.

Elle laissa échapper un rire rauque.

— Je croyais que c'était moi qui allais en finir avec toi.

— Tu as oublié que tu avais affaire à Loki, le grand spécialiste du self-control.

Il descendit et insinua sa langue dans les replis secrets de son entrejambe, la rendant presque folle de plaisir à force de caresses. Alors que son ventre et ses muscles commençaient à se contracter, il s'écarta brusquement. Elle poussa un cri, et ce cri s'amplifia quand il la pénétra.

Il ôta le T-shirt de son visage, et elle fut soudain exposée à la brûlure de son regard bleu étincelant.

Ce fut l'explosion. Des vagues de plaisir la traversèrent. Elle enroula ses jambes autour de lui, laissant l'ouragan déferler sur elle.

A son tour, il fut secoué d'un grand frisson, donna un unique coup de rein, maintint la position quelques secondes puis fit quelques derniers va-et-vient tandis que sa semence se répandait profondément en elle.

Ensuite, il s'écroula à côté d'elle, frotta son nez contre son cou et lui caressa les seins.

— Puis-je me permettre de vous dire, madame l'espionne, que vous êtes la meilleure affaire au lit que j'aie jamais connue ?

— Oh ! Je parie que tu dis ça à toutes les espionnes que tu croises.

Elle lui donna un petit coup de poing dans l'épaule : c'était comme rencontrer un mur de muscles.

Il lui saisit la main et baisa chacune des jointures de ses doigts.

— Non, ce n'est pas vrai.

— La nourriture, le bandeau… Tu es un amant créatif.

— Il me semble que la nourriture était ton idée.

— C'est toi qui as commencé à mettre cette fraise dans ma… Bref, peu importe.

Il embrassait le bout de ses doigts.

— Si je suis aussi inventif, pourquoi es-tu retournée en courant dans les bras de l'autre ?

Le cœur de Deb manqua un battement. Elle ne souhaitait pas aborder le sujet de sa paternité. Pas encore.

Elle lissa la fine toison qui recouvrait son torse.

— Pour moi, tu étais Loki. Tu ne m'as pas confié ton vrai nom.

— Tu ne me l'as pas demandé non plus.

Le téléphone portable, qui n'était jamais très loin d'elle, vibra.

— C'est lui, souffla-t-elle.

Se penchant au-dessus d'elle, Beau attrapa l'appareil et le lui tendit.

— Allô ?

— Me prenez-vous pour un imbécile ? gronda Zendaris à l'autre bout du fil.

12

Les joues roses de volupté de Deb devinrent livides.

Le cœur de Beau se mit aussitôt à cogner violemment contre ses côtes. La jeune femme n'avait pas activé le haut-parleur, et rester dans l'ignorance, même une seule seconde, fit grimper sa tension artérielle dans le rouge.

— Que… Que voulez-vous dire ?

Beau lui donna un petit coup sur la cuisse pour attirer son attention. Elle tourna la tête et ses yeux s'écarquillèrent comme si elle avait complètement oublié son existence. Elle cligna des paupières plusieurs fois et pressa la touche « haut-parleur ».

— Vous avez parlé à la Prospero, n'est-ce pas ? accusa Zendaris.

Deb déglutit visiblement et Beau jura à mi-voix.

— Absolument pas. Pourquoi dites-vous cela ? Croyez-vous vraiment que je tuerais un innocent et que j'irais m'en vanter à mon employeur ?

— Qui a dit que le Dr Herndon était innocent ?

— Qu'êtes-vous en train d'insinuer ?

— J'insinue que vous avez demandé de l'aide à quelqu'un.

Les épaules de Deb s'affaissèrent. Beau lui remonta le drap sur la taille.

— Je n'ai demandé d'aide à personne, à la Prospero moins qu'à quiconque. L'agence croit que je suis passée à l'ennemi, et elle n'est pas très indulgente envers les traîtres.

— Quelqu'un vous suit dans l'ombre, et donc *me* suit, moi. Ça ne me plaît pas.

— Vous ne vous attendiez tout de même pas à ce qu'un agent de la Prospero change de camp sans que personne s'en aperçoive ? lança-t-elle.

Son ton mordant emplit Beau d'admiration. La Deb Sinclair qui obéissait en tremblant à chacun des ordres de Zendaris avait définitivement disparu.

C'est ça, Deb. La meilleure défense, c'est l'attaque.

Manifestement déstabilisé par son attitude, le malfrat marqua une pause. Elle s'engouffra dans la brèche.

— Si la Prospero me fait suivre, ce n'est pas par un agent de chez eux. Coburn n'agit pas ainsi avec ses hommes. Il ferait plutôt appel à un tueur à gages.

Mimant un pistolet avec ses doigts, elle fit semblant de viser Beau.

— Il n'a pas intérêt à me mettre des bâtons dans les roues, gronda Zendaris, ou ça ira mal… Pour tout le monde.

— Personne n'aura à souffrir, répliqua Deb. Quel est votre plan ? Que voulez-vous que je fasse ensuite ?

— Que vous vous introduisiez chez le Dr Herndon pour récupérer les plans de l'antidrone.

Elle en resta bouche bée.

Pourquoi était-elle aussi surprise ? se demanda Beau. Ils se doutaient bien que Zendaris convoitait les plans.

Cependant, elle reprit vite contenance.

— Où se trouve sa maison ?

— Dans la banlieue de Boston.

— Est-elle surveillée ?

— Ça, c'est votre problème, pas le mien.

Elle nota sur le bloc-notes de l'hôtel les indications qu'il lui donnait pour s'y rendre, puis s'enquit :

— Où trouverai-je les plans ?

— Encore une fois, agent Sinclair, c'est votre problème.

Elle ferma les yeux et pinça les lèvres comme pour retenir une repartie cinglante.

Si ce misérable individu avait osé lui parler de cette façon, songea Beau, il lui aurait fait manger le téléphone depuis l'autre côté de la ligne. Mais il n'avait pas un fils à protéger, lui.

— Quand les plans seront en ma possession, nous devrons reparler des conditions de l'échange, déclara-t-elle.

— Si personne ne vous prend de vitesse, objecta Zendaris.

Elle serra les dents.

— Cela n'arrivera pas. L'échange ?

— Je suis un homme de parole.

Il toussota avant d'ajouter :

— Je crois que le… la baby-sitter de votre fils en a assez de jouer les nounous.

Elle laissa tomber son stylo.

— Que voulez-vous dire ?

— Votre fils ne se sent pas très bien.

Lui annonçait-il cela pour garder l'avantage sur elle ? s'interrogea Beau. Pour la mettre sous pression ?

— Qu'est-ce qui ne va pas ? demanda-t-elle en saisissant un oreiller et en le serrant contre sa poitrine.

Beau lui posa une couverture sur les épaules et passa son bras autour d'elle.

— Je suis sûr que ce n'est rien, reprit Zendaris. Mais vous êtes sa mère, et j'ai pensé que vous préféreriez sans doute être au courant. J'ai une tendresse pour les mamans, Deb.

Il marqua un temps d'arrêt et acheva :

— Ma fille n'a pas eu la chance de connaître la sienne.

— Je suis désolée…, commença-t-elle.

Beau lui tira les cheveux.

— … pour votre fille. Tous les enfants méritent d'avoir leurs deux parents. Quels symptômes a Bobby ?

— Je ne suis pas médecin, et vous en avez assassiné un pour pouvoir vous introduire dans sa maison. Ramenez-moi ces plans, ou on ne parlera plus des symptômes de votre fils.

Sur ce, il mit fin à la communication.

Deb semblait avoir reçu un coup sur la tête, nota Beau. Zendaris avait d'abord endormi sa méfiance avec ses histoires

larmoyantes de mères et d'épouse défunte, puis lui avait
asséné un coup de massue.

Les doigts de la jeune femme restaient crispés sur le téléphone. Beau le lui enleva des mains et l'attira dans ses bras,
comme il avait eu envie de le faire cinq minutes plus tôt. Il
lui caressa le dos pour l'aider à se détendre.

— Ça va maintenant. Tu peux lâcher prise.

Elle se laissa aller contre lui et fut secouée d'un sanglot.

— Il est sérieux, Beau. Il tuera Bobby si je ne lui livre
pas les plans. Que faire ? Nous avons accompli tant d'efforts
pour qu'ils ne tombent pas entre ses mains ! Mais je dois
sauver mon fils.

— Nous sauverons ton fils en même temps que les plans,
Deb. Il le faut.

— Bobby est malade.

Elle se couvrit le visage des mains.

— Il doit se sentir tellement abandonné ! Il ne va pas
bien, et sa maman n'est pas à ses côtés. Comment pourra-t-il
s'en remettre ?

Il lui prit les poignets, écarta ses mains de sa figure et
essuya ses joues inondées de larmes.

— Ce ne sera pas un traumatisme indélébile.

— J'ai mis longtemps à surmonter mon sentiment
d'abandon. Il a fallu pour cela que je rencontre Robert. Un
petit garçon a besoin de son père.

Beau déglutit. Que voulait-elle dire ? Avait-elle l'intention
de rejoindre celui de Bobby quand tout cela serait fini ?

— Tu as subi cet abandon durant toute ton enfance, Deb,
tandis que Bobby n'aura été séparé de toi que pendant deux
semaines. Il ne s'en souviendra pas. Dès qu'il sentira les bras
de sa maman autour de lui, il oubliera ce vilain cauchemar.

— Pourvu que tu aies raison ! dit-elle en frissonnant.

Elle attrapa un mouchoir en papier sur la table de nuit et
se tamponna le nez.

Il faisait trop frais dans la pièce, remarqua soudain Beau.
Aussi, il se blottit sous les draps et entraîna Deb avec lui.

— Je parie que ta mère ne quittait pas ton chevet quand tu étais malade, reprit-elle.

— Ma mère ? Jamais, en effet. A l'époque, elle restait à la maison pour s'occuper de nous, et quand il nous arrivait d'être malades, elle nous soignait avec son bouillon au poulet, ses frictions de poitrine mentholées et ses infâmes décoctions contre le mal de gorge.

Elle se lova contre lui et colla ses pieds contre ses tibias.

— Mais tu adorais cela, n'est-ce pas ?

— *Adorer* n'est pas le mot que j'aurais choisi. Disons simplement qu'aucun de nous ne restait malade très longtemps.

— Tu dis ça, mais…

Elle lui frotta le torse du plat de la main.

— On ressentait tout l'amour qu'elle avait pour nous, là, dans nos cœurs. On pouvait l'emporter partout avec nous.

— C'est cet amour que je veux donner à Bobby.

— Tu le lui donnes déjà. Tu prends tous les risques pour le protéger, et il le sent…

Il lui donna une petite tape sur le côté gauche de la poitrine.

— … là.

— Tu le penses vraiment ?

— Il y a différentes sortes d'amour maternel, différentes sortes de mères. Imagine comme Bobby sera fier, lorsqu'il découvrira que la sienne est une super-espionne qui s'est battue contre un trafiquant d'armes international pour lui sauver la vie ! C'est mille fois mieux que le bouillon au poulet, je te le garantis !

Elle tourna la tête et posa un baiser sur son bras.

— C'est incroyablement gentil, ce que tu me dis là. Comment ai-je pu te trouver froid et lointain ?

— C'est l'image que je cultivais.

Il ébouriffa ses longs cheveux, déjà tellement emmêlés qu'ils ressemblaient à un nid d'oiseau aux reflets cuivrés.

— Evidemment, si Coburn raconte partout que j'ai accepté une mission pour protéger une femme, c'en est fini de ma réputation.

Elle baissa la longue frange de ses cils et battit des paupières.

— Mmm… Je n'en suis pas si sûre. Il y aura encore plus de femmes qui te feront les yeux doux.

— Les femmes ne me font pas les yeux doux.

Elle laissa un sourire s'épanouir sur ses lèvres, et il lui pinça légèrement le derrière. Comme elle réagissait en se trémoussant, il recommença, mais cette fois, le souffle de Deb se fit plus haletant, et un long soupir franchit ses lèvres.

— Ce sont tes yeux à toi que j'ai envie d'admirer, lui chuchota-t-il à l'oreille.

Le lendemain matin, Deb mordait dans une tranche de pain perdu agrémenté d'une pincée de cannelle et de noix de pécan chaudes.

— Je n'arrive pas à croire que nous avons oublié de dîner hier soir !

Beau piqua un morceau de pomme de terre dans son assiette et le promena dans son jaune d'œuf visqueux.

— Vraiment ? J'ai plutôt l'impression que tu sauterais tous les repas si mon estomac ne nous rappelait pas de manger.

— C'est le stress. Je ne peux rien avaler quand je suis sous pression.

Le sourcil levé, il la regarda inonder son pain de sirop d'érable, puis fit signe à la serveuse de lui apporter une autre tranche de bacon.

— A l'évidence, tu n'es pas stressée maintenant.

— Je ne sais pas pourquoi, je me sens pleine d'énergie aujourd'hui.

En réalité, elle savait parfaitement pourquoi. Si elle était en forme, c'était surtout grâce aux paroles d'encouragement qu'il lui avait prodiguées la veille. Il trouvait qu'elle était une bonne mère, et cela la soulageait d'un énorme poids.

S'il était réellement convaincu de ce qu'il disait, il serait peut-être davantage enclin à devenir un père pour Bobby quand elle lui apprendrait la vérité. Ce qu'elle comptait faire dès que ce cauchemar serait terminé.

— C'est probablement dû au fait que nous sommes dans la dernière ligne droite, avança-t-il. Zendaris a donné ses ultimes instructions. Ce sera bientôt terminé.

Elle leva les mains et croisa les doigts.

— Je l'espère. As-tu pu avoir accès au plan de la maison de Herndon sur ton ordinateur ?

— Oui, et nous avons de la chance. La maison n'est pas très grande.

— C'est peut-être pour cela qu'il a basculé du mauvais côté de la loi — et le fait qu'il ait été en possession des plans de l'antidrone prouve qu'il avait basculé. Il voulait une maison plus grande, et tout ce qui va avec.

— Il avait aussi un certain goût pour les cocottes.

— Un goût qui peut être fatal, remarqua-t-elle en traçant avec les dents de sa fourchette un sillon dans son sirop d'érable.

— Il en a fait l'expérience à ses dépens…, renchérit Beau. Non que la beauté brune du gala de charité y soit pour quelque chose.

— Crois-tu que Zendaris ait décidé de se servir de moi de cette façon parce qu'il connaissait les penchants de Herndon ?

— Il est certain que son plan aurait été différent si l'otage avait été le fils de Cade Stark.

— Mais Cade a su protéger son fils, lui.

— Oui, en partant pour l'Europe. Sa femme et son enfant sont toujours là-bas, n'est-ce pas ?

Elle pinça une noix de pécan entre ses doigts et la mit dans sa bouche.

— Tu es doué. Cette information est top secret.

— Tout comme les plans de la maison de Herndon, mais j'ai pu y accéder grâce à l'une de mes sources.

— Après le petit déjeuner, nous remonterons à la chambre pour réfléchir au moyen de pénétrer chez lui.

— Et aussi à la façon dont nous allons chercher, compléta

Beau. Les plans de l'antidrone peuvent être n'importe où. A ton avis, ils se présentent sous quelle forme ?

— A l'origine, c'était un fichier informatique, mais je doute que Herndon les ait laissés sur son ordinateur. Un pirate compétent peut s'introduire dans n'importe quel système. La Prospero en a fait la triste expérience par le passé.

D'un signe, Beau demanda à la serveuse de lui resservir du café.

— Ils pourraient être sur une clé USB, sur un disque, ou simplement imprimés sur papier. Tu saurais les reconnaître ?

— Oui !

Elle croqua un dernier morceau de bacon et lui offrit le reste.

— Quand Cade a volé les plans à Zendaris, nous avons été grossièrement informés de leur contenu. Je pense que c'est la raison pour laquelle Zendaris me confie à moi son sale boulot, plutôt qu'à l'un de ses sbires habituels. Son autre mobile étant bien entendu la vengeance.

Beau s'adossa à sa chaise et croisa les bras sur son torse impressionnant.

— Ne te laisse pas attendrir par ce qu'il te raconte sur sa défunte épouse, Deb. Les hommes comme lui ne sont pas des sentimentaux. Ils croient peut-être aimer leur femme et leurs enfants, mais ils les mettent en danger en permanence. Ce type vendrait sa grand-mère si cela pouvait lui apporter plus de richesse et de pouvoir.

— Tu as raison. C'est aussi ce que disent les hommes de mon équipe. J'ai été la seule à éprouver un peu de culpabilité quand sa femme a été tuée au cours du raid contre son usine.

— C'est parce que tu es trop gentille.

Tendant la main vers elle, il délogea une mèche accrochée à sa joue. Elle laissa échapper un petit rire.

— Personne ne m'avait jamais dit cela, même les filles que j'ai aidées à s'échapper de la maison de correction.

— Tu es une vraie dure, ironisa-t-il, un sourire jouant sur ses lèvres sensuelles.

— Serais-tu en train de te moquer de moi ?

— Pas du tout ! Deb Sinclair cache un cœur tendre, et Robert Elder a su le deviner.

Le nez de Deb commença à la démanger.

— Robert a dû décaper un certain nombre de couches avant de le trouver, et ça ne s'est pas fait sans heurts. C'était un marine. Il croyait en l'adage : « Qui aime bien châtie bien. »

Beau se pencha en avant, une main devant la bouche.

— Moi aussi. En plus du bandeau, j'ai des menottes en fourrure.

Elle lui donna un coup de pied sous la table.

— Ce n'était pas un bandeau, mais mon T-shirt.

— Encore du café, monsieur ?

Les yeux de la serveuse, une femme guindée aux cheveux sévèrement tirés en arrière, naviguaient de l'un à l'autre comme si elle s'attendait à voir des cornes pousser sur leur tête.

— Oui, s'il vous plaît, m'dame ! fit-il.

Il arborait son sourire diabolique, et la serveuse rougit jusqu'à la racine des cheveux. Quand elle se détourna — avec un peu trop de hâte — Deb décocha à Beau un autre coup de pied.

— Tu es un vilain garçon !

— J'ai vraiment des menottes à fourrure, si cela te dit.

— Je crois qu'on devrait plutôt se concentrer sur le moyen d'entrer dans la maison du Dr Herndon.

Il se leva et laissa tomber plusieurs billets sur la table.

— Bigre ! C'est un gros pourboire ! s'exclama-t-elle.

— Elle l'a mérité. La pauvre va avoir les oreilles en feu pendant plusieurs heures.

De retour dans la chambre, Beau imprima les plans de la maison. Penchés au-dessus de la table, ils étudièrent la disposition des pièces, indiquant en vert les points d'accès possibles, et en rouge les issues permettant une retraite rapide.

— Si quelqu'un — homme ou femme — surveille la maison, je m'en chargerai.

La pointe du stylo rouge de Deb dérapa sur la table.

— Nous n'allons pas laisser de cadavres derrière nous, cette fois, n'est-ce pas ?

— Non, à moins de devoir nous défendre. Quand quelqu'un me tire dessus, je riposte. C'est une seconde nature chez moi.

— Génial !

Du bout du doigt, elle frotta la ligne rouge sur la table.

— Et s'il y a quelqu'un sur la propriété ? Qu'il ne nous menace pas, mais qu'il nous bloque l'accès à l'intérieur ?

— J'ai un fusil anesthésiant dans mon arsenal. Parfois, il arrive que le coup soit mortel, mais je suis sûr que ce ne sera pas le cas cette fois-ci.

Deb respira profondément pour endiguer une panique naissante.

— Si nous trouvons les plans, dois-je le dire à Zendaris, ou lui mentir ? Jusqu'où devons-nous aller ?

— Aussi loin qu'il le faudra pour récupérer Bobby, sans compromettre la sécurité nationale.

— A t'entendre, cela semble facile…

— Tout ce qui vaut le coup a un prix élevé, Deb. Tu n'as pas dit quelque chose dans ce goût-là, hier ? Qu'on n'obtenait rien sans risque ? Si ça, ça ne mérite pas que l'on prenne des risques, alors je me demande bien ce qui le mérite.

Elle hocha la tête. Beau savait toujours prononcer le mot qu'il fallait. Ne se trompait-il jamais ? N'avait-il jamais aucune peur, aucun regret ? Pouvait-elle avoir confiance en un tel homme ?

Evidemment, il regretterait peut-être leur brève liaison quand il apprendrait la vérité sur Bobby. Elle en aurait le cœur brisé, mais il faudrait bien qu'elle affronte la réalité en face. Et qu'elle passe à autre chose.

C'était décidé : donner un père à Bobby passait au rang des priorités. Fini de refuser les rendez-vous arrangés, ou de décourager poliment les hommes qui tentaient de l'approcher au club de gym, au supermarché et dans les soirées entre amis.

Fini de rêver de Loki.

La nuit précédente, elle avait savouré chaque minute, chaque seconde passée avec lui, parce que cela ne se reproduirait peut-être jamais. Elle devrait cesser de comparer à Beau tous les hommes qu'elle rencontrait. Ce n'était équitable ni pour eux, ni pour elle, ni pour Bobby.

Il avait besoin d'un père, pas d'une illusion, d'un héros sur un piédestal. Si Beau ne voulait plus rien avoir à faire avec elle ou Bobby à la fin de cette aventure, elle remiserait ses sentiments à la cave et s'engagerait dans une relation avec quelqu'un qui puisse être présent pour elle et pour son fils. Quelqu'un qui serait là quand les coups de feu et les crissements de pneus se seraient tus.

Elle y parviendrait. Tout ce qui valait le coup avait un prix élevé.

Elle lâcha son stylo en bâillant.

— Je crois que je vais faire une sieste avant le déjeuner, histoire de prendre un peu de repos pour la bataille.

— Pas question.

Elle le dévisagea, sidérée.

— Pardon ?

— Nous avons une mission, ce soir. Ta survie dépendra peut-être de ta force et de ton agilité. Pareil pour moi.

Il lui lança un T-shirt en concluant :

— Nous allons nous entraîner à la salle de sport.

— Tu es encore pire que l'un de mes équipiers. On aura quand même le droit de faire la sieste après l'entraînement ?

— Nous pourrons aller au lit, tout à fait, oui !

Elle lui jeta un regard indigné, mais il s'était baissé pour lacer ses chaussures.

Il se redressa et prit son manteau à elle sur le dossier de la chaise.

— Tu peux le pendre à un cintre ? Ce serait peut-être bien de mettre un peu d'ordre avant l'arrivée de la femme de chambre.

— Bien sûr.

Il tendit le bras pour le lui donner, et interrompit son geste.

— As-tu laissé le téléphone dans la poche ?

Le cœur de Deb s'emballa. Elle se tourna vivement vers le coin de la pièce où se trouvaient le bureau et l'ordinateur.

— Ouf ! Il est là. Je vais l'emporter à la salle de gym.

Beau plongea la main dans la poche de son manteau et en retira son autre téléphone.

— C'est le tien, n'est-ce pas ?

— Oui. La batterie est à plat ? Je ne l'ai pas touché depuis des jours. Je l'ai éteint en arrivant ici, au cas où quelqu'un essaierait de me localiser.

Il appuya sur une touche.

— Complètement à plat. Mon chargeur devrait être compatible. Tu veux que je le branche ? Tu n'es pas obligée de t'en servir si tu crains que l'agence te contacte.

Elle haussa les épaules.

— Je ne préfère pas. Je ne suis pas certaine d'avoir envie de recevoir des messages s'ils proviennent tous de la Prospero.

Il relia l'appareil à son chargeur et fléchit l'index pour lui faire signe de le suivre.

— Allons-y.

Fidèle à sa promesse, il la soumit à un entraînement rigoureux, lui faisant travailler force musculaire, agilité et équilibre. Ces quelques heures d'exercice ne constituaient sans doute pas une préparation suffisante pour la mission du soir, mais elles rendirent à Deb son assurance.

Beau avait le don de lui redonner confiance en elle. Et comment le remerciait-elle ? En lui taisant la vérité ?

Il surgit derrière elle et se mit à lui masser les épaules.

— Quel effet cela fait-il ?

— Mmm… C'est divin.

— La séance d'entraînement, je veux dire.

— Très agréable aussi.

Désignant du menton le distributeur d'eau, elle demanda :

— Tu as encore soif ?

— Oui.

Elle prit deux gobelets en plastique et attendit que la

femme devant elle ait fini de remplir sa bouteille. Celle-ci se retourna et lui sourit.

— Vous et votre mari avez l'air de vous entendre à merveille.

— Mon, euh… Oui, en effet.

— Ce doit être agréable d'avoir des centres d'intérêt communs.

La femme but une gorgée d'eau et ajouta avec une grimace :

— Mon mari et moi ne faisons plus rien ensemble. J'essaie de le pousser à bouger, mais il préfère rester assis dans le salon à lire des revues scientifiques.

Deb passa devant elle pour remplir les gobelets.

— Même si vous partagiez ses goûts, ce n'est pas le genre d'activité que l'on peut pratiquer ensemble, n'est-ce pas ?

— Exactement. Et je n'aime pas ça, alors que je suis infirmière. Bien sûr, j'ai réussi à le convaincre de m'amener à ce bal de charité l'autre soir, et voyez ce que ça a donné !

Deb fit un geste brusque, et de l'eau gicla par-dessus le bord de son verre.

— Un bal de charité ?

La femme ouvrit de grands yeux.

— Vous n'en avez pas entendu parler ? Mon mari est venu à Boston assister à une conférence sur l'armement, c'est comme ça qu'il a eu l'invitation au gala de charité. Mais ce savant très connu, là… s'est écroulé sur la piste de danse.

— Oh ! Effectivement, j'en ai vaguement entendu parler aux informations, répondit Deb en posant son gobelet sur le distributeur. Ont-ils découvert la cause de sa mort ?

— Pas que je sache.

— Votre mari connaissait le Dr Herndon ?

— Le Dr Herndon ?

— L'homme qui est mort.

La femme se frappa le front.

— J'avais déjà oublié son nom. Vous voyez, vous en savez plus que moi ! Non, mon mari ne le connaissait pas. Bien sûr, maintenant, il se sert de la mort du Dr comme d'un prétexte pour ne plus sortir. Comme si ce genre de choses se produisait tous les jours !

— Eh bien, j'espère que le reste de votre séjour se déroulera paisiblement.

— Vous parlez d'une heureuse perspective !

Elle rit et retourna à sa machine.

Au moins, songea Deb, elle n'avait pas fait le rapprochement entre elle et la mystérieuse cavalière du docteur, qu'elle avait dû voir pendant la soirée de gala ou en photo dans les journaux le lendemain.

Elle tendit le verre d'eau à Beau, qui le vida en une gorgée.

— Tu sympathises ?

— Il se trouve que cette femme était à la petite fête de l'autre soir, fit-elle en baissant la voix.

Il écrasa le gobelet dans sa main.

— Elle ne t'a pas reconnue ?

— Non.

Elle agita le doigt.

— Cesse de gaspiller les gobelets ! J'irai t'en remplir un autre.

— Tu n'es pas obligée d'aller me chercher de l'eau, Deb.

— Tu as réalisé beaucoup de sacrifices pour m'aider. C'est le moins que je puisse faire.

En remontant peu après dans leur chambre, ils se ruèrent tous deux vers la salle de bains, se télescopant devant la porte. Beau la saisit à bras-le-corps, la fit tournoyer dans les airs et la laissa tomber sur le lit avant d'atterrir sur elle.

— Vas-tu vraiment revendiquer le droit d'utiliser la douche en premier alors que je t'ai servi toute cette eau ? le défia-t-elle.

— Est-ce pour cela que tu m'as rendu service ? Pour passer en premier à la salle de bain ?

— En fait, tu peux y aller d'abord. Je préfère me détendre en regardant la télévision. Je vais peut-être faire cette petite sieste dont je parlais.

— Tu en es sûre ? s'enquit-il en repoussant une mèche qui lui barrait les yeux. J'ai couru pour te taquiner.

Elle le repoussa.

— Vas-y, mais ne sois pas surpris si je dors à poings fermés quand tu sortiras.

Il lui embrassa le nez et roula loin d'elle.

Quand la porte de la salle de bains se referma derrière lui, elle prit un soda dans le minibar et retourna sur le lit, attrapant au passage sur la table son téléphone complètement rechargé.

Elle s'étira, appuya sur le bouton de la télécommande et alluma son téléphone. Elle ne pouvait tout de même pas être localisée en consultant simplement ses messages, si ?

Il y en avait plusieurs, de Cade, J.D. et Gage, ses équipiers. Aucun d'eux ne semblait croire qu'elle les avait trahis.

Elle embrassa l'écran du téléphone.

— Je vous aime, les gars !

Elle avait également plusieurs messages vocaux, et ceux qu'avait laissés Jack Coburn étaient loin d'être aussi chaleureux.

Vint ensuite la voix du pédiatre de Bobby.

« Deb, ici le Dr Nichols. Rappelez-moi dès que possible. Nous avons les résultats d'examens. »

Un frisson de peur lui parcourut l'échine. Les résultats d'examens ? Le médecin n'avait pas eu l'air de trouver cela important lors de la consultation. Il s'agissait juste d'un prélèvement de sang et d'urine. Rien de sérieux.

Dans le deuxième message, il se montrait plus pressant :

« Deb, c'est encore le Dr Nichols. Je dois m'entretenir avec vous des résultats d'examens de Bobby. Je ne veux pas vous inquiéter, mais il est impératif que nous en discutions. »

Eh bien, vous avez réussi à m'inquiéter, docteur.

Elle retint son souffle et pressa la touche « 2 » pour obtenir le message suivant.

« J'espère que tout va bien. Cela ne vous ressemble pas de

ne pas vous inquiéter des problèmes de santé de Bobby, et justement, il y a un problème. Je dois vous parler. »

Le sang battant à ses tempes, glacée d'effroi, elle appuya de nouveau sur la touche « 2 ».

« C'est encore le Dr Nichols. Normalement, je ne parle pas de cela au téléphone, mais je dois vous mettre au courant des résultats d'examen de Bobby. Les analyses de sang mettent en évidence un déficit immunitaire, c'est la raison pour laquelle il est si souvent malade. Ce n'est pas aussi grave que ça pourrait l'être, mais il va avoir besoin d'une transfusion sanguine, et nous savons tous deux que cela ne va pas être chose facile étant donné qu'il est du groupe sanguin O négatif. »

Il lui donna quelques détails supplémentaires qui auraient été bien plus utiles à Deb si elle avait pu lui parler de vive voix et poser des questions. Mais elle ne pouvait aller le trouver. Elle était à Boston. Et Bobby, avec des étrangers. Malade. Et il avait besoin de sang. Du sang qu'elle ne pouvait lui donner.

La porte de la salle de bains s'ouvrit sur Beau.

— Je pensais que tu dormirais.

Pieds nus, il fit quelques pas dans la pièce, et s'immobilisa.

— Tout va bien, Deb ?

Le téléphone coincé entre les genoux, elle leva la tête et rencontra son regard inquiet.

— Non. Tout va de mal en pis.

Les yeux de Beau voguèrent du téléphone qu'elle avait laissé sur le lit à celui qu'elle tenait dans ses mains.

— Ce n'est pas Zendaris ?

— Le pédiatre de Bobby n'a pas arrêté d'essayer de me joindre.

— Pourquoi ?

— Bobby est malade.

— Oh ! Deb…

Il traversa la chambre et s'accroupit à côté d'elle.

— Est-ce grave ? C'est pour ça qu'il n'était pas en forme ?

— J'ignore le degré de gravité. Le médecin a parlé de déficit immunitaire. Il faut que je lui parle.

— Mais ce n'est pas le VIH ou quelque chose dans ce genre ? questionna-t-il.

Elle agitait nerveusement la jambe. Il posa une main sur son genou.

— Non. Il a précisé que ce n'était pas aussi grave que ça, donc je pense que la maladie peut être soignée.

— C'est encourageant. Tout ce qu'il nous reste à faire, c'est de le ramener à la maison afin qu'il suive son traitement.

— Tu ne comprends pas, Beau !

Elle joignit les mains, lâchant son téléphone qui rebondit sur la moquette.

Beau se pencha vers elle.

— Je sais que récupérer Bobby sans livrer les plans à Zendaris peut sembler difficile à réaliser, mais nous allons y arriver.

— Ce n'est pas ça, Beau. C'est le traitement.

— En quoi consiste-t-il ? Une transfusion de sang, de plaquettes ? Cela ne va pas être agréable, mais je suis sûr qu'il s'en tirera comme un chef.

— Le problème, c'est qu'il a un groupe sanguin rare. Il lui faut un donneur O négatif, comme lui.

Un pli profond se creusa entre les sourcils de Beau.

— C'est une incroyable coïncidence ! J'ai le même groupe sanguin.

— Je sais. Je l'ai deviné, souffla-t-elle.

Il s'assit sur ses talons, l'air perplexe.

— Je l'ai deviné, parce que tu es le père de Bobby.

13

La pièce se mit à tourner autour de Beau. Soudain, le monde entier vacillait.

Il était père ? Le père de Bobby ?

Il ne mettait pas en doute la parole de Deb. Les dates coïncidaient, même si Bobby était sans doute un peu plus vieux qu'elle ne l'avait prétendu. Il ne venait pas d'avoir deux ans ; il devait en avoir presque deux et demi. Sur la photo que Deb lui avait montrée, il ressemblait de façon frappante à Zach, son neveu. Comment ne s'en était-il pas aperçu plus tôt ?

Cela signifiait également qu'elle n'était pas retournée en courant dans les bras de son amant ou de son petit ami. Elle n'en avait probablement pas à l'époque.

Donc, elle avait menti. Voilà deux ans qu'elle le privait de son fils. Et elle avait persévéré dans son mensonge en lui cachant la vérité ces derniers jours.

Pire, son fils était malade, et retenu en otage.

— Dis quelque chose, Beau…

Il fixa son regard sur elle. Elle avait les traits contractés par l'anxiété et le regard brillant de larmes contenues. Il ravala les paroles furieuses qui lui montaient aux lèvres.

— Pourquoi tu ne m'as rien dit ?

Elle tressaillit.

Il avait modéré ses paroles, mais sa colère avait dû transparaître dans son intonation.

Posant les mains à plat sur ses cuisses, elle commença :

— Pour plusieurs raisons, Beau. D'abord, je ne savais

même pas que tu t'appelais Beau Slater. Je te connaissais seulement sous le nom de Loki. Cette nuit-là, tu étais Loki.

— La belle excuse !

Elle sursauta de nouveau.

— Tu es une spécialiste du renseignement. Il y avait bien des façons de percer à jour l'identité de Loki. Ensuite ?

Ses doigts se crispèrent, mais elle soutint son regard.

— D'accord, tu as raison. J'aurais peut-être pu découvrir ton vrai nom. Et ensuite ? Annoncer ma grossesse à un homme qui avait clairement exprimé le refus d'être enchaîné, qui s'épanouissait dans son existence d'agent secret ? Un pays différent chaque semaine, pas de foyer, pas d'obligations familiales, la liberté absolue…

Elle faisait mouche à chaque mot. Il avait vraiment dû pousser très loin son numéro de James Bond, cette nuit-là.

— Dieu du ciel, Deb ! Ce n'étaient que des fanfaronnades, le genre de choses qu'on raconte sur l'oreiller lors d'une première rencontre. As-tu vraiment cru que j'étais superficiel à ce point ?

— J'en arrive à mon troisième point. Je me sentais embarrassée. Nous avions vécu une nuit merveilleuse et passionnée. Etais-je censée te présenter ton fils neuf mois plus tard ? Je n'étais pas une écervelée ignorant tout des mystères de la conception. J'aurais dû utiliser une protection.

— Moi aussi, dans ce cas ! Là n'est pas le sujet. Tu ne t'es pas protégée, je ne me suis pas protégé, et nous avons conçu un enfant, dont tu m'as caché l'existence pendant plus de deux ans.

Elle se leva d'un bond de sa chaise et fit le tour de la chambre.

— J'ignorais comment tu prendrais la nouvelle.

— Peu importe. Ce n'est pas à toi de contrôler ce que je ressens. Cesse de vouloir tout maîtriser !

Il saisit un oreiller et le lança à travers la pièce. Elle se baissa pour l'éviter, bien qu'il l'ait envoyé dans la direction opposée.

— J'étais terrifiée, Beau. J'avais peur que tu rejettes notre magnifique petit garçon. Je n'aurais pas supporté que cela arrive à mon fils. Pas à lui.

Elle s'essuya la joue du revers de la main.

Pensait-elle l'amadouer en amenant son propre abandon sur le tapis ? se demanda-t-il.

En tout cas, le nœud dur qui s'était formé au creux de son ventre commençait à se relâcher.

Il ferma les yeux et se pinça l'arête du nez. Il s'était levé pour jeter l'oreiller. Deb était à l'autre bout de la pièce. Entre eux, l'atmosphère chargée d'émotions semblait crépiter.

— Je comprends que tu aies eu peur. Vraiment. Mais tu as mis cet enfant au monde toute seule. Qu'as-tu inscrit sur son certificat de naissance ? Père inconnu ? N'est-ce pas plutôt le nom de *ton* père ?

Le visage de Deb se décomposa, et un sanglot la secoua.

— Cela a été dur, mais je me disais que ça le serait encore davantage si tu le rejetais après avoir appris son existence. J'avais l'intention de lui trouver un père un jour.

Sous l'effet de la colère, le sang se mit à battre à ses tempes, et il se frappa la poitrine du poing.

— C'est moi son père !

— Je suis désolée.

Elle tendit la main vers lui.

— J'aurais dû essayer de te retrouver. J'aurais dû te le dire tout de suite. Je m'en aperçois, à présent. Je vois comment tu parles de tes neveux et nièces. Mais tu n'as pas révélé cet aspect de toi-même lors de notre première rencontre.

Beau se crispa, se cuirassant contre sa main tendue et implorante. Au lieu d'aller vers elle, comme le lui réclamait chaque parcelle de son être, il eut un reniflement de dérision.

— Notre première rencontre était assez physique. Mes neveux et nièces ne sont pas apparus dans la conversation, en effet.

Elle laissa retomber sa main.

— Je t'ai parlé de ma vie : les familles d'accueil, mes ennuis, Robert.

— Tu es une femme. Les femmes aiment bavarder.

Elle leva les yeux au ciel et croisa les bras sur sa poitrine en une posture plus agressive.

— Oh ! Mais tu as bavardé aussi, Loki ! Tu m'as raconté tes bagarres dans les rues d'Istanbul, ton jeu du chat et de la souris avec l'espionne russe dans l'enceinte du Kremlin, la fois où une princesse saoudienne s'est dévêtue pour toi dans le palais de son père. Tu m'as parlé de la grande vie que tu menais, de ta vie d'espion. Tu ne semblais vraiment pas avoir l'étoffe d'un père.

Il aurait voulu lancer son poing contre le mur. Des picotements lui brûlaient la peau.

Finalement, il s'éclaircit la gorge.

— Conversation sur l'oreiller.

— Cela m'a laissé une impression durable.

Elle renversait la situation, pesta-t-il intérieurement. C'était elle qui avait fait ce choix et, même s'il comprenait en partie ses raisons, cela ne changeait rien aux faits.

— Tu aurais dû me le dire, Deb.

— Je sais. Je m'en suis rendu compte quand tu as parlé de ta famille. J'ai commis une grosse erreur.

Elle se passa la main sur le visage. Puis elle demanda :

— Tu aideras Bobby ?

— Si tu dois me poser la question, c'est que tu n'as rien compris du tout.

L'eau de la douche ruisselait sur le visage de Deb, emportant ses larmes.

Elle avait ruiné ses chances. En beauté.

Toutes les raisons qui l'avaient dissuadée de chercher le père de Bobby s'écroulaient face à Beau.

Elle n'aurait pas dû se laisser influencer par ses fantasmes sur Loki.

A sa décharge, les histoires qu'il lui avait racontées sur l'oreiller ne l'avaient pas aidée à s'en affranchir. Il s'était montré tel qu'elle l'avait imaginé. Certainement pas sous les traits d'un futur papa.

Cette nuit-là, elle n'avait pas été en quête d'un père pour ses futurs enfants ; elle ne recherchait qu'un moment de plaisir. Elle avait simplement envie de faire l'amour avec l'homme dont elle rêvait depuis deux ans.

A cette époque, elle n'avait pas l'étoffe d'une mère, elle non plus. Beau avait raison : les femmes aiment bavarder. Et elle avait parlé : de son enfance chaotique, ballottée d'une famille d'accueil à une autre, de son comportement antisocial, de ses vols et de ses mensonges, et enfin du jour où elle avait été prise en main par un ancien marine dont la propre fille était morte d'une overdose.

Si elle avait été un homme en quête de la mère de ses enfants, elle se serait enfuie en courant — et le plus loin possible.

Avec un soupir, elle ferma le robinet de la douche. Ils avaient toujours une mission à terminer ensemble. Il la soutiendrait jusqu'au bout, elle le savait. Mais qu'elle ait justement douté de son engagement envers leur fils sonnait définitivement le glas d'une possible relation entre eux.

Néanmoins, il serait là pour Bobby. Elle en était certaine. Beau Slater n'abandonnerait jamais son fils, quoi que sa mère lui ait dit ou fait.

Ils avaient prévu de manger un morceau avant de partir chez Herndon. Cela lui donnerait la possibilité de s'asseoir à côté de Beau et de s'expliquer une nouvelle fois avec lui. Non qu'à ce stade cela puisse encore arranger les choses.

Elle se sécha et s'habilla dans la salle de bains, puis passa prudemment la tête par la porte : Beau serait-il assis dans un coin en train de grincer des dents, ou debout sur le balcon à jeter des oreillers dans le fleuve ?

En fait, penché sur l'ordinateur, il lui fit signe d'approcher.

— J'ai trouvé quelque chose d'intéressant sur notre homme de la librairie.

Aussitôt, elle respira plus librement. Se dirigeant vers l'angle de la pièce, elle regarda par-dessus l'épaule de Beau. Le passeport du type aux larges épaules était affiché sur l'écran.

— Un vrai globe-trotter, constata-t-elle.

Sa voix sonnait haut perchée et peu naturelle. Elle s'éclaircit la gorge.

— L'un de vos hommes n'a-t-il pas récemment localisé Zendaris dans une maison en Colombie ? demanda Beau.

— Si. Gage Booker. Il a fait une descente dans sa propriété, mais l'oiseau s'était déjà envolé. C'est là qu'il a trouvé la nounou.

— Ce type, Damon, était en Colombie récemment. Et c'est lui qui a laissé l'invitation à ton intention. Nous pouvons donc être presque certains qu'il travaille pour Zendaris.

Deb poussa un soupir de soulagement :

— Nous avons bien avancé. L'idéal à présent serait de le retrouver, de le suivre, voire de le doubler.

— Exact.

— Beau travail, dit-elle en lui touchant maladroitement l'épaule.

Elle retira vivement sa main et annonça :

— Je crois que je vais regarder la télévision un petit moment, et ensuite, euh… Tu ne voulais pas aller manger un morceau ?

Plissant les yeux, il approcha son visage de l'écran pour examiner un document qu'il venait d'ouvrir.

— Je crois qu'il vaut mieux que nous mangions dans la chambre. Nous avons identifié Damon, mais nous ne savons toujours pas qui était le conducteur du SUV hier.

— Tu as raison.

Reculant jusqu'au lit, elle s'adossa aux oreillers et alluma la télévision.

— Ce n'est pas trop fort ?

— Non.

La femme de chambre avait changé les draps et refait proprement le lit, effaçant toute trace de leur nuit passionnée, remarqua Deb. Et grâce à ses déclarations fracassantes, elle-même venait de faire disparaître le reste.

Elle fit le tour des chaînes, en évitant les bulletins d'informations du soir. Elle n'avait pas besoin d'être encore plus déprimée qu'elle ne l'était déjà.

Elle arrêta son choix sur un dessin animé — l'un des favoris de Bobby — mettant en scène une éponge idiote et une étoile de mer encore plus stupide. Elle se mit à rire devant leurs pitreries.

Au bout de quelques minutes, Beau recula sa chaise pour jeter un coup d'œil sur l'écran.

— Tu regardes quoi ?

— Un dessin animé. L'éponge tente de récolter de l'argent en organisant un concours de chant, et son copain l'étoile de mer veut y participer, mais il chante faux.

Elle rit de nouveau tandis que Beau fronçait les sourcils.

— Je suppose que c'est plus drôle quand on connaît les personnages, dit-elle.

— Bobby regarde aussi ?

— C'est l'un de ses préférés. Le calamar collet monté, là, est un de leurs amis.

Beau suivit avec une grande attention les aventures de l'éponge. Puis, quand arriva la deuxième pause publicitaire, il secoua la tête et retourna à ses recherches.

A la fin du programme, Deb zappa sur la rediffusion d'un sketch comique, puis laissa tomber la télécommande sur le lit.

— Veux-tu que je commande à dîner ?

— D'accord, dit-il en se penchant au-dessus de l'ordinateur pour s'emparer du menu. Je vais prendre le steak, sans pomme de terre, avec une portion supplémentaire d'asperges à la place. Demande-leur aussi de monter un pichet de thé glacé.

Il lança le menu sur le lit, et elle se baissa vivement pour saisir celui-ci au vol avant qu'il ne tombe par terre.

Beau s'étira et saisit la poignée de la porte donnant sur le balcon.

— Tu devrais prendre le… Peu importe.

Il fit coulisser la porte vitrée, sortit et s'accouda à la balustrade de bois.

Deb prit le téléphone et commanda un deuxième steak pour elle. Elle voulait jouer d'égal à égal avec Beau, durant leur intrusion chez Herndon. Elle n'avait pas envie qu'il l'accuse de les ralentir. Evidemment, pour qu'il l'accuse, il aurait déjà fallu qu'il y ait un semblant de passion dans leurs rapports. Or, pour le moment, il la traitait comme une simple connaissance.

Elle l'étudia à travers la vitre. La brise ébouriffait ses cheveux courts, et son profil énergique se découpait sur le ciel bleu. Réfléchissait-il au plan pour le soir, ou pensait-il à Bobby ? Les deux, sûrement… Car si leur mission échouait, il n'aurait peut-être jamais la chance de rencontrer son fils.

Stop. Elle se mordit le poing. Elle ne pouvait se laisser aller à ce genre de pensées. C'était contre-productif, et contraire à tout ce que la Prospero lui avait appris. La mission devait réussir. L'échec n'était pas permis.

Il resta sur le balcon jusqu'à ce que le repas arrive. Quand on frappa à la porte, il rentra dans la chambre et prit son arme sous le lit.

Il répéta la même procédure que quelques soirs plus tôt. Après avoir jeté un coup d'œil à travers le judas, il ouvrit la porte et fit rouler le chariot à l'intérieur. Mais cette fois, au lieu de disposer les plats sur la table pour eux deux, il prit sa propre assiette et retourna s'asseoir devant son ordinateur.

Message reçu. Il ne voulait pas manger en sa compagnie. Il n'arrivait même plus à poser les yeux sur elle.

Elle tira le chariot jusqu'au lit, versa du thé glacé dans un verre et alla le poser près de son coude.

— Merci, dit-il.

— De rien.

Puis elle se laissa choir sur le lit et mangea son steak directement sur le chariot. Elle n'aimait pas cette viande, mais elle s'était dit que cela ferait plaisir à Beau qu'elle consomme les mêmes aliments que lui avant la mission. C'était réussi, songea-t-elle avec une sombre ironie.

Elle aurait sans doute dû deviner, deux ans plus tôt, que Beau serait heureux d'apprendre qu'il avait un fils.

Il repoussa son assiette à moitié pleine et se pencha pour attraper le pichet.

— Encore un peu de thé ? proposa-t-il.

— Non merci.

Le glouglou du liquide brun coulant dans le verre et le tintement des glaçons résonnèrent dans le silence. Elle préférait encore partir en mission et affronter la police, un dispositif de sécurité ou un rottweiler, que de supporter plus longtemps cette atmosphère tendue.

Il versa du sucre dans sa boisson et remua avant de boire longuement.

— Je peux te prêter un bonnet de laine et un blouson noirs, finit-il par déclarer.

— O.K.

— Nous essayerons d'entrer comme convenu, et s'il y a un problème, nous passerons par-derrière. Entendu ?

— Oui.

— Le plus probable est que ces plans soient cachés dans un coffre-fort. Nous commencerons donc par chercher le coffre. S'il y a des ordinateurs portables dans la maison, nous les emporterons.

— Bonne idée.

— Quand la mort de Herndon sera officiellement considérée comme un meurtre, la police envahira la maison. Ils ont peut-être déjà pris les ordinateurs.

— Bien vu.

— Deb…

Il se passa la main dans les cheveux.

— Cesse de dire oui à tout. J'ai besoin de pouvoir compter sur quelqu'un qui réagit à mes idées, qui me stimule et me corrige si besoin.

Elle posa sa fourchette sur son assiette.

— J'essaie seulement de me faire pardonner, Beau.

— Commander un steak et être d'accord avec moi sur tout ne compensera jamais le fait que tu m'as caché l'existence de mon fils.

— Je fais de mon mieux. Je veux juste t'expliquer…

— Garde ta salive. Je te l'ai déjà dit, je vais aider Bobby. Dès ce soir. Et quand il rentrera, je lui donnerai mon sang ainsi que tout ce dont il aura besoin. Je serai là pour lui. Tu n'as pas à t'en faire pour ça.

Serait-il là pour elle aussi ? ne put-elle s'empêcher de se demander. A en juger par l'éclat glacial de ses yeux bleus, certainement pas. C'était déjà une bonne nouvelle qu'il s'implique dans la vie de Bobby.

— Merci. C'est un petit garçon merveilleux.

— Et arrête de me remercier. C'est ce que ferait n'importe quel père pour son enfant.

— Pas forcément, dit-elle en plantant sa fourchette dans son steak.

— Mais moi, oui, fit-il d'un ton radouci.

Elle repoussa le chariot et passa devant lui. Se penchant sur l'ordinateur, elle demanda :

— Que ferons-nous si, de ce côté de la propriété, le voisin de Herndon dispose d'un éclairage de sécurité ? Allons-nous procéder à la fouille ensemble, ou séparément ? Ensemble, c'est plus sûr, et séparément, plus rapide.

Il la rejoignit à la table, en gardant soigneusement ses distances. Elle s'efforça de ne pas remarquer son parfum ou ses mains fortes qui voltigeaient sur le clavier.

— Voilà les qualités dont j'ai besoin, lâcha-t-il en hochant la tête.

Et moi, c'est autre chose dont j'ai besoin…

Quelques heures plus tard, ils partaient dans la voiture de Deb — ou plus exactement celle de Zendaris. Le trajet jusque chez Herndon ne leur prit qu'un peu plus d'une demi-heure.

Beau passa une première fois devant la maison sans s'arrêter. Celle-ci était située dans une banlieue résidentielle boisée.

— Au moins, les maisons ne sont pas collées les unes aux autres, observa Deb. Un voisin qui mettrait par hasard le nez à sa fenêtre ne risquerait pas de nous voir entrer chez Herndon.

— Ou d'entendre une vitre se briser.

— Mais une alarme, oui. La priorité est de désactiver le système.

Beau gara la voiture au coin de la rue.

— Es-tu prête à courir s'il le faut ?

— Ne t'ai-je pas dit que je faisais de la course à pied au lycée ?

— Tu m'as surtout dit que tu avais l'habitude de semer les policiers.

— C'est pour cela que j'étais aussi championne de sprint.

Elle lui fit un clin d'œil, lui arrachant un semblant de sourire. C'était le premier depuis qu'elle lui avait annoncé la nouvelle.

Beau attrapa le sac contenant leur équipement sur la banquette arrière et descendit de voiture. Deb l'imita, fermant sa portière en douceur. Un chien aboya dans le lointain.

Les semelles de leurs tennis foulaient le trottoir avec un léger murmure. De temps à autre, une feuille morte solitaire glissait sur la route.

Deb avait ramassé ses cheveux sous son bonnet et remonté jusqu'au menton la fermeture Eclair de sa veste. Si quelqu'un la remarquait, il ne verrait que l'ovale blanc d'un visage flotter dans la nuit noire.

Ils atteignirent le domicile de Herndon et longèrent latéralement la pelouse qui s'étendait devant la maison. Ils repérèrent la fenêtre basse donnant sur une chambre à l'arrière de la maison.

Beau pêcha un outil coupe-verre et une ventouse dans son sac, puis découpa proprement un carré sur le haut de la vitre, près de la poignée. Ensuite, il colla la ventouse sur le verre, tira et ôta le fragment. Un travail net et sans bavure.

— Un vrai cambrioleur, murmura Deb.

Il passa ses longs doigts dans l'espace créé et ouvrit le loquet d'une chiquenaude.

— Maintenant, prions pour qu'il n'y ait pas de verrou.

Il poussa vers le haut le panneau inférieur. Après une légère résistance, celui-ci coulissa. Comme convenu, Deb se faufila dans l'ouverture, alluma sa lampe-stylo et traversa la pièce sommairement meublée. Elle tourna à gauche dans la buanderie et déverrouilla la porte donnant sur le jardin.

Quand Beau surgit de l'obscurité, elle sursauta, se cognant le coude contre la machine à laver.

— Attention…

Posant une main sur ses reins, il l'aida à retrouver l'équilibre.

— Commençons par trouver le bureau. Nous cherchons des ordinateurs et un coffre-fort.

— La pièce par laquelle je suis entrée avait l'air d'une chambre d'amis. Nous pouvons la laisser de côté.

Grâce au faisceau de la lampe de Beau, ils sortirent de la buanderie et se rendirent dans le hall. Ils passèrent la tête dans les autres pièces, mais toutes avaient été converties en chambres. Une pièce plus petite ouverte sur le salon comportait une table de travail et des étagères bourrées à craquer de livres et de classeurs.

— Bingo !

La lampe de poche de Beau balaya le bureau.

Il y avait un écran d'ordinateur sur la table, mais les câbles pendaient dans le vide. L'unité centrale manquait.

Deb pointa du doigt les fils emmêlés.

— Tu crois que la police a emporté la colonne ?

— Herndon est mort il y a trois jours. Il va sans doute leur falloir un peu plus de temps pour obtenir l'autorisation de fouiller les lieux.

— Il se peut que Herndon l'ait envoyée en réparation, ou même qu'il n'en ait jamais eu. Y a-t-il un ordinateur portable ?

— Non, rien ici.

Ils explorèrent les tiroirs, que le savant ne s'était pas donné la peine de fermer à clé. Ils ouvrirent également le petit placard, mais le bureau en désordre ne recelait aucun secret.

— Veux-tu que l'on se déploie ? suggéra-t-il.

— Je me charge de sa chambre à l'arrière de la maison, et tu t'occupes des pièces de devant. J'ai vu qu'il y avait des tableaux aux murs dans le salon : c'est l'endroit parfait pour dissimuler un coffre.

— Siffle si tu trouves quelque chose.

Deb longea le couloir en rasant le mur. Elle laissa derrière elle deux chambres d'amis et gagna directement le repaire de Herndon.

Elle se dirigea d'abord vers la penderie, écartant les chemises Oxford et les vestons en tweed pour examiner le sol. Presque tout l'espace était occupé par des chaussures d'un côté, et par des cartons remplis de papiers et de récompenses de l'autre. Il avait pu enterrer les plans sous ce désordre insignifiant pour décourager les voleurs, songea Deb. En déplaçant les boîtes, ses doigts se couvrirent de poussière. Il était donc peu vraisemblable qu'il ait caché quelque chose là au cours des mois précédents.

Elle s'accroupit et frotta ses mains gantées sur la moquette pour se débarrasser de la crasse. Cela ne dérangerait plus le Dr Herndon, désormais.

Elle balaya les murs du regard. Les tableaux étaient trop petits pour dissimuler un coffre-fort. Elle vérifia toutefois, par acquit de conscience.

Orné de colonnes et d'une courtepointe bleu foncé, l'imposant lit double occupait une place centrale dans la pièce. Le Dr Herndon avait été un homme à femmes : un certain nombre de jeunes étudiantes ambitieuses avaient dû passer dans cette chambre, songea Deb.

Une télévision à écran plat flanquée de deux enceintes faisait face au lit. Le savant avait même installé un minibar sur lequel s'alignaient des verres. Deb s'accroupit et ouvrit la porte du réfrigérateur, faisant tinter des bouteilles de vin à l'intérieur.

Il y avait également des livres sur la table de nuit, et des écouteurs étaient suspendus sur le bord du tiroir. Il avait passé beaucoup de temps dans cette chambre.

Elle se mit à quatre pattes pour regarder sous le lit. Robert avait l'habitude de dissimuler un grand nombre de choses sous le sien, y compris de l'argent liquide. Il disait toujours qu'il avait plus confiance en son lit qu'en sa banque.

Elle souleva la courtepointe et tendit le bras pour attraper un long étui. Avant même de l'ouvrir, elle sut : il s'agissait d'un fusil. Il y avait aussi un coffret de bois près de la table de nuit. Forcer le petit verrou à l'aide de son couteau fut un jeu d'enfant. Elle souleva le couvercle et poussa une exclamation de surprise.

Sur le dessus, des photos pornographiques mettaient en scène des femmes ligotées. Elle les posa sur le côté et saisit les papiers qui se trouvaient en dessous.

Un bruit de pas feutrés derrière elle fit naître des picotements le long de sa nuque. Elle retint son souffle, attendant que la voix grave et sexy de Beau s'élève dans le silence.

Son espoir fut déçu.

14

— Eloignez votre main de ce couteau et décalez-vous sur la gauche, agent Sinclair.

Beau s'écarta vivement de la porte. L'individu qui tenait Deb en joue ignorait visiblement qu'elle avait un complice dans la maison. Tant mieux.

Beau ne voyait pas Deb, mais un froissement attira son attention. Pourvu qu'elle ne commette pas de bêtise ! pria-t-il intérieurement. Comme, par exemple, essayer d'attraper son couteau.

Il esquissa un pas silencieux sur la droite, puis, profitant que leur hôte indésirable donnait des instructions à Deb, fondit sur lui en deux grandes enjambées. D'une main, il lui agrippa la nuque et serra de toutes ses forces. De l'autre, il lui assena un coup sur le poignet.

L'homme n'eut même pas le temps de tirer. Il lâcha son arme et tomba à genoux.

Deb récupéra vivement son couteau, se releva d'un bond et éloigna le revolver d'un coup de pied. De toute façon, l'homme aurait été bien incapable de s'en servir.

Beau ramassa l'arme sur le sol et remonta le sac à dos sur son épaule.

— Allons-nous-en d'ici tout de suite.

— Il est mort ? Tu lui as brisé la nuque ?

— A la force des doigts ? pouffa-t-il. Non, j'ai simplement fait pression sur sa carotide pour couper la circulation du sang. Il est inconscient, mais il reviendra bientôt à lui. En général, cette prise fonctionne bien sur les confrères.

— Tu le connais ? s'étonna-t-elle.

Le blanc de ses yeux brillait dans l'obscurité.

— Oui. Maintenant, en route !

Ils passèrent par une autre fenêtre pour sortir, au cas où quelqu'un surveillerait celle par laquelle Deb était passée à l'aller ou la porte de la buanderie.

Aussitôt dehors, ils se mirent à ramper sur la pelouse, Deb en tête. Des feuilles et de la terre s'accrochaient à leurs vêtements. Beau lui enjoignit silencieusement de se dépêcher. Elle s'était montrée professionnelle tout au long de la soirée. Malgré la tension qui régnait entre eux, elle était restée concentrée sur l'objectif.

Il ne pouvait en dire autant de lui-même. Il n'avait pu se sortir Bobby de l'esprit une seule seconde. Et si son déficit immunitaire avait raison de lui avant qu'ils n'aient pu le sauver ? Beau redoutait le pire : ne jamais rencontrer son fils. Après l'échec de l'intrusion chez Herndon, cette éventualité inconcevable menaçait de se réaliser.

Depuis que Deb lui avait annoncé la nouvelle, il mourait d'envie de revoir la photo de son fils, mais il était trop fier pour le lui demander. Ou trop bête. Alors qu'il voulait tout savoir de Bobby, il n'aurait peut-être plus la possibilité, désormais, d'apprendre à le connaître autrement que par le biais de témoignages.

Non ! s'insurgea-t-il. Il ne laisserait pas une telle chose arriver.

Ils aboutirent dans la propriété voisine, dont le terrain s'étendait jusqu'au coin de la rue. S'ils parvenaient à le traverser sans encombre, ils seraient tout près de la voiture.

Deb s'était manifestement fait la même réflexion. Elle tourna la tête vers lui et pointa le doigt devant elle.

Après une minute d'effort, la végétation enchevêtrée laissa place à un gazon impeccablement soigné. Ils poursuivirent leur course sur l'herbe trempée de rosée, passant tout près de la terrasse en brique. Une clôture de bois séparait le jardin de la rue. Ils la franchirent d'un saut et atterrirent sur le chemin de terre qui longeait la route.

La voiture les attendait, intacte. Ne voulant pas attirer l'attention, il appuya au dernier moment sur la commande de déverrouillage des portières. Ils pénétrèrent sans bruit dans le véhicule. Il posa le sac sur la banquette arrière et démarra tous phares éteints.

Pendant plusieurs minutes, ils demeurèrent sans parler, haletants et en sueur, tandis que Beau roulait à vive allure en direction de l'autoroute. Enfin, il s'engagea sur la rampe d'accès. Quelques voitures les dépassèrent en trombe, mais aucune d'elles n'avait pris la même entrée qu'eux.

Finalement, il brisa le silence.

— Ce type était mon remplaçant.

— D'où le connais-tu ?

— Nous fréquentons tous deux le milieu de la sécurité. Coburn n'a pas perdu de temps. Il avait dû prévoir de l'envoyer ici avant même de me parler au téléphone. Qui sait ? Il m'a peut-être même appelé pour me localiser grâce à mon portable.

— Comment a-t-il su que nous serions chez Herndon ?

— Je lui ai dit que tu étais à Boston, et Herndon est justement mort à Boston à ce moment-là. Il a dû additionner deux plus deux. Ce type était probablement déjà en faction devant la maison.

— Jack va savoir que tu m'aides.

Elle ôta son bonnet, et sous l'effet de l'électricité statique, ses cheveux se dressèrent de chaque côté de sa tête.

— Exact.

Il ne put s'empêcher de lui étreindre la cuisse malgré la résolution qu'il avait prise de ne plus la toucher.

— Je suis désolé, Deb.

— Désolé ? Pourquoi ?

— Parce que notre fouille a été interrompue, et que nous sommes incapables de donner à Zendaris ce qu'il veut. Mais nous trouverons une autre occasion. J'y veillerai.

— Oh ! Tu parles de ça !

Elle plongea la main dans sa veste et en ressortit une liasse de papiers. Quelques photos tombèrent sur ses genoux.

— Qu'est-ce que c'est que ça ?

Elle brandit les papiers.

— Les plans de l'antidrone !

De retour à l'hôtel, ils s'assirent l'un en face de l'autre sur le lit pour consulter les documents.

— Je n'arrive pas à croire qu'il les ait cachés sous son matelas, reconnut Deb. Nous devrions peut-être faire de même jusqu'à ce que nous les ayons remis aux bonnes personnes. Mais comment allons-nous reprendre Bobby à Zendaris si nous les gardons ?

— Pour mettre une stratégie sur pied, on doit savoir de quelle façon il souhaite procéder à l'échange.

— Mais Bobby doit rentrer d'urgence pour commencer son traitement. D'après le pédiatre, il est à la merci de n'importe quel virus tant qu'il n'est pas soigné.

— Il le sera, c'est promis.

Il joua avec l'une des photos trouvées dans le coffret.

— Apparemment, le Dr Herndon dissimulait tous ses vilains secrets au même endroit.

— Je t'ai dit qu'il était un peu pervers.

Elle examina l'un des clichés et ajouta :

— Cela dit, ces femmes semblent libres et consentantes. Elles ont même l'air d'aimer ça.

— Surtout celle-là, dit-il en lui tendant une photo.

Elle la prit du bout des doigts et écarquilla les yeux.

— Oh ! Mon Dieu !

— Qu'y a-t-il ?

Il se pencha en avant pour examiner de plus près l'instantané.

— Eh bien quoi ? Elle n'est pas pire que les autres. Elle prend au sérieux son rôle de dominatrice, c'est tout.

— Je la connais.

— Tu plaisantes ! Ce serait une coïncidence trop énorme !

— Je t'assure que je la connais. C'est elle qui a donné — ou vendu — les plans à Herndon.

— Cette femme en cuissardes et tenue de cuir est la personne qui a volé les plans à Stark ?

— Oui, il s'agit d'Abby Warren. Ce n'était pas une banale transfuge. C'était aussi une véritable psychopathe.

— Oh ! Oh… Mauvais plan, ça, la dominatrice fouettarde à tendances psychopathiques !

Deb lâcha la photo.

— Elle a dupé Zendaris, puisqu'elle lui a promis de lui rendre les plans alors qu'elle les avait probablement déjà vendus à Herndon.

— Bizarrement, j'ai du mal à avoir pitié de lui. Si Maîtresse Abby l'a battu à son propre jeu, tant mieux pour elle. Il peut se préparer à perdre encore une fois.

— J'espère qu'il ne tardera pas à appeler.

Elle brancha le chargeur du téléphone, puis roula les plans.

— Nous n'allons pas les cacher sous le lit de l'hôtel. Où pourrions-nous les mettre ?

— Pourquoi ne pas les brûler ? suggéra-t-il en faisant glisser l'élastique autour du cylindre.

— Je dois les remettre à la Prospero. Si Jack pouvait les apporter au ministère de la Défense, ce serait une nouvelle plume à son chapeau. En plus, les experts en armement pourraient les étudier et trouver un moyen de rendre les drones de combat plus difficilement neutralisables.

— Tu tiens à ce point à la Prospero et à Jack ? Il vient d'envoyer un type te capturer, je te rappelle.

— Il ne fait que son travail. Et il t'a aussi envoyé, toi. Pour cela, je lui serai éternellement reconnaissante.

— Je pense que tu aurais pu t'en sortir seule, Deb. Finalement, c'est toi qui as trouvé les plans chez Herndon.

— Je ne parlais pas de la mission. Il ne pouvait m'envoyer de personne plus indiquée que toi, et à un meilleur moment. Tu as proposé de m'aider et de secourir Bobby sans même savoir qu'il était ton fils.

— J'ai vu à quel point tu étais dévastée par cet enlèvement. Il aurait fallu que j'aie un cœur de pierre pour te tourner le dos.

Il fit courir sa main le long de sa colonne vertébrale.

— Je remercie le ciel que Jack t'ait appelé en premier, continua-t-elle. Si c'était l'autre type qui m'avait suivie après le cambriolage de la bijouterie, Bobby serait mort. Son père est entré dans sa vie au moment où il en avait le plus besoin.

— J'aime à penser que, contrairement à moi, cet amateur n'aurait pas trouvé l'endroit où tu te cachais.

Elle joignit les mains sur ses genoux.

— Zendaris n'appellera pas ce soir. Il est presque minuit.

Ramenant vivement ses jambes sous elle, elle se leva et se mit à sauter sur le lit, éparpillant les photos.

— Je ne sais pas toi, mais moi, je suis trop énervée pour dormir !

A son grand désarroi, le sang lui pulsa dans les veines et il fut pris d'un doute : était-ce une invitation à répéter la performance de la nuit précédente ? Malgré tout le plaisir qu'il y avait pris, ils avaient quelques points à régler avant de réitérer l'expérience.

Il la saisit par la cheville.

— Puisque tu as encore de l'énergie à revendre, pourquoi tu ne me parlerais pas de mon fils ? Montre-moi cette photo de lui, et d'autres si tu en as.

Il ajouta dans la foulée :

— Je voulais aussi te dire que j'aimerais participer à l'entretien téléphonique avec son pédiatre demain matin. Comme ça, j'en saurai plus sur sa maladie et sur ce que je dois faire pour l'aider.

Les joues de Deb prirent une jolie teinte rose. A cause des sauts, ou à cause de sa requête ? Il n'aurait su le dire. Elle se laissa tomber à genoux sur le matelas et ramassa son sac sur le sol.

— Si j'ai des photos ? Bien sûr !

Elle ouvrit son portefeuille et, commençant par le début,

lui tendit d'abord la photo où elle tenait Bobby dans ses bras à la maternité.

Elle parla sans s'arrêter pendant le reste de la nuit et continua après que le soleil se fut levé, lui racontant, pour son plus grand plaisir, le premier sourire, les premiers pas, le premier mot de leur fils — tout ce que Beau avait manqué, en somme. Il absorbait toutes ces informations, infiniment fier des progrès réalisés par Bobby.

Peu à peu, Deb finit par se calmer, son débit se ralentit. Elle lui avait montré toutes ses photos et devenait de plus en plus incohérente au fur et à mesure que ses paupières s'alourdissaient. Quand le téléphone lui glissa des mains et que sa tête tomba sur son épaule, il l'allongea et rabattit les draps sur elle, puis se coucha tout habillé près d'elle.

Il passa un bras autour de ses épaules et l'attira contre lui, de manière à ce que sa tête repose sur son torse. En contemplant le visage de cette mère qui avait fait un aller-retour en enfer pour son fils, et qui avait réussi à récupérer les plans de l'antidrone, il ne put que l'admirer : Deb était une Superwoman.

Or, même Superwoman commettait des erreurs, parfois.

Le lendemain, elle était levée et douchée quand il ouvrit un œil. Elle fourrait ses vêtements déjà portés dans le sac à linge sale de l'hôtel.

— Toujours sous le coup de l'adrénaline ? fit-il.

Elle laissa tomber le sac.

— Oh ! Je te croyais endormi. C'est la première fois que je me réveille avant toi, alors j'en ai profité.

— Si tu envoies du linge à la blanchisserie de l'hôtel, j'aimerais te donner mes vêtements d'hier soir.

Il souleva le drap.

— La femme de chambre va se demander d'où vient toute cette terre.

Elle poussa quelque chose du bout du pied.

— Nous ferions bien de ramasser ça aussi, ou elle va vraiment se poser des questions.

Beau se pencha vers le sol : les photos pornographiques de Herndon étaient étalées sur la moquette.

— Tu devrais garder celle d'Abby Warren. C'est la preuve qu'elle et Herndon se connaissaient.

— A ton avis, que comptait-il faire des plans ?

Elle s'agenouilla et commença à rassembler les clichés.

— Je doute que ses intentions aient été pures, ou il les aurait immédiatement remis au gouvernement des Etats-Unis, répondit-il. Peut-être essayait-il de les vendre à Zendaris, ce qui expliquerait comment celui-ci savait qu'il les avait en sa possession.

Elle rassembla les photos en pile bien nette sur la table de chevet.

— Si c'était son plan, il s'est montré bien naïf. On ne double pas Nico Zendaris.

Beau frappa du doigt la première photo du paquet, montrant une femme ligotée et bâillonnée.

— Un homme qui prend ce genre de photos n'est pas naïf, objecta-t-il.

Elle balaya l'argument d'un geste de la main.

— Il s'agit de sexe. Il a voulu se mêler d'espionnage, mais il a nagé dans des eaux trop profondes pour lui.

— Et il en a payé le prix, conclut Beau en décrochant le combiné du téléphone fixe. C'est l'heure d'appeler le Dr Nichols, non ?

— Tu ne veux pas prendre une douche d'abord ? fit-elle en plissant le nez. D'ailleurs, nous ne l'aurons pas en ligne du premier coup, surtout un lundi matin. Nous allons laisser un message, et il nous recontactera.

Beau rejeta les couvertures et sortit du lit.

— O.K., passe ce coup de fil, mais ne commence pas sans moi. S'il rappelle pendant que je suis dans la douche, viens me chercher.

— Entendu !

Beau se doucha à la hâte. Il peignait ses cheveux mouillés avec ses doigts devant la glace lorsque le téléphone fixe sonna.

Il se précipita aussitôt hors de la salle de bains. Deb attendit qu'il soit à son côté pour décrocher.

— Allô ?

— Deb ? C'est le Dr Nichols.

Le téléphone n'ayant pas de fonction haut-parleur, Beau dut approcher sa tête de celle de Deb pour suivre la conversation.

— Je ne suis pas revenue vers vous plus tôt car j'étais à l'étranger, s'excusa-t-elle.

— Comment va Bobby ? s'enquit le médecin.

— Il a les symptômes d'une grippe.

— Il fallait s'y attendre. Ses défenses immunitaires sont basses, et à l'heure actuelle il peut attraper tout ce qui passe.

— Pourriez-vous me réexpliquer son problème ? J'ai aussi quelques questions à vous poser.

— Bien entendu.

— Au fait, le papa de Bobby nous écoute.

Le Dr Nichols marqua un silence.

— Je croyais qu'il ne faisait plus partie de vos vies.

— Maintenant, si. Et il sera le donneur de Bobby, puisqu'il est également O négatif.

— Ce sont de bonnes nouvelles. Voir une famille se reformer après une séparation est toujours un bonheur.

Il leur expliqua le fonctionnement du système immunitaire en termes simples, puis aborda l'état de santé de Bobby, le traitement et le pronostic.

Beau tint la main de Deb tout le temps qu'il parla. Cette discussion était assez effrayante. Heureusement, d'après le médecin, cette maladie pouvait être traitée, et à terme Bobby guérirait.

— Alors, quand pouvez-vous venir en consultation ? Je veux vous donner un aperçu de ce qui va se passer, et il y a des papiers à signer. Sans compter que nous voudrions vous faire une prise de sang, monsieur, euh, monsieur...

— Slater.

— Nous devons nous assurer que vous êtes compatible

avec Bobby, monsieur Slater. Alors appelez-moi pour prendre rendez-vous la semaine prochaine, Deb.

— Sans faute, dit-elle en croisant les doigts.

Quand le médecin eut raccroché, elle s'affaissa contre le dossier de son siège.

— Il faut le retrouver d'urgence.

— Nous avons les plans, grâce à toi. Tout devrait être réglé d'ici une semaine.

— Je suppose que Zendaris va nous désigner un lieu de rendez-vous. Peut-être s'agira-t-il de l'endroit où ils gardent Bobby prisonnier ?

Se penchant vers elle, il serra ses genoux dans ses mains.

— Hors de question que tu ailles te fourrer dans je ne sais quel guêpier.

Elle leva les yeux au ciel.

— Trop tard, Beau. C'est déjà fait !

— Tu devrais insister pour que cela se passe dans un lieu public.

— Tu sais bien qu'il n'acceptera jamais. Si les choses ne se déroulaient pas comme il le souhaite, il ne pourrait pas tirer sur moi ou sur… quelqu'un d'autre devant tout le monde.

— De toute façon, tu n'iras pas seule. Je me débrouillerai pour être juste derrière toi.

— Nous ne pourrons pas le rouler, Beau. Il a déjà vu les plans, et il ne libérera pas Bobby avant d'avoir vérifié qu'ils sont authentiques. Si nous lui donnons un faux, il s'en apercevra aussitôt.

Beau se frotta la mâchoire.

— Ce serait pratique si les plans tenaient en quelques lignes ou en une simple formule. Nous pourrions les recopier avec de l'encre invisible ou sur du papier dégradable. Plaisanterie à part, une autre possibilité serait de les lui remettre et de les reprendre après avoir récupéré Bobby.

— Tu crois vraiment qu'il les quitterait des yeux une seule seconde après s'être donné tout ce mal ? Abby Warren l'a déjà dupé une fois. Il ne se laissera pas faire aussi facilement, cette fois-ci.

— Je suppose qu'il ne nous reste plus qu'à attendre ses instructions pour décider de la stratégie à suivre, soupira Beau.

— J'aimerais bien qu'il se dépêche. Il devrait être impatient d'apprendre comment s'est passée l'opération hier soir, non ?

— Coburn le sait, lui, fit Beau en désignant son portable d'un geste de la main.

— Que veux-tu dire ?

Elle saisit l'appareil pour l'examiner.

— Il ne devrait pas être éteint ? questionna-t-elle. Il va pouvoir te localiser.

— Pas avec ce téléphone. Il est indétectable.

Il pressa une touche et lui montra le message de Jack.

Es-tu du côté de Deb ? As-tu changé de camp ? ?

— Il y a deux points d'interrogation, remarqua-t-elle.

— Ce qui indique qu'il n'y croit pas réellement.

— Tu déduis cela à partir de deux points d'interrogation ?

— Coburn n'est pas un homme très démonstratif. Ces deux points d'interrogation veulent dire beaucoup.

— Il ne croit pas que tu as changé de camp alors qu'il sait que tu étais avec moi la nuit dernière ? Son agent a dû le lui dire, à présent.

— Deb, je ne pense pas qu'il croie que tu aies changé de camp.

— Il a dépêché deux tueurs à gage pour me retrouver ! Même si le second s'est révélé assez inefficace, cela en dit long sur les intentions de Jack.

— Il veut que tu rentres au bercail. Il ne m'a jamais donné l'autorisation de te faire du mal.

— Cela ne change rien. Je ne peux pas retourner là-bas maintenant.

— Nous avons les plans ! rappela-t-il.

— Mais pas Bobby.

Elle pinça les lèvres en une moue entêtée. Elle n'était pas

encore prête à entendre son idée, comprit-il. Peut-être ne le serait-elle jamais, et devrait-il mettre son plan à exécution à son insu.

Pourquoi pas ? Après tout, elle l'avait bien trompé pendant près de trois ans !

Elle se leva et s'étira.

— J'en ai tellement assez d'être confinée dans cette chambre d'hôtel ! J'aimerais sortir respirer un peu d'air frais.

— Je ne sais pas si c'est une bonne idée… Notre tireur fou se promène toujours dans la nature.

— C'est peut-être lui qui a volé l'unité centrale de Herndon, s'il a fouillé la maison avant nous. Il était trop focalisé sur l'ordinateur et n'a pas cherché au bon endroit.

— Comment as-tu pensé à regarder sous le lit ?

— Robert se servait de son lit comme cachette, lui aussi. C'était son côté paranoïaque.

Elle s'approcha de la fenêtre et jeta un coup d'œil à travers les rideaux.

— Malgré sa paranoïa, il s'est bien occupé de toi, souligna Beau.

— Il est le seul père que j'aie connu, et il a été également présent pour Bobby. Il lui a servi de figure paternelle et de modèle.

Elle leva la main.

— Je suis désolée, Beau. C'était ton rôle.

Qu'il ait manqué les premières années de son fils le frappa de nouveau, aussi violemment qu'un coup de poing. Il devait trouver un moyen de pardonner Deb une bonne fois pour toutes. Par exemple, en gardant toujours présent dans son cœur le souvenir de la nuit précédente, ces douces heures à parler de Bobby. Il avait oublié toute rancœur, alors.

Il expira lentement.

— A défaut d'avoir été là, je suis content que ce soit ce vieux marine qui se soit occupé de Bobby.

— Robert trouvait que j'avais tort, avoua-t-elle en se triturant les mains. Il disait que tout homme mérite de savoir qu'il est père, et doit pouvoir prendre ses responsabilités. Sa femme est tombée enceinte avant leur mariage, et selon lui il est devenu un homme le jour où elle le lui a annoncé.

Le respect de Beau pour le père adoptif de Deb grandit plus encore.

— Tu ne l'as pas écouté ?

— Je ne suivais pas toujours ses bons conseils.

L'alarme à incendie de l'hôtel se mit alors à hurler, assourdissante. Ils sursautèrent en même temps.

— Bon sang, que se passe-t-il ? maugréa Beau.

Deb pointa le doigt vers la lampe clignotante au-dessus de la porte.

— Ce n'est pas un exercice. C'est du sérieux.

Beau se dirigea à grandes enjambées vers la penderie.

— Prends les plans. Je n'aime pas ça.

— C'est juste une alarme à incendie.

— Tu as souvent vu l'alarme se déclencher pendant un séjour à l'hôtel ?

Il composa le code du coffre.

— Tu crois que c'est un piège ?

Elle ne discutait pas, c'était déjà ça, songea-t-il. Elle enfila le blouson qu'elle avait porté la veille et glissa les plans roulés ainsi que la photo d'Abby Warren dans la poche intérieure.

Des cris s'élevèrent dans le couloir. Beau se posta derrière le judas.

— Tout le monde s'en va.

— Il faut partir, Beau. Si c'était un vrai incendie ? Et de toute façon, même dans le cas contraire, la sécurité de l'hôtel ou les pompiers inspecteront les chambres.

Qui d'autre viendrait dans les chambres, ou plus exactement dans *leur* chambre ? s'interrogea-t-il.

— C'est un bon moyen de nous faire vider les lieux, tu ne crois pas ?

Elle se tapota la poitrine.

— J'ai les plans sur moi. Tout ce qu'un intrus pourrait trouver ici, c'est un tas de déguisements et des bijoux volés dans le coffre. Je les lui laisse avec plaisir. Evidemment, si la police les découvre, nous aurons de sérieux ennuis.

— Ce n'est pas la police qui m'inquiète.

Dans le couloir, ils se mêlèrent à un petit groupe qui se dirigeait vers la cage d'escalier en bavardant. Alors que l'un des hommes s'apprêtait à ouvrir la porte donnant sur le palier, Beau lui barra le passage.

— Attendez ! Il faut toujours vérifier qu'elle n'est pas chaude.

Il tâta le panneau, puis s'effaça.

— C'est bon.

— C'est qui, celui-là ? Super-Pompier ? marmonna l'homme en passant devant lui.

Beau croisa le regard de Deb. Une lueur d'humour dansait dans ses yeux, et elle dissimula un sourire derrière sa main.

— Désolée, pouffa-t-elle, mais c'est vrai que tu es assez autoritaire !

— Il faut bien que quelqu'un prenne les choses en main, ici.

Les gens se pressaient dans l'escalier, ceux des étages supérieurs poussant et bousculant ceux qui étaient devant. Beau se plaça derrière Deb pour la protéger des assauts de cette marée humaine.

Il se pencha vers elle et lui murmura à l'oreille :

— Je suis content que ce ne soit pas une vraie urgence.

Le personnel de l'hôtel les fit sortir par une porte latérale.

L'air froid du matin les accueillit. Certains clients avaient enfilé à la hâte un manteau par-dessus leur peignoir ou leur pyjama. Ils clignaient des yeux, aveuglés par la vive lumière. D'autres, surpris en plein petit déjeuner, se réchauffaient les mains autour d'une tasse de café. Des hommes d'affaires en costume et manteau chic échangeaient quelques mots avec le personnel avant de monter dans des taxis et de partir pour leur journée de travail. Des écoliers en voyage scolaire riaient et se bousculaient sous le regard mécontent de leurs surveillants.

Tous les sens en alerte, Beau parcourut la foule du regard. L'une de ces personnes avait-elle déclenché l'alarme pour les attirer hors de l'hôtel ? L'homme que Coburn avait engagé pour le remplacer ne savait pas où ils logeaient, puisqu'il avait dû surveiller la maison de Herndon pour surprendre Deb.

Mais Zendaris ? Peut-être avait-il compris que Deb possédait les plans, et décidé de se les approprier sans procéder à l'échange.

L'estomac de Beau se serra. Le malfrat ne leur rendrait probablement pas Bobby, même une fois qu'il aurait mis la main sur ce qu'il voulait. Zendaris ne voulait pas seulement les plans de l'antidrone : il désirait se venger de la Prospero, et il tenait là l'occasion de prendre sa revanche.

Quelqu'un poussa un cri aigu. Beau porta vivement la main à son arme et inspecta les alentours. C'était simplement une écolière réfugiée dans le massif d'arbustes.

Deb lui tapota le bras.

— Du calme, cow-boy.

— Je n'aime pas ça.

— Moi non plus. En plus, il gèle.

Elle rentra le cou dans les épaules et remonta le col de son blouson. Il passa un bras autour de sa taille, effleurant les papiers à travers le tissu.

— Ne les perds pas, recommanda-t-il.

— Et moi qui croyais que tu voulais simplement me réchauffer.

Il l'entoura de ses deux bras et l'attira contre lui. Elle demeura raide, se demandant probablement ce que cette étreinte signifiait. Il ne le savait pas davantage. Ses sentiments pour elle alternaient entre colère, compréhension, admiration, désir à l'état pur… Et quelque chose de beaucoup plus profond.

Bien que les camions de pompiers soient encore garés devant l'hôtel, l'équipe de sécurité leur cria :

— La voie est libre !

Les clients entrèrent en piétinant dans le bâtiment et se dirigèrent vers les ascenseurs. Beau entraîna Deb vers l'escalier.

— Passons par là. Cela ira plus vite que de faire la queue devant les ascenseurs.

Ils remontèrent en courant les trois volées de marches et poussèrent la porte coupe-feu de leur étage. Ils avaient devancé presque tout le monde. Beau fit glisser la carte-clé dans le lecteur et poussa le battant, avant de reculer pour la laisser passer. La porte se referma en claquant derrière eux, et un courant d'air glacial les accueillit. Les bras de Beau se couvrirent de chair de poule, mais cela n'avait aucun rapport avec la température.

— Deb, baisse-toi.

Pour la deuxième fois de la matinée, il referma la main sur son arme. Trop tard. Un homme vêtu d'une tenue de pompier émergea du balcon, une arme braquée devant lui.

— On se rencontre enfin ! A présent, donnez-moi ces plans.

15

Deb retint son souffle. Les papiers contre sa poitrine la chauffaient presque et une vibrante tension émanait du corps de Beau.

Malgré son déguisement de pompier, l'homme qui les menaçait de son arme lui rappelait vaguement quelqu'un.

Damon.

Zendaris était en train de la doubler. Il n'avait aucunement l'intention de lui rendre Bobby. Une rage brûlante l'envahit, et elle serra les poings avec tant de force que ses ongles mordirent dans sa chair.

— Faites glisser votre arme vers moi, Loki ! ordonna Damon en visant la tête de Deb. Ou la fille y passe maintenant.

Le cœur de Deb fit un bond. Zendaris savait-il depuis le début que Beau l'aidait ? Etait-ce la raison de sa trahison ? L'homme qu'elle prenait pour le sauveur de Bobby allait-il causer sa perte ?

Beau sortit son pistolet de son étui, le posa sur la moquette et le fit glisser à travers la pièce.

— Zendaris a-t-il envisagé une minute de rendre l'enfant ?

— Zendaris ? aboya l'homme. Vous n'avez toujours pas compris, hein ?

— Qu'est-ce que nous n'avons pas compris, Damon ?

Il sourit, exhibant une rangée de dents éclatantes qui ressortaient sur son bronzage.

— Vous êtes fort, Loki. On dit que vous êtes le meilleur. Mais je suis encore plus doué.

Deb s'humecta les lèvres.

— Zendaris n'aura pas les plans tant que je n'aurai pas récupéré mon fils.

Damon poussa un juron et cracha.

— Je ne travaille pas pour Zendaris. Je fais cavalier seul, maintenant. Je lance ma propre entreprise, et les plans de l'antidrone vont être ma première affaire.

Deb déglutit avec peine. Si cet individu lui prenait les plans, elle ne reverrait jamais Bobby. En tout cas, il ne s'agissait pas d'un coup en traître de la part de Zendaris.

Elle jeta un coup d'œil à Beau. Son visage était de marbre. Lorsqu'il parla, ce fut presque sans bouger les lèvres.

— Vous travaillez pour Zendaris.

— *J'ai travaillé* pour Zendaris. Je vous l'ai dit, je me lance dans une carrière solo, et je veux ces plans.

Damon s'essuya les lèvres du revers de la main, mais le canon de son arme ne dévia pas.

— Zendaris se croit brillant, mais c'est moi qui ai surveillé votre copine. Moi qui ai découvert que vous couchiez avec elle. Moi qui ai posé un GPS sous la voiture prêtée par Zendaris.

— Zendaris est-il au courant de tout cela ? demanda Beau en serrant et desserrant convulsivement les poings.

— Pourquoi est-ce que je le lui raconterais ? Il veut que ses larbins l'appellent *el jefe*, « le chef », mais ce serait plutôt *el pendejo*, « l'abruti ».

— Si nous vous donnons les plans, qu'obtenons-nous en échange ? Zendaris a toujours le petit.

Damon leva plus haut son arme.

— Elle reste en vie.

— Pourquoi vous ne me tuez pas tout de suite ? lança-t-elle en écartant les bras.

De toute façon, sans Bobby, elle mourrait.

— C'est vous qui avez essayé de m'abattre à l'hôtel l'autre jour, puis qui avez tenté de m'écraser avec votre voiture, n'est-ce pas ?

Il fit oui de la tête.

— Il fallait que vous quittiez la scène. J'ai dit à Zendaris que j'étais capable de reprendre les plans à Herndon, mais il n'a rien voulu entendre. Je me disais qu'il serait bien obligé de se rabattre sur moi une fois la concurrence éliminée. Finalement, c'est encore mieux : vous avez les plans, et vous allez me les donner.

De toute évidence, il avait déjà fouillé la chambre et savait qu'ils n'y étaient pas, réfléchit-elle. Elle ouvrit la bouche pour lui dire qu'elle ne les avait pas, mais Beau leva la main.

— Est-ce vous qui avez tué le Dr Herndon ?

— Il me gênait. J'étais sûr que vous inventeriez une ruse pour faire croire à sa mort. J'ai dû faire en sorte que cela arrive pour de vrai.

— Etiez-vous présent au gala ? s'enquit Deb.

— Ne soyez pas vexés. Moi non plus, je ne vous ai pas reconnus. Je me suis fait passer pour un agent de sécurité. Ensuite, il ne me restait plus qu'à verser du poison dans son verre — ce qui n'était pas difficile, vu le nombre de whisky-sodas qu'il descendait.

— Pourquoi ne pas avoir revendiqué votre acte auprès de Zendaris ? interrogea Beau.

— Parce qu'il se serait demandé pourquoi je m'en étais mêlé. Il n'a confiance en personne.

— Si nous vous donnons ce que vous voulez, vous partirez ? Vous ne ferez pas de mal à Deb ?

— Je me fiche complètement d'elle. De toute façon, la Prospero ne pourra plus se saisir des plans. J'ai déjà un acheteur. Donnez-les-moi, et je vous laisserai saufs tous les deux. A vous de vous arranger avec Zendaris ensuite.

— Les plans ne sont pas ici, prétendit Beau.

Les yeux de Damon se réduisirent à deux fentes.

— Où sont-ils ?

— Nous les avons laissés dans la voiture.

Deb saisit Beau par le bras.

— Non ! Si on les lui donne, on ne récupérera jamais Bobby !

— Tu comptes davantage à mes yeux que ton fils. Je ne

veux pas te perdre. Je m'occuperai de Zendaris. Je trouverai un moyen de sauver ton fils.

Ils formaient une sacrée équipe, songea-t-elle avec fierté. Elle ravala un sanglot.

— Ouais, ouais, vous trouverez une solution ! grommela Damon. Où est la voiture ?

— Sur le parking de l'hôtel.

— Si vous m'avez menti, votre petite amie est morte. A moins que je ne supprime Loki. En tout début de carrière, ça en jetterait !

— Je ne mens pas.

Beau désigna le coffre entrouvert.

— Vous avez déjà inspecté la chambre, vous savez qu'ils ne sont pas là.

— En avant, alors, ordonna Damon en agitant son pistolet. Et n'essayez pas de jouer au plus fin avec moi, ou je vous tue tous les deux. J'arriverai bien à les trouver sans votre aide.

Pourvu que Beau ait un atout dans sa manche, pria Deb, car elle ne lâcherait ces plans pour rien au monde. Ce maudit bonhomme devrait passer sur son cadavre pour s'en emparer.

Ils se dirigèrent d'un pas traînant vers la cage d'escalier, suivis par Damon. Personne ne les vit, mais, de toute façon, après l'alerte, qui aurait prêté attention à un pompier escortant deux clients dans les couloirs ?

Ils passèrent par le hall d'entrée pour accéder à l'allée menant au parking couvert, ne rencontrant que des regards dénués d'intérêt de la part des personnes qu'ils croisaient.

La tenue de pompier de Damon grinçait et cliquetait tandis qu'il avançait de sa démarche pesante. En comparaison, Beau, dans son jean noir et sa veste de même couleur remontée jusqu'au cou, semblait aussi souple et élancé qu'une panthère, songea Deb. Une panthère prête à bondir.

Oui, Loki avait un plan.

Ils commencèrent à gravir les escaliers. Quand ils parvinrent au deuxième niveau, où se trouvait la voiture, Beau ne fit pas mine de s'arrêter, et ils poursuivirent leur ascension.

Au quatrième étage, Damon essuya son front trempé de sueur et grommela :

— Où est cette fichue bagnole ?

— Sur le toit.

En haut, le vent soufflait sur l'étendue presque vide du parking, où quelques véhicules isolés attendaient.

— C'est une blague ? Votre voiture n'est pas là !

Il attira brutalement Deb contre lui.

— Bien sûr que si ! protesta Beau. C'est celle du fond. Les clés sont dans ma poche.

Damon agrippa Deb avec plus de force.

— Sortez-les tout doucement ou, je vous préviens, vous pourrez dire adieu à votre copine.

Beau tira un trousseau de sa poche. Mais il ne le tenait que du bout des doigts, et les clés tombèrent sur le sol.

— Oups !

Sans attendre la permission de l'autre, il se baissa vivement pour les ramasser. Quand il se releva, il avait un couteau dans la main.

En un éclair, il frappa Damon. Ce dernier poussa un grognement et relâcha son étreinte. Deb lui donna alors un coup de talon dans le tibia et plongea en avant pour lui échapper. Il rugit comme un animal blessé.

Beau lui propulsa le bras vers le haut, et il y eut un affreux craquement d'os. Le pistolet tomba sur le béton. Deb s'en empara.

Une fraction de seconde plus tard, Damon était agenouillé, son bras gauche pendant, inerte, le long de son corps. Beau lui appuyait la lame de son couteau sur la gorge.

— Maintenant, espèce de minable, gronda-t-elle en dirigeant l'arme sur son propriétaire, dites-moi où est mon fils !

— Je ne suis pas un…, commença-t-il.

Beau lui donna un coup sur la tête.

— Si, vous l'êtes. Où Zendaris cache-t-il le garçon ?

— Pourquoi devrais-je vous le dire ?

— Parce que sinon, la « fille » vous tire une balle dans

la tête. N'oubliez pas, c'est un agent de la Prospero entraîné à tuer. Et si elle ne le fait pas, c'est moi qui m'en chargerai.

— De toute façon, si Zendaris découvre que je l'ai trahi, je suis un homme mort. Je ne peux pas vous dire où il cache le gosse. Il le saurait.

— Pas nécessairement.

L'autre se passa la langue sur les lèvres.

— Comment ça ?

— Si vous nous révélez l'endroit où il est séquestré, je peux prendre des dispositions pour vous mettre à l'abri de Zendaris.

— De quelle façon ?

— Je suis Loki. J'en ai le pouvoir, c'est tout ce que vous avez besoin de savoir.

Les yeux de Damon naviguèrent du couteau au pistolet. Il déglutit et esquissa un signe de tête.

— Le petit est dans un entrepôt au sud-ouest de Crosstown.

Deb serra les dents pour ne pas crier. Zendaris lui avait promis de veiller à la sécurité de Bobby, or Crosstown n'était pas un endroit sûr. Depuis le début, elle ne croyait qu'à moitié ce que lui disait cet imposteur. Sa promesse de lui rendre Bobby en échange des plans ne valait rien.

Désormais, elle le tenait.

— Je veux l'adresse et le plan du bâtiment.

Damon donna de mémoire toutes les informations souhaitées. Quand il eut fini, Beau se tourna vers Deb.

— Passe-moi le pistolet et prends les clés. Amène la voiture ici et prends mon sac noir sur la banquette arrière.

Pourvu que personne ne débarque à l'improviste, espéra-t-elle en descendant au deuxième étage. Sinon, ils auraient beaucoup d'explications à fournir.

Elle monta la voiture au dernier niveau et se gara devant l'escalier, de façon à masquer la vue au cas où l'un des propriétaires des trois autres véhicules viendrait.

Ni Beau, ni Damon n'avaient bougé. Ils semblaient changés

en statue de pierre. Elle sortit le sac de la voiture et défit la fermeture Eclair.

— De quoi as-tu besoin ?

— De corde et d'une seringue, répondit Beau.

Damon tressaillit.

— Une seringue ?

— Si j'avais voulu vous tuer, ce serait déjà fait, le tranquillisa Beau.

Après avoir confié le pistolet à Deb, il lui attacha les mains dans le dos.

— Levez-vous et marchez jusqu'à la voiture. Bien. Maintenant, ouvre le coffre, Deb.

— Attendez… Vous ne m'obligerez pas à rentrer là-dedans.

— Du calme, Damon. Vous ne sentirez rien, dit-il en lui enfonçant l'aiguille dans la nuque.

Le prisonnier tomba en avant. Beau le coucha, jambes repliées, dans le coffre, et le recouvrit de couvertures.

— Qu'allons-nous faire de lui ?

— Quelqu'un le trouvera.

— Pas la police. Il serait libre en quelques minutes.

— Pas la police, non, la rassura-t-il en refermant le coffre.

— Ni la CIA, ni le FBI ? insista-t-elle. Il parlerait. Il ne faut pas que Zendaris apprenne ce qui vient de se passer. On le tient, maintenant. On sait où est caché Bobby, et on peut le prendre de vitesse.

Il prit son visage entre ses mains.

— Tout va bien, Deb. Notre ami va rester inconscient pendant plusieurs heures. Le temps qu'il reprenne connaissance et que je passe un appel anonyme aux autorités, nous en aurons fini avec Zendaris.

— Comment peux-tu en être aussi sûr ?

— Ecoute, dit-il en lui caressant les joues, le fait que Damon ait trahi Zendaris et qu'il t'ait suivie est la meilleure chose qui pouvait nous arriver. Connaître d'avance le lieu de détention de Bobby nous donne un avantage précieux.

Il posa un baiser sur ses lèvres — le premier depuis sa

déclaration fracassante de la veille. Ce baiser, qui avait un goût de promesse, lui redonna des ailes.

Mais lorsqu'il la lâcha, l'air froid lui fouetta le visage, la ramenant brutalement à la réalité. Ils ne pouvaient échanger aucune promesse tant que Bobby serait en danger.

D'un geste du pouce, elle désigna la voiture.

— Où l'emmenons-nous ?

— Je pense que nous pouvons le laisser ici sans risque pour le moment. Peu de gens se garent là-haut.

— Aura-t-il suffisamment chaud dans le coffre ?

Il leva les sourcils.

— Tu te fais du souci pour lui ?

— Il nous a dit où Bobby était caché. Je ne veux pas qu'il meure.

— Il ne mourra pas, et quand bien même ? Il nous a livré ce renseignement sous la menace. Et il n'a pas eu l'air de se préoccuper du sort que Zendaris aurait réservé à Bobby si tu t'étais retrouvée les mains vides. Je ne vais pas pleurer sur son sort s'il meurt d'hypothermie.

Elle consulta son téléphone pour la centième fois de la journée.

— Pourquoi il n'appelle pas ?

— Il le fera le moment venu. En attendant, nous avons de quoi nous occuper.

Ils commencèrent à descendre l'escalier.

— As-tu toujours les plans sur toi ? s'enquit-il.

— Tu avais raison de vouloir les emporter. Si nous les avions cachés dans la chambre, ils seraient maintenant en route pour Istanbul ou Dieu sait où.

Il lui passa le bras autour des épaules.

— T'ai-je déjà raconté la fois où je me suis battu à Istanbul ?

— Tu n'as pas besoin de me raconter tes exploits, confia-t-elle en donnant une tape sur son ventre plat et musclé. Je t'ai vu à l'œuvre, Loki. J'ai une foi absolue en tes capacités.

— Bien. Dans ce cas, tu me feras confiance pour la suite.

Il l'embrassa sur la tempe et ouvrit la porte du hall. Se raidissant, elle se plaça devant lui pour l'empêcher d'entrer.

— Tu m'inquiètes. Pourquoi te sens-tu obligé de me mettre en garde ?

Passant un bras au-dessus de sa tête, il poussa le battant.

— Montons. Nous n'allons pas discuter de ça ici.

Lorsqu'ils furent dans la chambre, elle se planta en face de lui.

— Qu'as-tu en tête, exactement ?

— Maintenant que nous avons les plans et que nous savons où se trouve Bobby, nous allons appeler les renforts.

— Les renforts ?

Il détacha son téléphone du chargeur et l'alluma.

— Ils… Ils vont te localiser !

— Je leur ai déjà dit où nous étions.

— Quoi ? Tu as fait intervenir la Prospero ?

— Plus précisément ton équipe : Cade Stark, J.D. et Gage Booker.

— Tu les as déjà contactés ?

— Avant la fausse alerte à l'incendie. Ils sont en route.

Elle se laissa tomber sur le lit.

— Et si Zendaris le découvre ?

— De quelle façon ? C'est de ton équipe que nous parlons, Deb. Je me demande d'ailleurs pourquoi tu ne les as pas appelés dès le départ. Ces gars-là sont de ton côté. Ils savaient que tu ne les avais pas trahis.

Il tapa un message sur son téléphone.

— Je leur donne l'adresse de l'entrepôt.

— Ils mentent peut-être. Comment sais-tu que leurs intentions sont bonnes ? dit-elle en se tordant les mains.

Il s'assit à côté d'elle et lui prit les poignets.

— Tout le monde ne souhaite pas ta perte. Regarde Robert… Tu t'es probablement demandé ce qu'un ancien marine voulait à une adolescente rebelle. Et tout ce qu'il désirait, c'était te secourir. J'ignorais que Bobby était mon fils quand j'ai décidé de te prêter main-forte. Ces hommes sont tes frères d'armes. Laisse-les t'aider.

Elle serra ses mains dans les siennes, luttant contre les larmes.

— C'est juste que… je me débrouille seule depuis si longtemps !

— Tu n'en as plus besoin. Tes coéquipiers vont arriver, et ils feront n'importe quoi pour récupérer Bobby. Moi aussi, je suis là, et je veux être le père de Bobby. Davantage si tu le souhaites.

Le cœur de Deb fit un bond, mais elle osa le regarder en face. Que voulait-il dire ? Qu'il resterait dans leur vie ? Qu'il désirait former une famille ? Ou avait-il dit cela pour lui donner le courage d'affronter la bataille qui s'annonçait ?

Elle se contenterait de cette dernière hypothèse pour le moment. Elle inspira profondément et demanda :

— Que feront-ils ?

— J'attends qu'ils me le confirment, mais ils iront probablement surveiller l'entrepôt. Nous devons nous assurer que Bobby se trouve bien là-bas avant que Zendaris ait fixé le rendez-vous. S'ils débarquaient avec l'artillerie lourde et qu'il n'y était pas, cela gâcherait l'effet de surprise.

— Tout cela est réel…

Très agitée, elle se leva d'un bond et se mit à faire les cent pas.

— Où sont-ils en ce moment ?

— J.D. arrive du Colorado, Gage du Texas et Cade d'Europe. En tenant compte du décalage horaire et du fait qu'ils voyagent tous en jet privé, ils devraient être là bientôt.

— Et Jack ? Jack Coburn est-il au courant ?

— Oui.

— Pourquoi tu ne me l'as pas dit ?

Elle croisa les bras sur sa poitrine et appuya une épaule contre le mur.

— Je ne voulais pas t'inquiéter, et je ne savais pas encore quel rôle ils pourraient jouer, expliqua-t-il. Mais à partir du moment où nous avons eu les plans, j'ai estimé qu'ils étaient en droit de savoir.

— Je me demande si je dois me sentir heureuse ou trahie.

— C'est à peu près ce que j'ai éprouvé quand tu m'as révélé la vérité concernant Bobby.

Elle avala péniblement sa salive.

— Je n'ai jamais eu l'intention de te trahir, Beau. Je voulais surtout me protéger, et oui, c'est vrai, j'avais des doutes sur ton engagement en tant que père.

Il se dirigea vers elle à pas lents, sans jamais la quitter du regard. L'étincelle du désir crépita entre eux, aussi vive que le premier soir, dans ce bar de Zurich.

Il l'enlaça et posa une main sur sa nuque.

— Je sais pourquoi tu as agi de cette façon. Cela a encore du mal à passer, mais je n'arrive pas pour autant à renoncer à toi, dit-il avant de l'embrasser.

Elle crut défaillir et dut s'accrocher à son cou pour ne pas fondre à ses pieds. Les lèvres de Beau effleurèrent ensuite ses joues, son nez, ses paupières. Comme elles revenaient se poser sur la bouche, elle murmura :

— Je suis tellement désolée !

Il scella ses lèvres d'un baiser.

Pendant toute l'heure qui suivit, ils échangèrent des messages avec les coéquipiers de Deb. Les trois hommes arrivaient à Crosstown avec assez de munitions et de matériel pour démarrer une nouvelle révolution.

Beau leur promit de les avertir dès que Zendaris fixerait le rendez-vous. Ils se mirent d'accord : s'ils avaient confirmation que Bobby se trouvait bien dans l'entrepôt, ils lanceraient l'assaut sans attendre.

— J'espère que cela se passera ainsi, déclara Deb en jouant avec la carte du service d'étage. Je n'ai vraiment pas envie de supporter un face-à-face avec ce monstre. Crois-tu que… mes partenaires seraient capables de nous cacher que Bobby est sur les lieux et d'attendre le rendez-vous pour pouvoir épingler Zendaris ?

Du pouce, il lui caressa le dos de la main.

— Je pense qu'ils feront tout ce qui est humainement possible pour sauver Bobby. Zendaris vient en second sur leur liste de priorités. Et puis, nous avons déjà les plans de l'antidrone.

Elle secoua la tête, comme pour chasser ses doutes.

— Tu as raison. Tu sais, je n'ai rejoint leur groupe que tardivement. L'un des membres de leur équipe est mort au cours d'une mission, et Jack m'a désignée pour le remplacer. En tant qu'unique femme, je me suis toujours sentie un peu à l'écart.

— Tu avais tort, ce qu'ils font aujourd'hui en est la preuve irréfutable.

Lui prenant les mains, il demanda :

— Je me trompe, ou nous avons complètement oublié de manger ?

— Entre l'alerte à l'incendie, la capture d'un faux pompier et la mobilisation des renforts, je crois en effet que nous avons été trop occupés pour penser à manger.

— D'habitude, je n'oublie jamais mon estomac…

Il se pencha vers elle et déposa un baiser sur ses lèvres.

— … ni mon appétit.

Elle lui arracha le menu des mains.

— Quand tu parles de cette façon, cela me donne l'impression que tout ce qu'on raconte sur Loki est vrai, y compris les histoires auxquelles je préfère ne pas songer.

— Elles sont complètement exagérées. Maintenant, commandons le repas.

— Nous ne pourrions pas plutôt descendre au restaurant ?

— Le menu est le même. Es-tu lasse de me contempler ?

Elle promena ses doigts sur sa mâchoire ombrée de barbe.

— Je ne m'en lasserai jamais… Mais maintenant que Damon est bien à l'abri dans le coffre de la voiture, ce serait agréable de quitter cette pièce et de s'asseoir à une table.

Ils s'installèrent donc l'un en face de l'autre, à l'une des tables du restaurant de l'hôtel.

Beau commanda un sandwich.

— On m'aurait servi le même là-haut, remarqua-t-il.

— Mais en supplément, nous avons le plaisir d'écouter le couple d'à côté se disputer, et de regarder ce bambin jeter sa nourriture.

Beau se gratta la joue.

— Bobby fait-il la même chose ?

— Parfois, oui.

Le téléphone vibra. Deb laissa tomber sa fourchette.

— Il s'agit d'un appel.

— Réponds, et dis-lui de te rappeler dans cinq minutes.

Beau fit signe qu'on lui apporte l'addition, et se fourra deux frites dans la bouche.

— Allô ?

— Avez-vous les plans ?

— Oui. Pouvez-vous me rappeler dans cinq minutes ? Je suis dans un lieu public.

Zendaris claqua la langue.

— Vous voulez dire que vous n'êtes pas cloîtrée dans votre chambre d'hôtel, en train de pleurer toutes les larmes de votre corps ?

Non, je suis occupée à vous doubler.

— Cinq minutes.

Beau posa quelques billets sur la table.

— Il t'a demandé si tu avais les plans ?

— Je lui ai dit que je les avais.

Ils remontèrent dans la chambre en courant. Juste comme ils arrivaient, le téléphone sonna de nouveau. Deb décrocha et activa le haut-parleur.

— Que voulez-vous que je fasse ?

— Rendez-vous à la station principale du métro, sur la Red Line. Quelqu'un viendra vous chercher et vous mènera auprès de votre fils. Nous procéderons à l'échange à ce moment-là.

Deb faillit rire, mais elle avait la bouche si sèche qu'elle ne produisit qu'une espèce de râle.

— Vous me prenez pour une imbécile ? Vous me tuerez et vous emparerez des plans. Non merci. Solution suivante.

Zendaris poussa un soupir.

— Vous devriez apprendre à vous fier davantage aux autres, agent Sinclair. Si je vous dis où est Bobby, comment puis-je être certain que vous ne ferez pas appel à une aide extérieure ? Vous voyez, moi aussi j'ai quelques difficultés à accorder ma confiance.

Elle leva les yeux au ciel.

— Je peux me rendre en voiture à la station de métro, et vous me ferez filer si vous souhaitez vous assurer que je suis bien seule. Je ne cherche pas à vous rouler. J'ai les plans et je veux récupérer mon fils.

— Entendu. Mais nous mettrons un véhicule à votre disposition, afin d'être sûrs qu'un dispositif de géolocalisation n'y est pas dissimulé. Une autre voiture vous précédera pour vous indiquer la route. Nous ne vous donnerons pas l'adresse. Si nous découvrons que vous êtes suivie, c'est fini.

— J'emporte mon arme, alors il vaut mieux qu'il n'y ait pas d'embrouilles, que ce soit au métro ou pendant le trajet.

— Marché conclu. Soyez à la station à 21 heures.

Dès qu'il eut raccroché, toute force la quitta. Elle s'assit par terre, tenant mollement l'appareil dans sa paume ouverte.

— Tu as réussi ! s'exclama Beau en la relevant et en la faisant tournoyer dans ses bras. Cet accord nous arrange à merveille.

Elle réussit enfin à bouger les lèvres.

— Où seras-tu ?

— J'attendrai à l'entrepôt. Nous serons tous là, Deb.

Elle se recouvrit le visage des mains et murmura :

— J'ai peur. J'ai peur pour Bobby.

— Moi aussi, mais les conditions ne pourraient être plus favorables.

— Tu as peur, toi aussi ? dit-elle en écartant les doigts.

— Affreusement. Je suis terrorisé à l'idée de ne jamais rencontrer mon petit garçon. Je redoute de te perdre. Et je crains que le grand Loki ne se montre pas à la hauteur de sa réputation.

Elle jeta les bras autour de son cou. Elle n'était pas la seule concernée dans cette histoire. Cet homme méritait de connaître son fils — le fils dont elle l'avait privé pendant deux ans.

— N'aie pas peur, Loki. Nous allons y arriver.

16

Deb était la femme la plus chanceuse au monde, pensa Beau. Il était en train d'inspecter les armes, les explosifs et le matériel que les trois coéquipiers de Deb avaient alignés sur le sol de l'entrepôt abandonné. Ces gars-là n'étaient pas venus pour plaisanter.

Ils avaient investi le hangar voisin de celui de Zendaris, s'introduisant dans la propriété grâce à un camion de livraison de nourriture. Même si quelqu'un les avait vus entrer, cela n'avait pas dû éveiller de soupçons : de nombreuses entreprises de restauration fleurissaient au pied de la prison du comté de Suffolk.

Ce n'était pas l'endroit le plus sûr pour garder un enfant, songea Beau, sauf si ce n'était pas le vôtre et que vous vous souciiez comme d'une guigne de sa sécurité et de sa santé.

Il déglutit. Abandonner Deb à l'hôtel et la laisser se rendre seule à la station de métro lui avait terriblement coûté, mais c'était une battante. En plus, elle avait une arme et savait s'en servir, se rassura-t-il.

Sa place à lui était là, avec son équipe — et quelle équipe ! Comment avait-elle pu douter ne serait-ce qu'une minute de ces hommes ?

— Avez-vous l'habitude de vous servir d'explosifs, Loki... euh... Slater ? demanda J.D.

— De certains seulement. J'ai un style plus discret.

J.D. tapota la joue de Gage Booker, le fils du sénateur.

— Ne laissons pas Gage s'en approcher de trop près. Il ne faudrait pas qu'il abîme sa jolie bouille.

Ce dernier rit.

— C'est plutôt toi qui devrais faire attention, J.D. Tu te maries bientôt.

— Oui, je devrais peut-être aller attendre dans le camion.

Tout en chargeant son pistolet, Cade Stark allongea ses jambes sur une caisse.

— Nous n'avons pas réussi à voir si Bobby était là. Dites-le bien à Deb quand tout sera fini. Nous ne sommes pas ici pour épingler Zendaris, mais pour sauver son fils.

— C'est le mien aussi.

Le silence se fit dans le petit bureau. J.D. émit un sifflement et Booker toussota.

— Zurich ?

— Elle vous l'a dit ?

Booker leva les mains.

— Elle m'a simplement dit qu'elle vous avait rencontré là-bas pendant une mission, mais à l'époque l'hôtel grouillait d'espions. Je n'ai pas fait le rapprochement quand elle a annoncé sa grossesse.

— Deb est très discrète sur sa vie privée, déclara Stark. Zendaris a également tenté d'enlever mon fils. Voilà pourquoi lui et ma femme sont en Europe en ce moment. Rien ne me ferait plus plaisir que d'arrêter cette crapule, mais votre garçon passe en premier.

— J'apprécie.

Booker caressa la lunette de son fusil de chasse.

— Vous lui avez bien dit de les attirer à l'extérieur, n'est-ce pas ?

— Oui. Zendaris n'a pas essayé de la dissuader d'emporter son arme. Mais il n'acceptera de sortir qu'à condition qu'elle y renonce.

J.D. consulta sa montre.

— Messieurs, je crois qu'il est l'heure de nous mettre en position.

Booker avait la place du tireur d'élite : il serait embusqué sur le toit de l'entrepôt d'en face. J.D. serait posté sur un autre toit, avec des explosifs. Stark était chargé de surveiller les alentours, afin de prévenir l'irruption de membres du personnel, et d'empêcher Zendaris de fuir le cas échéant.

Quant à Beau, il se tiendrait aussi près de Deb et de Bobby que possible, pour suivre en direct les événements et intervenir si les choses tournaient mal.

Jamais il n'avait avoué ses peurs comme il l'avait fait durant l'après-midi avec Deb. Elle avait une image si idéalisée de Loki qu'il s'était attendu à ce qu'elle se détourne de lui avec dégoût en apprenant à quel point il était effrayé.

Mais elle ne s'était pas détournée.

Il sortit dans la nuit. Le ciel était couvert. Un orage se préparait pour le lendemain, mais ils n'auraient pas à braver les éléments immédiatement. Une bataille à la fois, c'était suffisant.

Il longea furtivement le flanc de l'entrepôt abandonné. Les livraisons avaient cessé vers 17 heures ; deux employés de la banque alimentaire s'étaient attardés sur place pour contrôler une partie des réserves, mais tout était calme désormais. Les hommes de Zendaris ne s'attendaient pas à voir qui que ce soit sur les lieux.

L'entrepôt du truand était protégé par une clôture grillagée. Beau se coucha sur le ventre et se mit à ramper vers une benne à ordures malodorante, placée à quelques mètres des portes.

Puis il attendit.

Plusieurs fois au cours du trajet, Deb, les mains moites de sueur, avait failli lâcher le volant, surtout lorsque son guide avait tourné dans une autre direction que Crosstown. Elle laissa échapper un soupir de soulagement quand ils traversèrent enfin le portail de la zone d'activité.

Elle parcourut du regard les silhouettes sombres des entrepôts disséminés sur la propriété. Ses coéquipiers étaient-ils déjà là ? Beau les avait qualifiés de « frères d'armes ». S'ils étaient réellement là, elle ne douterait plus jamais d'eux.

Bien sûr, elle les menait tout droit à Zendaris et aux plans de l'antidrone, deux choses qu'ils convoitaient.

Son guide s'arrêta au pied d'un entrepôt aveugle. Elle frissonna. Etait-ce là qu'ils retenaient Bobby depuis tout ce temps ?

Elle se gara derrière lui, posa les plans sur le siège arrière et descendit de la voiture, serrant fermement son arme dans sa main. Deux lampadaires baignaient d'une lumière jaune le sol en ciment. Bien. Ils ne pourraient pas refuser de sortir sous prétexte qu'il faisait trop sombre.

« Reste dehors », lui avait recommandé Beau.

Le conducteur de la voiture ne prononça pas un mot. Il se campa devant le bâtiment, les bras croisés. S'agissait-il du remplaçant de Damon ? Zendaris s'était-il demandé ce qui était arrivé à son homme de main ?

Celui-ci était probablement en train d'être interrogé par un agent de la CIA. Beau avait abandonné la voiture avec Damon à l'intérieur, quelque part près de Roxbury, et il en avait informé Jack. Faisant preuve de bonne volonté, ce dernier avait décidé de laisser la CIA disposer de Damon en premier.

Une troisième voiture passa le portail en trombe et éteignit ses phares. Deb recula d'un bond tandis que le véhicule se garait à côté du sien dans une embardée.

Le conducteur sauta à bas de son siège et ouvrit la portière arrière. Un homme mince, de taille moyenne, émergea de la berline noire en tirant sur les pans de sa veste de costume. Même de là où elle se trouvait, son parfum la cerna.

Il ajusta ses lunettes noires sur son nez, toucha du bout des doigts son chapeau de feutre et sourit.

— Agent Sinclair. Puis-je vous appeler Deb ? J'ai l'impression qu'il existe un lien spécial entre nous.

— Et moi, d'avoir un mauvais goût persistant dans la bouche.

Elle leva son arme.

Il laissa échapper un petit rire.

— J'avoue que je préfère les femmes plus… douces, mais

vous devez être une affaire au lit. Peut-être pas si bonne, d'ailleurs, puisque le père de votre enfant vous a plaquée. Vous en connaissez un rayon sur l'abandon, pas vrai, Deb ? Pensez, si les circonstances avaient été différentes, si ce vieux marine ne vous avait pas ramenée sur le droit chemin, vous auriez pu travailler pour moi.

Il avait choisi la mauvaise tactique, pensa-t-elle. Les insultes ne faisaient que la rendre plus forte, plus féroce. S'il aimait les femmes douces, il allait être déçu.

— Où est mon fils, espèce de vermine ?

— Où sont mes plans, sale chienne ?

— Je ne vous donnerai ni les plans ni mon arme avant d'avoir vu mon fils, sale chien.

Il étendit le bras.

— Il est à l'intérieur. Je vais vous emmener le voir. Prenez les plans avec vous. Quand je serai certain qu'ils sont authentiques, je vous rendrai votre sale morveux.

— Non. Je ne mets pas les pieds dans un traquenard. Amenez-le ici. Je l'installerai dans la voiture et je vous donnerai ce que vous voulez.

Il se caressa le menton. On aurait dit qu'il lissait une barbe en pointe — la barbiche du diable. Par le passé, il avait envoyé des émissaires qui se faisaient passer pour lui, mais cette fois, elle avait affaire au vrai Zendaris, elle en était sûre.

Il claqua des doigts pour attirer l'attention de l'homme posté près de l'entrée.

Au soulagement de Deb, le larbin pivota sur ses talons et déverrouilla la porte. Il disparut à l'intérieur et revint quelques minutes plus tard, suivi d'un homme noir plus âgé — l'individu qui s'était fait passer pour Robert, probablement — portant Bobby dans ses bras.

Elle dut rassembler toute sa volonté pour ne pas courir vers lui. Son arme était toujours braquée sur Zendaris, et elle ne voulait pas perdre cet avantage.

— Pourquoi mon fils ne bouge pas ?

— Il est juste endormi. Il va bien.

— Réveillez-le.

L'homme secoua légèrement Bobby, qui leva la tête et remua bras et jambes.

Elle respira de nouveau.

— Posez-le et laissez-le me rejoindre.

— Attendez ! intervint Zendaris. C'est moi qui donne les ordres. Vous me menacez toujours avec votre pistolet et je n'ai pas les plans. Vous pourriez vous emparer du gosse et m'abattre.

— Vos hommes me tiennent en joue, répliqua-t-elle en haussant les épaules. Si je tirais sur vous, ils me tueraient ou tueraient Bobby. Je ne prendrai pas ce risque.

— On se croirait dans un duel à la mexicaine, non ?

De nouveau, il claqua des doigts.

— Exécution. Je veux mes plans.

L'homme posa Bobby, qui cligna des paupières et se frotta les yeux. Sans cesser de viser Zendaris, elle appela :

— Bobby, c'est maman ! Viens me voir.

— Maman !

Il courut vers elle, ses petits pieds claquant sur le sol. Il se jeta contre elle et lui enlaça les jambes. Deb n'avait qu'une envie, le prendre dans ses bras. Mais la farce n'était pas encore terminée.

Zendaris tendit la main.

— Les plans. Ou je vous fais vraiment abattre tous les deux avant que vous ayez eu le temps de dire ouf.

Une balle fendit l'air en sifflant. Zendaris ouvrit la bouche, éberlué.

Les choses sérieuses commencent, se réjouit Deb. Elle recula d'un pas.

Une silhouette surgit de derrière la benne à ordures.

— Baisse-toi, Deb ! hurla Beau.

D'un seul mouvement, il souleva Bobby de terre et les plaqua au sol. Il y eut de nouveaux sifflements au-dessus de leurs têtes. Un moteur démarra, puis cala.

Continuant à leur faire un rempart de son corps, Beau les

entraîna à quelques mètres de distance et jeta un coup d'œil par-dessus son épaule.

— Combien étaient-ils ?

— Il y avait Zendaris, répondit-elle.

— A terre.

— Le conducteur.

— A terre.

Comme il parlait dans le micro accroché à sa veste, elle comprit : il ne s'adressait pas seulement à elle.

— L'homme qui tenait Bobby dans ses bras, ajouta-t-elle.

Une voix répondit dans l'écouteur de Beau.

— Il est rentré dans l'entrepôt. J.D., lance les fumigènes !

— Et mon guide ! cria-t-elle pour couvrir le soudain vacarme, tout en essayant de protéger les oreilles de Bobby.

— A terre.

Cade — ce devait être lui — déclara :

— Quelqu'un est en train de franchir le portail.

— Danger écarté ! cria quelqu'un d'autre.

— Vérifiez. Vérifiez que le danger est écarté, prononça Beau dans son micro.

Personne ne répondit. Le signal ne passait plus.

La porte de l'entrepôt vomissait une fumée noire. Deb ferma les yeux. C'était fini. Le cauchemar était enfin terminé.

— Zendaris debout, Zendaris toujours en vie, fit une voix au-dessus de leur tête.

Deb leva les yeux avec une exclamation étranglée, et Beau se dressa sur son séant, se retrouvant nez à nez avec le canon de l'arme de Zendaris.

Appuyé à la voiture, celui-ci se servait de la portière ouverte comme d'un bouclier pare-balles. Mais il n'y aurait pas d'autres balles, parce que J.D, Gage et Cade, persuadés que le drame était terminé, avaient quitté leurs postes.

— Qui diable êtes-vous ? questionna-t-il, s'adressant à Beau.

— Juste un passant curieux.

— Ou, plus probablement, un autre robot de la Prospero. Avez-vous ces plans, Deb ?

— Oui.

L'arme dont elle avait menacé le malfrat avant que cela ne se mette à chauffer était coincée sous sa hanche. Elle se décala légèrement pour que Beau puisse s'en saisir.

— Les plans sont dans la voiture, mais vous ne pourrez jamais partir avec, reprit-elle. Mes coéquipiers seront là d'ici à quelques secondes.

— C'est possible, mais je vais tout de même tous vous refroidir avant de m'en aller, en commençant par vous.

Un reflet métallique passa devant elle. En un éclair, Beau avait dégainé et s'était jeté devant elle et leur fils. Deux coups de feu retentirent dans la nuit, et Bobby poussa un gémissement dans ses bras.

Beau s'écarta d'elle en roulant sur lui-même, puis s'accroupit à côté d'elle.

— Ça va ?

Elle se redressa avec effort et assit Bobby sur ses genoux. Touchant le visage de Beau, elle murmura :

— Et toi ?

Du bout de son arme, il désigna le corps recroquevillé sur le sol.

— Maintenant, oui.

Gage arriva en courant. Se dirigeant vers Zendaris, il éloigna l'arme de celui-ci d'un coup de pied.

— Que s'est-il passé ? Comment a-t-il pu survivre avec une balle dans le cœur ?

Beau se leva et tendit la main à Deb.

— Gilet pare-balles. Il est tombé quand tu as tiré — le choc a même dû lui couper le souffle — mais le gilet lui a sauvé la vie.

— Fichu chapeau. Je ne pouvais pas viser la tête.

J.D. et Cade les avaient rejoints. Ils examinaient les armes et tâchaient d'identifier les hommes à terre.

— Tout le monde y est, apparemment.

Deb caressa le visage de Bobby.

— Ça va, mon amour ?

Il hocha la tête.

— Où t'étais, maman ?

— J'essayais de te ramener à la maison.

Beau lui toucha le bout du nez.

— Tu ne le savais pas, Bobby ? Ta maman est une Superwoman.

Epilogue

La brise légère fit frissonner le tapis de fleurs sauvages. La mariée avançait le long du pré d'une démarche aérienne, sa robe blanche flottant derrière elle.

Deb avala une gorgée de champagne, et les bulles lui chatouillèrent la gorge.

— Allons féliciter les mariés, dit-elle.

Elle prit la main de Bobby et passa son bras sous celui de Beau. La foule s'écarta pour les laisser passer, tandis qu'il la guidait vers J.D. et sa nouvelle épouse, Noelle. La foule s'écarterait toujours devant Loki, songea Deb.

Elle embrassa Noelle sur la joue et serra J.D. dans ses bras.

— Et voilà, cow-boy. Tu es un homme marié. Vas-tu t'établir dans le Colorado ?

— Nous allons probablement retourner vivre à Washington dans un premier temps. Cette propriété est celle de mon beau-frère. Nous sommes restés ici quelque temps pour l'aider.

Il baisa la main de sa femme.

Tel un aimant, leur petit groupe attira les autres coéquipiers de Deb. Gage, qui aurait pu poser en couverture d'un magazine de mode, s'approcha avec une beauté brune — l'ancienne nounou de Zendaris. Cade et sa femme, une jolie blonde hâlée aux cheveux décolorés par le soleil, les rejoignirent également, leur petit garçon gambadant devant eux.

Deb contemplait leurs visages. Robert était parti, mais elle avait quand même une famille. Ces hommes étaient ses frères, et elle pouvait aveuglément leur confier sa vie et celle de son fils. Elle aurait dû s'en rendre compte plus tôt.

Ils restèrent silencieux un instant, certainement conscients qu'un lien spécial les unissait. Il y avait entre eux davantage que la solidarité d'une équipe : il y avait l'amour. Ils demeuraient immobiles, comme pour mieux s'en imprégner.

Puis ils se mirent à parler tous à la fois.

Cade trinqua avec Deb.

— Je suppose que nous devrions être reconnaissants envers Zendaris de t'avoir menée tout droit aux plans de l'antidrone. Le Dr Herndon s'apprêtait probablement à les vendre.

— Et à présent, ils sont entre les mains du ministère de la Défense, déclara J.D. en passant son bras autour des épaules de la mariée.

Gage pouffa.

— Je préfère que ce soit eux qui les aient, plutôt que la CIA. Vous auriez dû voir leur quartier général à Panama.

— C'est un mariage… On arrête de parler boutique, intervint Jenna, l'épouse de Cade.

Elle ébouriffa les cheveux de Bobby et sourit à Deb.

— Il est si mignon ! Est-ce qu'il va mieux ?

— Il est plus fort de jour en jour, grâce à son papa, répondit Deb en caressant le dos de Beau.

Il lui prit la main et baisa ses doigts, avant de se replonger dans sa conversation avec Randi, l'amie de Gage.

Le fils de Jenna, Gavin, tira la main de sa mère.

— Je veux aller là-bas, maman ! Il y a des chevaux.

Jenna posa un doigt sur ses lèvres.

— Juste une minute, Gavin. Veux-tu que j'emmène ton fils aussi, Deb ? Le mien est impatient d'aller salir ses beaux vêtements !

Deb s'accroupit près de Bobby.

— As-tu envie d'aller voir les chevaux avec Gavin et sa maman ?

— Papa peut venir ?

— Il arrive dans une minute. Va jouer avec Gavin.

Jenna prit les deux garçons par la main et s'éloigna en criant à Cade de les rejoindre. J.D. et Noelle retournèrent danser avec leur famille, et Gage entraîna Randi vers le champ de fleurs.

Beau fit un geste du menton en direction de son fils, qui jouait près des Stark.

— Il est beau, non ?

— Il est beau, et il est en bonne santé, répondit Deb. Les transfusions ont merveilleusement bien fonctionné.

Elle noua ses bras autour de son cou et l'embrassa.

— Il est si heureux d'avoir son papa !

— Et son papa est content d'être là. Bobby a tout naturellement trouvé sa place parmi ses cousins, tu ne trouves pas ?

— Ta famille lui a complètement tourné la tête. Il réclame déjà dix frères et sœurs.

Il l'attira contre lui et lui murmura à l'oreille :

— Veux-tu que nous exaucions sa demande, là, tout de suite ?

— Nous pouvons commencer à nous entraîner, mais attendons tout de même quelques années avant de créer une autre merveille. Tu envisages sérieusement d'accepter la proposition de Jack et d'intégrer la Prospero ?

— En effet.

Elle l'embrassa.

— Je te recommande avec chaleur.

— Merci, mon ange. Tu es la mieux placée pour cela, car tu connais presque tous les exploits de Loki.

— Je ne veux pas les connaître *tous*, dit-elle en posant un doigt sur ses lèvres sensuelles.

Elle devait se retenir pour ne pas les embrasser tout le temps.

— Vraiment ? Parce qu'il y en a un dont je ne t'ai pas encore parlé.

— Fais attention à toi !

— T'ai-je raconté la fois où j'étais dans un bar à Zurich ?

Elle inclina la tête sur le côté.

— Hum, je ne crois pas.

— Donc, j'étais dans ce bar à Zurich, en train de me détendre après une mission particulièrement périlleuse…

— Fascinant.

— Et mon regard a croisé celui de la femme la plus intriguante que j'aie jamais rencontrée.

— Tout cela s'annonce bien dangereux.

— Tu n'as pas idée.

— Que s'est-il passé ? Tu as fini par découvrir qu'il s'agissait d'un agent double ? Cela s'est terminé en course-poursuite sur une route de montagne ?

— Il s'agit de quelque chose de bien plus effrayant.

Il dessina le contour de ses lèvres du bout du doigt.

— Je suis tombé amoureux d'elle.

ELLE JAMES

Une cible dans la brume

BLACK ROSE

HARLEQUIN

Titre original : CHRISTMAS AT THUNDER HORSE RANCH

Traduction française de HERVE PERNETTE

1

Temps calme, survol des grandes plaines, nuages en approche : tout était enregistré.

Dante finit de lire sa fiche de préparation de vol puis leva les yeux. On annonçait de la neige sur le Dakota du Nord.

C'était un drôle de mois de décembre. D'habitude, les premiers flocons tombaient à Thanksgiving et le manteau blanc tenait jusqu'en avril. Cette année, il avait neigé à Halloween mais les flocons avaient vite fondu et le sol n'était toujours pas gelé.

Cependant, là, le thermomètre était bas et les nuages s'amoncelaient rapidement. Une bonne couche recouvrirait probablement le secteur. Les enfants de Grand Forks seraient tout excités. Les vacances allaient débuter et, au bout du compte, ils auraient leur Noël blanc.

A cette idée, Dante ne put retenir un sourire.

Il était à une cinquantaine de kilomètres de sa base et survolait la frontière entre le Canada et les Etats-Unis. En tant qu'agent de surveillance des frontières, il était en mission. On avait signalé un possible franchissement illégal de la frontière. Un fermier avait affirmé avoir vu une motoneige en provenance du Canada traverser un de ses champs.

Il s'agissait certainement de quelqu'un qui faisait une balade et qui avait franchi la frontière sans s'en apercevoir. Mais Dante devait s'en assurer.

A priori, ce n'était pas une mission dangereuse. Il n'y avait rien de commun entre ce qui se passait à la frontière avec le Canada et celle avec le Mexique. La plupart du temps, quand il sortait en hélicoptère, il pouvait profiter du paysage et parfois observer un élan ou même un ours.

Chris Biacowski, son habituel copilote, avait dû garder le lit à cause de la grippe.

Mais voler seul ne le dérangeait pas. En général, il aimait le calme et la solitude. Sauf quand il se mettait à ruminer le passé et à imaginer ce que sa vie aurait pu être si les événements avaient pris un tour différent.

Trois ans auparavant, il faisait partie de l'armée et était en mission à l'étranger. Il était fiancé à Samantha Olson, elle aussi militaire. Elle avait le grade de capitaine et était stationnée dans une autre base. Chaque fois qu'il avait une permission, il allait la voir. Ils envisageaient de se marier et réfléchissaient à leur prochaine demande d'affectation.

Hélas, le destin avait frappé : lors d'une sortie, Samantha avait été victime d'un grave accident de la route. Trois des quatre personnes qui avaient pris place dans le véhicule militaire étaient mortes sur le coup. Samantha avait été transportée à l'hôpital mais elle avait perdu trop de sang et n'avait pas survécu non plus.

Depuis, il ne cessait de repenser au fil des événements. Le jour du drame, il était en permission, mais il avait préféré rester auprès d'un de ses hommes blessé qui devait subir une intervention chirurgicale. Il voulait s'assurer que tout se passerait bien. Si, au lieu de cela il était allé rejoindre Samantha, aurait-elle participé à cette sortie fatale ?

Cela faisait trois ans jour pour jour qu'elle était morte. Comme Chris était malade, il n'avait pas eu d'autre choix qu'assurer la mission mais, de toute façon, il était mieux là que chez lui, à se battre contre ses souvenirs.

Il avait passé ces trois années rongé par le remords, à regretter de ne pouvoir remonter le temps. Comment aller de l'avant quand l'absence de Samantha le faisait tant souffrir ?

Il n'y avait que dans les airs qu'il se sentait mieux : tout près du paradis, et donc de Samantha.

Alors qu'il approchait de la zone où l'intrusion avait été

signalée, un mouvement au sol attira son attention. Une forme sombre émergeait d'un bosquet. Un homme sur une motoneige. Le véhicule s'arrêta au milieu d'un champ et l'homme mit pied à terre.

Dante descendit et décrivit des cercles pour déterminer ce que l'individu faisait. Au moment où il plaçait son micro pour se mettre en liaison avec sa base, l'homme défit à l'arrière de sa motoneige ce qui ressemblait à un tuyau. Il adapta un autre appareil dessus.

Soudain, Dante comprit et son sang se glaça. Il tira sèchement sur son levier de commandes pour remonter le plus vite possible. Mais il était trop tard.

L'homme au sol lança une roquette.

Dante vira sur la gauche mais la roquette toucha la queue de l'appareil. Celui-ci se mit à vaciller de droite à gauche. Dante fit de son mieux pour le maintenir stable mais le rotor arrière avait certainement été détruit. Il devait atterrir au plus vite et réussir à maintenir l'hélicoptère droit. Sinon, les pales risquaient de toucher le sol en premier et ce serait la catastrophe.

Il descendait très vite, et les secousses rendaient ses mouvements difficiles. Il parvint à couper les moteurs alors qu'il n'était plus qu'à une dizaine de mètres d'altitude, mais l'appareil n'était pas suffisamment droit. Une pale toucha le sol, se brisa et en percuta une autre. Dante fut maintenu en place par son harnais. Il leva une main pour se protéger les yeux des fragments des pales brisées qui frappaient le cockpit. Finalement, l'hélicoptère bascula de côté et s'immobilisa.

Suspendu par son harnais, Dante chercha son micro : pouvait-il signaler sa chute ? Non, la radio ne produisait plus aucun son.

Il se débarrassa de ses écouteurs. Le vent froid lui frappa le visage à travers les vitres brisées et une odeur de carburant lui titilla désagréablement les narines.

En fond, un bruit de moteur approchait. Le type qui lui avait tiré dessus venait-il finir le travail ?

Il gigota pour détacher les sangles de son harnais et parvint à s'en défaire. Son épaule gauche le faisait souffrir mais il serra les dents, tenta d'ouvrir la porte côté passager. Il réussit à la pousser. Malheureusement, elle se rabattit avec force et faillit lui écraser les doigts en se refermant. Il la repoussa moins brusquement, et, cette fois, elle resta ouverte.

Il se redressa puis passa la tête dehors. Mais il n'eut pas le temps de faire le point sur la situation : une balle fusa tout près de lui et se logea dans le fuselage de l'appareil.

Il se baissa. Une motoneige était garée à une centaine de mètres. Le conducteur se tenait en appui sur le guidon, un fusil entre les mains. Dante déglutit. Il était pris au piège : s'il bougeait, il serait à découvert, s'il restait dans l'appareil, une balle le ferait exploser.

Dans sa vision périphérique, une étincelle se transforma soudain en flamme orange. En quelques secondes, l'hélicoptère se retrouva derrière un mur de feu.

Malgré le crépitement des flammes, le moteur de la motoneige résonna de nouveau au loin.

Combien de temps pouvait-il encore rester là sans bouger ? La chaleur des flammes le brûlait déjà au visage. Il fallait qu'il sorte, coûte que coûte.

Il se redressa et se glissa à l'extérieur du mieux possible, malgré son épaule douloureuse. Il tomba dans une flaque de carburant et, très vite, le feu fut après lui. Il ne pouvait pas l'étouffer. Il roula sur le dos pour s'éloigner puis descendit rapidement la fermeture de sa combinaison pour s'en extirper.

Une balle siffla encore une fois tout près de lui. Ne portant plus que ses sous-vêtements thermiques, il rampa dans la neige pour ne pas constituer une cible facile.

Mais il n'avait rien pour se défendre. Comment allait-il s'en sortir ?

*
* *

Emma avait passé la matinée emmitouflée dans ses épais vêtements. Il faisait de plus en plus froid. Trois jours plus tôt, il était tombé vingt centimètres de neige et, cette fois, même si le sol n'était pas encore gelé, les flocons allaient tenir, d'autant plus qu'une nouvelle tempête était annoncée pour la soirée.

Mais elle ne voulait pas laisser tomber : elle était tout près du but, elle le sentait. Et plus elle attendait, plus le sol risquait de geler et de devenir aussi dur que du béton.

Les fouilles avaient commencé à l'été. Elle était arrivée en même temps que l'équipe de paléontologues et d'étudiants, et avait planté sa tente à proximité du site. Le succès avait été au rendez-vous : des vertèbres puis la mâchoire inférieure d'un tyrannosaure rex.

Mais à la reprise des cours de l'université du Dakota du Nord, tout le monde avait quitté les lieux. Sauf elle. Elle venait tous les week-ends pour trouver le crâne. Elle y tenait plus que tout. Et lorsque les vacances d'hiver avaient commencé et qu'elle n'avait plus eu de cours à donner, elle était revenue avec sa caravane, pour démonter sa tente et continuer les recherches. Elle avait seulement besoin d'encore un petit peu de temps pour le trouver. Si la météo le lui permettait…

Certains doutaient que, cette année, il y ait de la neige à Noël, mais pas elle. A vingt-six ans, elle avait toujours vécu dans le Dakota du Nord et, aussi loin qu'elle se souvienne, la neige n'avait jamais fait défaut pour les fêtes de fin d'année. Et la tempête annoncée ne lui laissait que quelques heures.

Elle était absorbée par son travail quand, soudain, le vrombissement d'un hélicoptère lui fit lever la tête et consulter sa montre. Il était plus tard qu'elle ne le pensait et le jour allait bientôt décliner.

A regret, elle lâcha son outil puis remit en place la bâche sur la zone de fouilles. Le ciel commençait à se couvrir, la lumière baisserait d'autant plus vite.

Le bruit des pales attira de nouveau son attention et elle

observa le ciel. A quelques centaines de mètres, un hélicoptère décrivait des cercles au-dessus d'une prairie.

D'où elle était, à cause du relief, elle ne comprenait pas ce qui provoquait l'attitude de l'hélico, mais en tout cas, il s'agissait d'un appareil du service de surveillance des frontières.

Ce service disposait d'une base à Grand Forks et elle connaissait d'ailleurs Dante Thunder Horse, l'un des pilotes, car il avait assisté à quelques cours du soir à l'université. Un natif américain, très séduisant, qu'elle avait tout de suite remarqué quand il avait traversé le campus de sa démarche souple et assurée.

Durant un trimestre, il avait assisté à son cours d'anthropologie. De temps en temps, ils discutaient même à la sortie de l'amphithéâtre et, un jour, il avait fini par lui proposer d'aller prendre un café. Malgré sa timidité avec les hommes, elle avait trouvé le courage d'accepter. Ils avaient passé un très bon moment et s'étaient bien entendus.

Ensuite, plus rien. Il ne lui avait pas proposé de reprendre un café avec lui et, une fois le trimestre terminé, elle ne l'avait plus revu. Elle en avait conçu un peu de déception mais c'était à la fin du printemps et, après, elle avait été très occupée tout l'été par le chantier de fouilles et n'avait pas eu le temps d'y repenser.

De toute façon, les relations avec la gente masculine n'avaient jamais été son fort, la plus longue qu'elle ait connue ayant duré deux mois. Elle était tellement timide que les hommes perdaient patience avec elle.

Etait-ce justement Dante qui pilotait cet hélicoptère ? Ç'aurait été un sacré hasard mais le site de fouilles se situait non loin de la frontière avec le Canada. Un appareil du service de surveillance des frontières pouvait tout à fait patrouiller dans le secteur.

Après quelques secondes, elle tourna les talons pour rejoindre sa tente. Mais un sifflement soudain suivi d'une explosion la firent sursauter. L'hélicoptère tournoya sur lui-même, puis chuta rapidement. Un panache de fumée s'échappait de sa queue. Il continua à descendre jusqu'à sortir de son champ de vision. Un choc sourd résonna.

Elle fut horrifiée. L'hélicoptère s'était certainement écrasé. Ils étaient en pleine campagne et des secours ne pourraient pas arriver sur place plus rapidement qu'elle.

Aussi, elle oublia sa tente et se précipita vers l'arrière de sa caravane où elle avait fixé sa motoneige. Elle l'avait emportée au cas où les chemins deviendraient trop impraticables pour qu'elle puisse accéder au site avec sa camionnette. Mais, finalement, elle n'en avait pas eu besoin.

Elle détacha l'engin, le chevaucha et pria pour pouvoir démarrer. Elle pressa le starter. Le moteur toussa quelques secondes puis se coupa. Elle le relança et, cette fois, il se mit en route. Sans attendre, elle prit la direction du lieu de l'accident. A mesure qu'elle approchait, des flammes se détachaient sur le ciel et un panache de fumée y montait.

Le cœur battant, elle progressa aussi vite que possible.

Quand elle atteignit le sommet de la colline qui dominait la prairie où était tombé l'engin, elle redouta le pire : l'hélicoptère était couché sur le flanc et cerné par les flammes.

Elle se lança dans la pente. Avec un peu de chance, le pilote avait pu s'extirper du cockpit. Du moins, elle l'espérait.

Tandis qu'elle approchait, une autre motoneige se dirigea vers l'hélicoptère. *Tant mieux*, se dit-elle. Elle ne devait pas être la seule à avoir assisté au crash et, à deux, ils pourraient secourir le pilote plus efficacement. Elle fit de grands signes de la main pour attirer l'attention de l'autre motoneige. En vain.

Toutefois, ce second engin ralentit, le conducteur souleva la visière de son casque, posa sur le guidon ce qui ressemblait à un fusil et visa une tache sombre dans la neige à proximité des flammes qui entouraient l'hélico.

Emma plissa les yeux, le fixant intensément pour comprendre ce qu'il faisait. Un coup de feu retentit, et elle tressaillit. La forme dans la neige se déplaçait.

Tout en gardant son fusil posé sur le guidon, le conducteur

de la seconde motoneige se rassit et avança lentement en direction de cette forme : c'était un homme qui rampait.

Emma poussa un gémissement d'horreur.

Ce type tirait sur un homme au sol !

N'écoutant que son instinct, elle accéléra et fonça droit sur la seconde motoneige. Elle arrivait de biais et, si le conducteur ne tournait pas la tête, il ne la verrait pas.

Elle n'avait pas d'arme, elle ne disposait que de sa motoneige et de sa présence d'esprit, mais l'homme au sol, lui, n'avait aucune chance si elle n'intervenait pas.

Elle n'avait pas d'autre plan que foncer sur ce type au fusil en espérant le mettre en déroute.

Celui-ci comprit qu'elle venait droit sur lui seulement quand elle fut à une vingtaine de mètres. Il se tourna et pointa alors son fusil sur elle.

Elle accéléra à fond. Il fit feu et une balle siffla près d'elle. Au dernier moment, elle donna un coup de guidon pour ne pas percuter la motoneige de face. Elle tapa contre le flanc gauche et la secousse suffit à faire gicler le fusil des mains du conducteur.

Elle ralentit et donna un brusque coup de guidon pour faire pivoter son engin et être de nouveau face à l'autre motoneige.

Mais, désarmé, le conducteur était déjà reparti dans la direction opposée et s'éloignait de l'hélicoptère en feu et de l'homme au sol.

Elle le suivit du regard quelques secondes pour s'assurer qu'il ne reviendrait pas puis se dirigea vers l'homme qu'elle devait secourir.

Elle s'arrêta à côté de lui et coupa le moteur.

L'homme était allongé à plat ventre dans la neige, seulement vêtu de sous-vêtements thermiques et avec une méchante éraflure à l'épaule gauche.

Elle se pencha sur lui et tendit la main pour le retourner.

Mais il fut tellement rapide qu'elle n'eut pas le temps de comprendre ce qui s'était passé. L'homme avait fait volte-face, lui avait saisi le poignet et elle se retrouva à son tour à plat ventre dans la neige, les mains dans le dos, immobilisée.

Elle ne pouvait plus s'échapper.

— Lâchez-moi ! s'exclama-t-elle.

Mais elle avait le visage dans la neige et son cri fut étouffé.

Elle se tortilla pour se retourner mais l'homme lui posa le coude au milieu du dos et la maintint à plat ventre.

— Pourquoi avez-vous tiré sur mon hélicoptère ? lui demanda-t-il, d'une voix menaçante mais vaguement familière.

— Ce n'est pas moi, protesta-t-elle, c'est l'autre type qui s'est enfui !

Il se mit à la palper : son dos, ses jambes, son ventre. Quand il atteignit ses seins, il se figea.

— Hé, bas les pattes ! protesta-t-elle de nouveau.

Il la saisit par les épaules et la fit rouler sur le dos. Elle se retrouva face à de grands yeux d'un vert profond qui la fixaient.

— Dante ?

— Emma ?

Il secoua la tête, l'air abasourdi.

— Mais qu'est-ce que vous fichez ici ?

2

— Eh bien, vous vous doutez que je ne suis pas venue pique-niquer, répliqua-t-elle avec une once de sarcasme.

Dante observa la jolie professeure qu'il avait rencontrée quand il avait décidé de reprendre quelques cours à l'université, pour éventuellement passer un master.

Elle le regardait également, de ses beaux yeux couleur chocolat.

— Que vous est-il arrivé ? s'enquit-elle. Pourquoi ce type vous tirait dessus ?

— Je n'en sais rien. Vous avez vu son visage ?

— Non, tout s'est passé trop vite et de toute façon il n'a pas complètement ôté son casque. Quand je l'ai repéré, je croyais qu'il venait lui aussi à votre secours. Ensuite, je l'ai vu vous tirer dessus. J'ai foncé tout droit, j'ai percuté sa motoneige et il a perdu son arme. Puis il s'est enfui.

— Vous avez pris de très gros risques, Emma. Vous n'auriez pas dû vous mettre en danger.

— J'aurais dû faire quoi alors ? Le regarder vous tuer sans réagir ?

Dante poussa un soupir.

— Heureusement, il n'a pas retourné son arme contre vous. Je vous dois une fière chandelle, merci de votre intervention.

Il se remit laborieusement debout et tendit la main à Emma pour l'aider à se relever.

— Ce type a tiré une roquette pour abattre mon hélico et, si vous n'étiez pas arrivée, il aurait terminé le boulot, ajouta-t-il.

Une bourrasque glacée le fit frissonner. Il ne portait que des sous-vêtements de survie. et serra les dents pour ne pas trembler plus encore.

Emma secoua la neige de son pantalon et de sa doudoune.

— Où sont vos vêtements ?

— Je suis tombé dans une flaque de carburant quand je me suis extirpé de l'hélico et j'ai dû me débarrasser de ma combinaison pour ne pas brûler vif, expliqua-t-il en tournant les yeux vers les flammes. Nous ne devons pas rester là : si les flammes atteignent le réservoir, il pourrait y avoir une explosion.

Il monta sur la motoneige.

— Prenez ma doudoune car vous devez être gelé, proposa Emma.

Déjà, elle descendait la fermeture Eclair.

Il leva la main pour l'arrêter.

— Gardez-la. Je peux encore tenir un petit moment et c'est inutile que nous soyons deux à avoir froid.

De la tête, il l'invita à s'installer devant lui.

— Je ne sais pas d'où vous venez mais j'espère qu'il y fait plus chaud.

Elle afficha une moue contrariée mais ne discuta pas. De toute façon, ce n'était pas le moment de perdre du temps, songea Dante.

Tandis qu'elle pressait le bouton de démarrage, il lui passa les bras autour de la taille et se serra contre son dos pour se protéger du vent.

Mais, malgré la chaleur qu'Emma dégageait, la morsure du froid était intense et, à peine avaient-ils parcouru cinquante mètres qu'il claquait des dents. Quand ils eurent atteint le sommet de la colline qui dominait le lieu du crash, il ne sentait plus ses doigts.

Au loin, il y avait une tente, une camionnette et une caravane fixée à l'arrière. Il fut impatient de l'atteindre et de pouvoir se mettre au chaud.

Emma se gara à côté de la caravane et s'empressa de

descendre. Puis elle l'invita à passer un bras autour de ses épaules, l'aidant à y entrer. Il ne faisait pas beaucoup plus chaud qu'à l'extérieur mais, au moins, ils étaient à l'abri du vent. La caravane était meublée d'un lit, d'un évier, d'un petit réfrigérateur et d'un coin salle de bains.

— Asseyez-vous, dit Emma en se dirigeant vers le lit.

Elle lui ôta ses bottes, lui posa une couverture et un édredon sur les jambes, puis lui tendit un gant de toilette sec.

— Maintenez-le contre votre épaule car vous saignez.

— Oui, madame, répondit-il avec un sourire.

Elle fronça les sourcils.

— Restez là, je vais mettre le groupe électrogène en marche.

Elle ouvrit la porte et une bourrasque d'air froid s'engouffra à l'intérieur.

— Soyez prudente, l'avertit-il entre deux claquements de dents.

— Promis, fit-elle avant de refermer derrière elle.

Il resserra la couverture autour de lui. Un sentiment de culpabilité l'envahissait : *il* aurait dû sortir, pas Emma.

Au bout de cinq minutes, comme elle ne revenait toujours pas, il se leva, la couverture sur les épaules, et décida d'aller la rejoindre.

Il tendait la main pour atteindre la poignée quand la porte s'ouvrit en grand.

Emma sursauta. Elle ne s'attendait certainement pas à se retrouver face à lui. Ses cheveux noirs étaient constellés de flocons de neige.

— Le groupe électrogène est en panne.

— Je vais aller y jeter un œil.

Elle fit non de la tête et referma la porte.

— C'est inutile.

— Pourquoi ?

— L'arrivée de fioul est fichue.

Elle brandit le tuyau percé et lui fit signe de rejoindre le lit.

— Retournez sous les couvertures. Nous avons quand même une petite gazinière pour nous réchauffer. Ce ne serait pas prudent de la laisser marcher toute la nuit mais je vais l'allumer un moment.

— Pourquoi ne pas partir, tout simplement ?

— Il fait presque nuit et il commence à neiger fort. Je pouvais tout juste voir ma main devant mon visage. Par ici, c'est déjà dur de trouver son chemin en plein jour, alors je ne me sens pas prête à me lancer de nuit par blizzard.

— Je dois alerter ma base, annonça-t-il. Avez-vous une radio ou un téléphone portable ?

— J'ai un portable, oui, mais, par ici, il n'y a pas de réseau.

Il étouffa un juron : il tremblait de tous ses membres, avait mal à la tête et voyait légèrement trouble.

— Il faut que je rentre.

— Demain. Maintenant, retournez au lit avant de vous effondrer. Je suis assez costaude mais pas suffisamment pour porter un grand balaise comme vous.

Dante laissa Emma l'aider à rejoindre le lit et à s'allonger. Quand elle rabattit la couverture sur lui, il lui attrapa la main et y déposa un léger baiser. Leurs regards se croisèrent.

— Merci de m'avoir sauvé la vie.

Elle rougit et détourna les yeux.

— Vous en auriez fait autant pour moi.

— Sauf que je vous imagine mal vous faire abattre en hélicoptère. Il me semble que vous préférez garder les deux pieds sur la terre ferme. Vous êtes paléontologue, non ?

Elle acquiesça.

— Ce n'est pas un peu tard pour travailler sur un site de fouilles ? Je pensais qu'il avait été fermé à la fin de l'été.

Elle haussa les épaules.

— Officiellement, oui, mais l'automne a été tellement clément cette année que j'ai continué de venir tous les week-ends.

— Jusqu'à aujourd'hui ?

— Eh bien, comme il a neigé il y a quelques jours et qu'une nouvelle tempête était annoncée, je me suis dit qu'il fallait que je vienne démonter ma tente et la ranger pour l'hiver.

— Je suppose que vous n'avez pas eu le temps de le faire ?

Elle lui adressa un petit sourire.

— Une chute d'hélicoptère m'a quelque peu distraite.

— Encore merci d'avoir sacrifié votre tente pour moi.

Elle eut de nouveau le rouge aux joues et tourna la tête.

— Je vais nettoyer votre blessure à l'épaule et vous poser un pansement.

Elle humecta un gant de toilette et revint à son chevet. Doucement, elle releva la manche de son maillot de corps en Thermolactyl et nettoya la plaie.

— Ce n'est qu'une égratignure, lâcha-t-il.

Elle lui retourna une moue désapprobatrice.

Quand elle eut terminé de nettoyer le sang séché, elle appliqua une solution antiseptique puis posa un pansement.

— L'entaille n'est pas profonde mais mieux vaut ne pas risquer qu'elle s'infecte.

Elle s'assura que le pansement était bien en place et se releva. Elle était de plus en plus rouge, remarqua-t-il.

— Si vous le souhaitez, je peux vous préparer un thé, proposa-t-elle.

Il la contempla. Qu'elle rougisse aussi facilement était très touchant.

— Vous n'avez pas de café ?

— Non, désolée mais je ne pensais pas avoir un invité.

— Ça ne fait rien. Du thé, ce sera très bien, déclara Dante en observant l'intérieur de la caravane. Venir seule dans des endroits aussi isolés, ça ne vous fait pas peur ?

Elle sortit deux mugs d'un placard.

— Peur de quoi ? Personne d'autre ne vient ici, je suis tranquille.

— Et si vous vous blessiez ?

Elle haussa les épaules.

— C'est un risque à courir.

— Nous sommes tout près de la frontière, on ne sait jamais qui peut passer par là.

— J'ai une arme, rétorqua Emma qui sortit d'un tiroir un revolver à l'allure ancienne.

Dante sourit.

— Vous appelez cela une arme ?

— Bien sûr que oui, répliqua-t-elle, manifestement vexée.

— Une antiquité, plutôt.

— C'est un colt de calibre .45, un revolver à six coups, pour être précis.

Dante acquiesça, impressionné.

— Vous connaissez bien vos antiquités.

Elle releva le menton.

— Et je suis une très bonne tireuse.

— Excusez-moi d'avoir douté de vos capacités à vous défendre.

Dehors, le vent avait encore forci, au point de faire légèrement osciller la caravane, nota Dante.

Emma craqua une allumette pour allumer un des deux brûleurs de la gazinière. La flamme produisit une lumière bleutée dans le petit espace où il faisait de plus en plus sombre. Elle remplit une bouilloire d'eau et la posa sur le feu.

— J'ai du chili en boîte, du thon et des biscuits secs. Encore une fois, je n'avais pas prévu de rester plus de deux nuits. Je pensais partir avant la tempête.

Dante hocha la tête. Malgré ses émotions, il avait faim.

— Je ne veux pas vous priver de nourriture.

Elle le regarda.

— Voyons, si je n'avais pas suffisamment pour deux, je ne vous proposerais pas à manger.

— Alors merci.

Elle ouvrit deux boîtes de chili, en versa le contenu dans une casserole qu'elle posa sur le second brûleur.

Rapidement, un parfum de sauce tomate et d'épices embauma l'atmosphère. Emma se déplaçait avec grâce, elle ne faisait pas de mouvements inutiles et le balancement de ses hanches tandis qu'elle allait de la gazinière à l'évier était très sexy, songea-t-il.

Pourtant, Emma semblait avant tout une fille sérieuse et trop occupée pour penser à autre chose qu'à son travail. Ils étaient sortis une fois ensemble et il s'était dit qu'il n'y avait pas lieu de remettre cela.

Il repoussa la couverture et tenta de se lever.

— Je devrais vous aider.

Mais il n'avait pas encore récupéré et une sensation de froid le saisit.

— Ne bougez pas, dit-elle en levant la main. Il n'y a pas beaucoup de place. A deux, nous ne ferions que nous gêner. Et puis, je m'en sors très bien toute seule.

Elle ôta sa doudoune et la pendit à un crochet au mur.

— Laissez-moi au moins mettre le couvert, insista-t-il. Euh, où est la table ? ajouta-t-il en la cherchant des yeux.

Emma lui sourit.

— Sous le lit… Vous êtes allongé dessus.

Il secoua la tête.

— Mais si vous ne voulez pas que je bouge, où allons-nous manger ?

— *Sur* le lit, répondit-elle sans se départir de son sourire. Ce sera un peu comme un pique-nique.

— Vous mangez toujours au lit ?

Il imagina Emma vêtue d'une simple nuisette en train de grignoter entre les draps et, alors qu'il était déjà émoustillé, il fut cette fois véritablement excité. Il chercha à repousser ces images, en vain. La jolie professeure aux cheveux noirs et aux yeux chocolat était en train de le faire craquer. Elle n'avait certainement aucune conscience d'être aussi sexy, et cette innocence ne la rendait que plus attirante.

— Comme je vous l'ai dit, d'habitude, je suis seule dans la caravane, donc je mange où j'ai envie. En été, j'adore installer un petit tabouret dehors en guise de table et prendre le petit déjeuner en regardant le soleil se lever sur le site de fouilles.

Il rêva aux reflets rougeoyants que le soleil levant devait produire dans ses cheveux.

— Ce doit être très beau, en effet.

Il se redressa et tendit les bras pour ouvrir un placard.

— Où sont les assiettes et les couverts ?

Elle était tout près de lui et un parfum de rose vint lui chatouiller les narines. Les flammes de la gazinière faisaient briller ses cheveux et, même si ses épais vêtements dissimulaient ses formes, il avait un souvenir précis de sa jolie silhouette. Quand il assistait à ses cours à l'université, il avait eu tout loisir de l'admirer.

Il remit en place une mèche de ses cheveux derrière son oreille et murmura :

— Pourquoi sommes-nous sortis ensemble une seule fois ?

Elle baissa la tête.

— Pour obtenir un second rendez-vous, il faut en faire la demande.

Il la prit par les épaules et attendit qu'elle relève les yeux.

— Je ne vous ai jamais rappelée, j'ai disparu du jour au lendemain, reconnut-il d'une voix contrite.

— Oh ! Ce n'est pas grave. Après tout, nous sommes seulement allés boire un café.

Dante déglutit. Il s'en souvenait très bien. C'était peu de temps avant un épisode de dépression sévère. Un de ses anciens compagnons d'armes avait perdu la vie. Une fois encore, il s'en était voulu : aurait-il pu changer le cours des choses s'il n'avait pas quitté l'armée ?

Il avait perdu Samantha, puis un ami proche. Sa souffrance, son sentiment d'impuissance avaient failli avoir raison de lui et, pendant quelque temps, il avait eu du mal à trouver la force de se lever le matin.

— Je suis désolé.

Il lui caressa le visage et inclina la tête avec l'intention de lui donner un petit baiser sur la joue. Mais quand il effleura accidentellement sa bouche, il perdit tout contrôle et, cédant à son instinct, l'embrassa avec passion.

Quand il releva la tête, il eut envie de la déshabiller.

Elle avait les yeux écarquillés, ses lèvres étaient gonflées tant il l'avait embrassée fort, et le rose lui était monté aux joues.

Il ferma les yeux, se força à redevenir raisonnable.

— Pardon, je n'aurais pas dû faire cela.

— Je ne…, commença-t-elle.

Le sifflement de la bouilloire l'interrompit.

Emma se retourna, attrapa la poignée du récipient d'une main et se passa l'autre sur les lèvres.

Il sortit deux coupelles du placard, deux cuillères du tiroir et prit soin de ne pas la serrer de trop près.

Dehors, le vent soufflait toujours aussi fort et le froid s'immisçait à l'intérieur.

Emma versa l'eau dans les mugs. Elle tremblait.

Dante se maudit de son impulsivité et se fit la promesse de se tenir tranquille.

Depuis sa démission de l'armée, il n'avait plus songé à se réinvestir dans une relation. Il était revenu dans le Dakota du Nord avec pour seule intention de reprendre ses marques. Mais le retour à la vie civile n'avait pas été facile. Chaque fois qu'il était dans la rue et qu'un bruit survenait, il avait le réflexe de se recroqueviller et de regarder autour de lui, craignant que des assaillants ne débarquent.

En l'occurrence, c'était ce qui venait de se passer dans la montagne et, cette fois, il ne s'y était pas attendu.

Emma déposa un sachet de thé dans chaque mug, attendit qu'ils aient infusé puis les retira et les laissa dans le petit évier.

— Désolée, je n'ai ni lait ni citron, dit-elle en lui tendant une des deux tasses. Du sucre ?

Il s'obligea à regarder ailleurs. Ses lèvres lui donnaient trop envie de l'embrasser.

— Non, merci, je le préfère nature.

Quand il lui prit des mains le mug qu'elle lui destinait, leurs doigts s'effleurèrent et une décharge électrique le traversa. Il recula, un peu trop vite, et se renversa du thé sur la main. La légère brûlure le ramena à la réalité.

Emma répartit le chili dans les deux coupelles et lui en tendit une.

— Qui peut bien avoir abattu votre hélicoptère ?

Elle prit sa coupelle à deux mains et souffla sur le contenu.

— Je n'en ai aucune idée.

— Avez-vous récemment mis fin à un trafic à la frontière ?

Il fit non de la tête.

— Je doute qu'il y ait un rapport. L'homme qui m'a tiré dessus était armé d'un lance-roquettes, ce qui n'est pas rien. D'ailleurs, je me demande comment il a pu se le procurer.

— Et comment a-t-il su que vous seriez dans les parages ?

— J'étais là parce qu'un appel avait été passé à ma base pour signaler un franchissement de la frontière. Je suppose que c'était un piège et que c'est cet homme qui a passé l'appel lui-même.

— Il pourrait s'agir de quelqu'un qui en veut au service de surveillance des frontières.

— Oui, possible. J'aimerais bien parler à mon supérieur. La base doit se demander ce qui m'est arrivé. Un hélicoptère et un pilote disparu, c'est grave.

— Vous pensez qu'ils ont envoyé des secours ?

— Par ce temps, j'en doute.

— Espérons que la météo sera plus clémente demain matin, dit-elle en remuant son chili. Si personne ne vient à votre recherche, nous partirons dès que possible et nous ferons un arrêt dans une ferme du secteur pour que vous puissiez appeler votre base.

Il acquiesça.

— La perte d'un hélicoptère va être dure à digérer. Ce n'est pas un jouet qu'on remplace facilement.

— Peut-être mais je pense que c'est encore plus compliqué de remplacer un pilote expérimenté, répliqua Emma prenant une bouchée qu'elle mâcha lentement.

Dante haussa les épaules. De toute façon, ils devaient patienter jusqu'au lendemain. Mais…

— Il fait de plus en plus froid dehors.

— J'ai plein de couvertures, le rassura-t-elle. En revanche, il n'y a qu'un seul lit, et comme le générateur est en panne il va nous falloir partager la chaleur, ajouta-t-elle en baissant les yeux.

Elle semblait ennuyée par cette perspective. Dante leva les mains.

— Je suis vraiment désolé pour ce baiser et je vous promets de me tenir tranquille.

Avant même qu'il ait terminé de parler, Emma secoua la tête.

— Il va vraiment faire très froid et la seule façon de tenir, c'est de partager notre chaleur corporelle.

Dante déglutit. A cette seule perspective, il réagissait déjà physiquement.

Il posa sa coupelle vide dans l'évier et empila la seconde dessus.

— Nous sommes adultes, nous n'avons aucune raison de nous sentir gênés, déclara-t-il.

Il pensait exactement le contraire.

3

Le cœur battant, Emma regarda le lit. Si la nuit ne promettait pas d'être aussi froide, elle l'aurait passée sur le tabouret pliant.

Elle n'avait pas peur de Dante, plutôt d'elle-même lorsqu'elle se retrouverait pressée contre le corps puissant de cet homme séduisant.

Quand elle était au lycée, elle était trop timide et trop gourde pour s'intéresser aux garçons. Elle s'était concentrée sur ses études. Ses camarades de classe échangeaient des baisers volés derrière les bâtiments entre deux cours, tandis qu'elle jouait du cor dans la fanfare du lycée et, à la maison, ne sortait jamais de ses livres.

Ça ne s'était pas beaucoup amélioré à la faculté. Par chance, sa camarade de chambre à la cité universitaire avait remarqué qu'elle pouvait être jolie si elle s'en donnait les moyens et lui avait prodigué des conseils vestimentaires, ainsi qu'en coiffure et maquillage. Un jour, elle lui avait même arrangé un rendez-vous avec un garçon mais, quand celui-ci avait voulu lui prendre la main, elle avait paniqué et pris ses jambes à son cou.

Bilan des courses : elle n'avait rien appris de l'amour, ni au lycée, ni à l'université.

Dehors, le vent soufflait, des courants d'air pénétraient dans la caravane et la faisaient frissonner. Avec des mains tremblantes, elle descendit sa combinaison de survie et s'assit au bord du lit pour ôter ses bottes. Puis elle se glissa sous les couvertures, toujours vêtue de ses sous-vêtements thermiques et de son col roulé, et se recroquevilla à l'autre bout du lit.

Quel homme pourrait avoir envie d'une femme couverte de la tête aux pieds ? Et tant mieux ! Si par malheur il découvrait qu'à vingt-six ans elle était encore vierge, elle mourrait de honte.

Elle resta allongée sur le dos, les couvertures remontées jusqu'au menton, les yeux grands ouverts. La gazinière était toujours allumée.

— Il faudra que vous coupiez le feu avant que nous nous endormions, dit-elle.

Peut-être que dans le noir elle se sentirait moins mal.

Dante tendit le bras pour tourner le bouton du gaz. La flamme s'éteignit et ils se retrouvèrent dans l'obscurité complète.

Elle serrait tellement fort les couvertures qu'elles se tendirent et le matelas ondula sous le poids de Dante.

— Ne vous inquiétez pas, je vous promets de ne pas vous toucher.

Mince, songea Emma. Il était tellement attirant. Et si elle avait envie qu'il la touche, justement ?

Mais que pourrait-il se passer ? Elle était tellement inexpérimentée qu'il ne lui faudrait pas longtemps pour comprendre… Après le jour où ils étaient allés boire un café ensemble, il ne l'avait pas rappelée. Cette fois-ci, ce serait pareil.

Il s'allongea à côté d'elle et l'effleura de l'épaule et de la cuisse.

Elle tressaillit, puis le froid la saisit, malgré les trois couvertures, son pull et ses sous-vêtements de survie.

— C'est absurde, remarqua-t-il. Si nous ne trouvons pas un moyen de nous réchauffer, nous ne tiendrons pas la nuit entière.

Il roula de côté et passa un bras autour d'elle.

— Qu'est-ce… Qu'est-ce que vous faites ? gémit-elle.

— Nous sommes tous deux habillés, et cela ne nous réchauffe pas. La seule façon d'y remédier est de partager notre chaleur.

— C'est ce que nous faisions.

— Pas suffisamment.

Il la fit rouler de côté, se colla tout contre elle, épousant sa silhouette, et garda un bras autour de sa taille.

— C'est mieux ?

Elle était tellement remuée que ses oreilles bourdonnaient. Elle n'entendait presque plus rien. Toutefois, elle acquiesça.

— Oui, c'est mieux.

Beaucoup mieux. Beaucoup trop.

Elle était allongée dans l'obscurité, serrée contre un homme qui lui plaisait énormément. La panique et le triomphe se disputaient en elle : enfin, elle était une femme à part entière.

— Tâchons de dormir et espérons que, demain matin, la tempête sera loin, conclut-il.

Dormir ? Est-ce qu'il plaisantait ? L'ensemble de son corps était en fusion, elle se liquéfiait presque. Au moindre mouvement, des frissons d'excitation la parcouraient !

Le souffle de Dante effleura sa nuque et elle repensa au baiser qu'il lui avait donné un peu plus tôt. L'embrasserait-il de nouveau ?

Si elle se retournait pour lui faire face, serait-il tenté ? Oserait-elle le faire ?

— Vous sentez bon. On dirait un parfum de roses.

Son torse, plaqué contre son dos, se souleva doucement. Il la serra un peu plus fort.

— Ce doit être mon shampoing. On me l'a offert.

A peine eut-elle terminé qu'elle se maudit. Ne pouvait-elle se contenter de le remercier de son compliment, comme n'importe quelle autre femme ?

— Est-ce que je vous rends nerveuse ? lui demanda-t-il.

— Je n'ai pas l'habitude qu'un homme me… serre contre lui.

— Vous êtes sérieuse ?

Il changea de position et ses cuisses se collèrent un peu plus aux siennes.

— Eh bien les hommes que vous fréquentez ne savent pas ce qu'ils perdent.

Elle se mordit la lèvre inférieure.

— Je ne suis pas très douée dans ce domaine.

— Laissez-vous aller, détendez-vous, vous n'avez rien d'autre à faire, c'est parfaitement naturel, lui dit-il tout bas à l'oreille.

Ses paroles provoquèrent l'effet inverse. Son cœur battait si fort qu'elle se mit à respirer bouche ouverte et de manière saccadée.

Elle bougea la main et effleura la sienne.

— Vous avez le bout des doigts gelés, Emma.

Elle retira sa main.

— Désolée.

— Vous n'y êtes pour rien. Laissez-moi vous réchauffer.

Il chercha à tâtons son bras, remonta jusqu'à sa main et prit ses doigts dans les siens.

— Glissez votre main sous vos vêtements, comme ceci.

Il lui fit passer la main sous son pull et son Thermolactyl pour qu'elle la pose à plat contre sa peau.

— Vous êtes très crispée. Vous avez toujours froid ? s'enquit-il en se rapprochant encore d'elle.

— Oui, mentit-elle.

Intérieurement, elle était en feu et chaque fois qu'il bougeait, une onde d'excitation la parcourait.

Il laissa sa main autour de ses doigts et effleura son ventre.

— C'est vraiment la première fois que vous vous retrouvez serrée contre un homme dans un lit ?

Elle douta de pouvoir garder une voix normale et se contenta d'acquiescer de la tête.

— Cela signifie que vous n'avez pas encore rencontré l'homme de votre vie, reprit-il.

Elle ne répondit pas et s'efforça de s'habituer à sa présence tout contre elle.

Puisque la gazinière était éteinte, la température dans la caravane devait encore avoir baissé. Dante glissa un peu plus sa main sous ses vêtements.

— Si vous voulez que j'arrête, dites-le-moi.

Oh non, surtout pas ! Si elle avait osé lui avouer ce qu'elle désirait, elle lui aurait demandé de monter plus haut, de caresser ses seins. Un nouveau frisson d'excitation la fit tressaillir.

— Vous avez encore froid ?

— Oui.

Cette fois, ce n'était qu'un demi-mensonge. Toutes les parties de son corps en contact avec le sien se réchauffaient. En revanche, c'était l'inverse pour celles qui ne l'étaient pas.

— A vrai dire, partager sa chaleur corporelle fonctionne mieux si l'on est peau contre peau.

— Je sais, répondit-elle spontanément.

Une fois encore, elle se tança. Allait-il considérer que c'était une invitation à aller plus loin ?

— Je ne sais pas vous, mais moi, je ne me vois pas tenir toute la nuit comme ça. Si nous voulons vraiment avoir chaud, mieux vaudrait faire ce qu'il faut.

Il ôta la main de son ventre et roula sur le dos.

Immédiatement, le froid la saisit et elle roula elle aussi sur le dos pour remonter les couvertures.

Dante se redressa et repoussa les couvertures.

— Que faites-vous ? lui demanda-t-elle, grelottante.

— J'enlève tout.

A ses mouvements, il retirait ses sous-vêtements de survie pour les rouler en boule et les glisser à ses pieds. Il y eut ensuite un autre bruit d'étoffe : il retirait son caleçon, comprit-elle.

— A votre tour.

Sans hésiter, il saisit les extrémités de son pull et le tira pour le lui ôter.

— Mais vous êtes fou, il fait trop froid ! protesta-t-elle en portant les mains à son col.

Manifestement, il était déterminé et elle ne put l'empêcher d'arriver à ses fins.

— Soyez raisonnable. Si cela vous rassure, considérez-moi comme une grosse couverture chauffante.

Il s'attaqua à ses sous-vêtements thermiques, les roula également en boule et les fourra à ses pieds.

Quand elle n'eut plus qu'un soutien-gorge et une petite culotte en coton, elle ne put contrôler ses tremblements.

— Je... j'avais plus chaud avant que vous m'enleviez tout, dit-elle en claquant des dents.

— N'ayez crainte, vous allez bientôt avoir plus chaud. Venez là.

Il tira les couvertures sur eux et la prit dans ses bras, écrasant ses seins de son torse.

Ils respirèrent à l'unisson et le contact de leur peau contribua à chasser ses frissons. Mais elle ne parvenait pas à cesser de trembler car c'était la première fois de sa vie qu'elle se retrouvait quasiment nue avec un homme. Elle avait le souffle court et ne savait pas quoi faire de ses mains. Si elle les posait contre son torse, cela mettrait trop d'espace entre eux et elle reprendrait instantanément froid. Elle les laissa donc le long de son corps, mais très vite le bout de ses doigts s'engourdit. Quand elle voulut les poser sur son ventre, elle effleura la virilité de Dante. Elle tressaillit mais n'eut pas la force de retirer ses mains.

— J'espère que vous savez ce que vous faites, l'avertit-il, car il n'en faudrait pas beaucoup pour que je n'arrive pas à me retenir.

— Je croyais que vous n'étiez qu'une couverture chauffante...

En elle montait une énergie qui la galvanisait et lui donnait une assurance inédite.

De toute évidence, Dante la désirait alors que jamais elle n'aurait osé y croire.

L'espace de quelques secondes, elle oublia ses complexes et son inhibition : elle céda à son envie de le caresser.

Il se crispa brièvement et sa respiration s'accéléra.

L'adrénaline la stimulait tellement qu'elle en oublia la température glaciale et ne pensa plus qu'à ce qu'elle faisait et à ce qui risquait de se passer.

Dante poussa un gémissement.

— Vous êtes consciente de ce que vous me faites endurer ?

— Je crois, oui, répondit-elle.

A mesure qu'elle continuait à le caresser, elle était de plus en plus moite, prête à l'accueillir.

— Je ne vous ai pas incitée à vous déshabiller pour profiter de vous, Emma.

Elle se figea.

— Est-ce que, moi, je profite de vous ?

— Oh ! Je vous jure que non.

— Soyez franc avec moi, insista-t-elle. Un seul mot et je m'arrête.

— Et vous, êtes-vous sûre d'avoir envie d'aller jusqu'au bout ? lui demanda-t-il en laissant descendre une main le long de son dos.

Elle éclata de rire. L'obscurité lui donnait du courage.

— Jamais je n'ai été aussi sûre de moi, répliqua-t-elle.

Elle avait néanmoins besoin qu'il chasse un doute de son esprit.

— Peut-être que vous ne le souhaitez pas ? Après tout, vous avez été blessé.

— Non, je ne pense qu'à cela depuis que je vous ai volé ce baiser.

Il glissa les doigts sous l'élastique de sa petite culotte et la fit descendre. Elle battit des jambes pour s'en débarrasser. Le sexe de Dante frôla ses cuisses, tout près de son intimité. Bientôt, il serait en elle. Ce serait sa première fois. Sa première fois, avec un homme séduisant et d'une délicatesse infinie. Qu'aurait-elle pu demander de plus ? Enfin, peut-être parviendrait-elle à vaincre ses complexes et sa timidité.

— Allons-nous vraiment le faire ? demanda-t-elle.

Elle lui posait la question car elle avait peur de rêver et de se réveiller.

Il eut un petit rire.

— Vous n'avez qu'un mot à prononcer.

Elle prit une grande inspiration.

— Venez, s'il vous plaît.

Dante roula de côté pour venir sur elle et se pressa contre son intimité.

Mais il ne la pénétra pas immédiatement. Il commença par lui donner un baiser, un baiser tendre et sensuel que, cette fois, elle lui rendit.

Elle lui caressa les cheveux, puis il l'aida à retirer son soutien-gorge.

Il l'embrassa dans le cou, descendit vers ses seins et lui excita les tétons de sa langue, l'un après l'autre.

Il descendit encore, embrassa chaque centimètre de son corps et atteignit son bas-ventre . Elle retint son souffle.

Il caressa alors la partie la plus sensible de son anatomie.

— Oh ! Mon Dieu ! s'exclama-t-elle.

Elle bougea les hanches pour l'inciter à continuer ses caresses. Des vagues de plaisir déferlèrent sur elle et, alors qu'elle pensait en avoir éprouvé plus qu'elle n'en aurait espéré, il la couvrit de son corps et vint en elle.

Il eut alors une hésitation, s'immobilisa et elle enroula les jambes autour de ses hanches pour l'inciter à continuer.

— Je vous en supplie, ne vous arrêtez pas.

— Mais…

— Continuez, c'est tout. S'il vous plaît, le coupa-t-elle en se serrant plus fort contre lui.

Il la pénétra complètement.

Elle poussa un petit cri et il eut le réflexe de se retirer légèrement.

— Ça va ?

Elle partit d'un rire joyeux.

— Oh oui, mais ça irait encore mieux si vous ne vous arrêtiez pas.

Lentement, il se remit à aller et venir.

Il était tellement doux, tellement délicat qu'elle n'eut pas mal et se délecta sans retenue du lien qui les unissait. Alors c'était ça. La sensation de ne faire plus qu'un avec un homme !

Elle était heureuse et se mit à accompagner chacun de ses mouvements pour que le plaisir soit encore plus fort.

Après un long moment d'extase, il accéléra, puis s'immobilisa brutalement et se répandit en elle. Quelques secondes plus tard, il se retira, roula de côté, la prit dans ses bras et l'enveloppa de sa chaleur.

Elle se laissa aller, enivrée de plaisir et du réconfort de son étreinte.

— Jamais je n'aurais cru que ce serait aussi bon.

Dante resta silencieux quelques secondes.

— Vous avez crié. Pourquoi ?

Elle en fut confuse.

— Vraiment ?

Il la tint un long moment sans parler.

— Vous étiez vierge, n'est-ce pas ?

Comme elle ne répondait pas, il ajouta :

— Pourquoi vous ne me l'avez pas dit ?

Elle lui posa une main sur le torse.

— J'étais gênée. Et puis, de toute façon, quelle importance ?

— Nous ne l'aurions pas fait, répondit-il en lui caressant doucement le dos.

— Est-ce que vous regrettez ?

— Non.

La spontanéité de sa réponse la rassura et la fit sourire. Elle se détendit.

— Moi non plus. On donne beaucoup trop d'importance à la virginité.

— Alors pourquoi êtes-vous — étiez-vous — toujours vierge ?

— Je vous l'ai dit, les relations, ce n'est pas mon fort. Je n'ai jamais été capable d'aller plus loin qu'un premier rendez-vous.

Il agita la tête de droite à gauche.

— C'est vraiment incroyable.

Puis il lui donna un baiser, et ils restèrent enlacés ainsi. Elle n'avait plus froid.

Après un moment, il confia :

— Je dois vous avertir que moi non plus je ne suis pas très doué pour les relations. Je ne peux rien vous promettre.

— Je comprends.

Elle eut néanmoins un petit pincement au cœur. Mais qu'espérait-elle ? Sexe et amour n'allaient pas toujours de pair. Même s'ils avaient partagé un moment très fort, cela ne signifiait pas automatiquement qu'il éprouvait des sentiments pour elle.

Elle lui avait offert sa virginité. Cependant, elle n'avait pas le droit d'attendre qu'il tombe amoureux d'elle.

— N'ayez crainte, je ne vous harcèlerai pas. Moi non plus de toute façon, je ne peux pas vous faire de promesses. Mais je vous suis reconnaissante de m'avoir aidée à vaincre mes complexes. A l'avenir, je serai moins gourde.

Elle regretta immédiatement ses propos. Qu'allait-il penser d'elle ? Qu'elle comptait se mettre à voler d'un homme à un autre ?

Elle avait beau lui avoir assuré ne rien attendre de lui, une ardente envie de refaire l'amour la tenaillait. Quand ils auraient rejoint la civilisation, peut-être lui demanderait-il de nouveau de sortir avec lui.

Elle soupira intérieurement. Etait-ce bien réaliste ?

4

Dante se plaqua contre l'épave de son hélicoptère. Son copilote était toujours sanglé à son siège, inerte. Il n'avait pas survécu à l'impact.

Au loin, il y avait un village, et une silhouette semblait s'approcher d'eux. Là. C'était l'homme qu'il avait repéré au dernier moment, trop tard, et qui était armé d'un fusil-mitrailleur.

Il resta à couvert, sortit son arme et la pointa vers l'homme, attendant qu'il bouge.

Il y eut alors un bruit de moteur. Un vieux camion rouillé fit son apparition. Il était rempli de soldats armés.

Seul, sans renforts, il était en fâcheuse posture. S'il voulait survivre, il devait faire mouche à chaque tir et ne pas gâcher une seule balle.

Le camion avança vers lui puis s'arrêta net. Les soldats sautèrent au sol de chaque côté. Il fit feu, mais les soldats continuèrent à se rapprocher. Ils étaient trop nombreux, jamais il ne pourrait les arrêter tous. Après plusieurs tirs, son chargeur fut vide.

Des hommes s'emparèrent de lui, le mirent debout en vociférant.

— Dante !

Comment pouvaient-ils savoir son nom ? Il se débattit pour se libérer.

— Dante, réveillez-vous !

Il ouvrit les yeux. Une faible lumière filtrait à travers la fenêtre d'une caravane.

— Dante ? répéta une douce voix féminine.

Tout lui revint.

— Emma ? dit-il d'une voix rauque.

Elle était penchée sur lui, son corps nu contre le sien. Ses seins lui effleuraient doucement le torse, et un parfum de roses s'en dégageait.

Il lui fallut un moment pour se calmer complètement et oublier son cauchemar. Il n'était pas prisonnier de soldats hostiles dans un pays étranger, il était dans une caravane, à la frontière avec le Canada.

Une trace rouge sur la joue d'Emma attira son attention.

— Que vous est-il arrivé ? demanda-t-il en lui passant lentement le pouce sur la joue.

Elle lui adressa un sourire entendu.

— Vous avez fait un mauvais rêve.

— Et c'est moi qui vous ai fait ça ?

Il en eut le cœur serré et se redressa sur les coudes.

— Oh ! Emma, je suis vraiment confus.

— Ce n'est rien, je n'ai pas mal, lui assura-t-elle en se posant la main sur la joue. En revanche, le grondement de moteur que j'entends dehors me préoccupe beaucoup.

Il tendit l'oreille. En effet, il y avait un bruit de moteur qui se rapprochait.

Il repoussa les couvertures.

— Levez-vous et habillez-vous.

— Pourquoi ? s'enquit-elle en sortant du lit.

— Rien ne dit que le type qui a abattu mon hélico hier n'est pas de retour.

— Mon Dieu !

Elle attrapa son pull, l'enfila prestement puis passa sa combinaison de survie et ses bottes.

Dante n'avait que ses sous-vêtements thermiques et ses bottes à mettre.

Il tendit la main vers la porte et tourna la poignée, mais elle ne s'ouvrit pas.

— Il y a un verrou ?

— Oui, mais de l'intérieur, elle devrait s'ouvrir.

Il essaya de nouveau.

Au même moment, la caravane fut secouée. Dante partit en arrière et percuta l'évier.

Emma retomba sur le lit.

— Qu'est-ce qui se passe ?

— La porte est bloquée et quelqu'un a fait démarrer votre camionnette sans détacher la caravane. Accrochez-vous !

Le terrain accidenté secouait la caravane dans tous les sens.

— Il roule en marche arrière ! s'exclama Emma. S'il continue, nous allons basculer dans la fosse du chantier de fouilles !

Elle batailla pour se remettre debout et se dirigea vers la porte. Une nouvelle secousse lui fit taper du front contre la paroi.

Elle s'accrocha à deux mains à la poignée de la porte.

— Nous devons l'arrêter.

Dante la rejoignit.

— Ecartez-vous !

Il la saisit par les épaules pour la faire reculer, s'accrocha à ce qu'il pouvait et prit son élan pour frapper la porte du talon. Il y était allé tellement fort qu'il en eut mal. Mais la porte n'avait pas bougé.

Il recommença. En vain.

Emma s'accrocha à l'évier et leva le volet.

— Oh ! Mon Dieu, nous allons tomber…

La caravane s'inclina, tout ce qui n'était pas fixé bascula. Elle se retrouva quasiment à la verticale et percuta le fond de la fosse. Il y eut un bruit de tôle froissée et de verre brisé, l'air froid s'immisça à l'intérieur.

Dante se retrouva sur le matelas.

— Emma ? appela-t-il.

— Ça va, répondit-elle en agitant la main de dessous le matelas. Mais je suis coincée.

A l'extérieur, il y eut un nouveau bruit de moteur puis un claquement de portière. L'avant de la caravane s'affaissa, et des débris tombèrent sur eux. Dante roula de côté et se protégea avec l'extrémité du matelas.

Quand le calme revint, il était bloqué entre le matelas et la paroi. Il y eut un grincement métallique, comme si la caravane était sur le point de se disloquer.

— Dante ? cria Emma.

— Je vais essayer de soulever le matelas.

Il s'appuya contre la paroi et repoussa le matelas.

— Vous pouvez vous dégager ?

— Je vais essayer.

Emma tendit la main, tâtonna, s'accrocha au rebord de l'évier et se hissa.

Une fois qu'elle fut dégagée, Dante laissa retomber le matelas et crapahuta pour remonter dessus en prenant soin de ne pas heurter la tôle froissée.

Le pare-chocs de la camionnette avait fait un trou dans la paroi. Celui qui avait fait basculer la caravane dans la fosse y avait donc fait tomber aussi le véhicule pour qu'il les écrase. Si par malheur celui-ci bougeait ne serait-ce que de quelques centimètres, ils se retrouveraient irrémédiablement coincés dessous.

Dante approcha au maximum de cette brèche dans la paroi. Le froid le frappa en plein visage, mais il l'ignora. Il prêta l'oreille.

— Le type est parti ? murmura Emma.

Un vrombissement déchira l'air. Certainement celui d'une motoneige, jugea Dante.

— J'ai comme l'impression qu'il s'en va.

Pour autant, ils étaient loin d'être sortis d'affaire. Les grincements métalliques reprirent de plus belle. Petit à petit, la caravane ployait sous le poids de la camionnette.

La porte était inaccessible. Pourtant, ils ne devaient pas perdre de temps.

— Il faut qu'on sorte.

— Comment ? s'exclama Emma.

Dante plia les jambes puis les lança en avant pour se

débarrasser des morceaux de verre qui tenaient encore à la fenêtre. Puis il termina à l'aide d'un oreiller pour qu'ils ne se blessent pas en sortant.

— Passez la première, dit-il.

— Pour que vous soyez écrasé ensuite ? répliqua Emma en secouant la tête. Hors de question. Si vous, vous parvenez à sortir, ce ne sera pas un souci pour moi, vous êtes beaucoup plus grand.

— Sauf que si je reste coincé, aucun de nous deux ne pourra sortir. Si vous passez la première et que moi je reste bloqué, vous pourrez aller chercher de l'aide.

Emma hésita.

— D'accord. Mais vous ne resterez pas coincé.

Elle se glissa sans difficulté par la fenêtre et roula au sol.

— A vous, maintenant, lui lança-t-elle. Et essayez de récupérer des vêtements et des couvertures, si possible.

Dante roula en boule deux couvertures qui se trouvaient à portée de main et les jeta par la fenêtre. La doudoune d'Emma dépassait du fatras. Il s'en empara également.

Soudain, il y eut un grincement.

— La camionnette bouge ! l'alerta Emma. Sortez !

Dante se tortilla pour atteindre la fenêtre. Il doutait de pouvoir passer mais engagea une épaule et ramena la seconde au maximum contre lui. Le rebord de la fenêtre frottait contre ses côtes mais il ne s'arrêta pas.

— Posez les mains sur mes épaules, lui proposa Emma.

Elle lui saisit les bras et le tira de toutes ses forces. Il passa les hanches, puis les jambes, au moment où la caravane pliait comme un accordéon. Ils roulèrent au sol tandis que le poids de la camionnette terminait de comprimer la caravane.

Dante se releva et aida Emma à faire de même. Ils observèrent tous deux les débris en dessous.

Emma se serra contre lui.

— A quelques secondes près…

Il lui passa un bras autour des épaules pour la réconforter.

— Nous sommes sortis. C'est tout ce qui compte.

— Mais qui a bien pu faire ça ?

— Je l'ignore mais je vous promets de le découvrir.

Emma retint un soupir. Dans son souvenir, le site de fouilles n'était pas si loin de la route. Mais c'était la première fois qu'elle devait faire le trajet dans la neige. Elle avait les doigts de pieds gelés et sa doudoune peinait à la protéger du vent glacial. Pour autant, elle ne pouvait pas se plaindre : Dante devait se contenter de ses sous-vêtements thermiques et d'une couverture jetée sur les épaules.

La camionnette était évidemment hors d'usage mais elle avait espéré qu'ils pourraient se servir de la motoneige. La veille, elle l'avait laissée garée à côté de la caravane. Sauf que leur agresseur avait percé le réservoir et arraché les câbles de transmission. Pour atteindre la route et trouver de l'aide, ils se voyaient forcés de couvrir près d'un kilomètre et demi à pied dans cinquante centimètres de poudreuse. Pire, comme la campagne du Dakota du Nord était très peu peuplée, plusieurs heures, voire plusieurs jours pouvaient s'écouler avant qu'un véhicule ne passe sur cette route.

Elle était fatiguée, elle avait froid et faim, mais parvint néanmoins à sourire. Au moins, elle ne mourrait pas sans avoir fait l'amour avec un homme.

— Ça va ? demanda-t-elle à Dante. Si vous voulez, on peut s'arrêter un moment à l'abri d'un rocher pour que vous puissiez vous réchauffer.

— Je vais bien, dit-il.

Les deux couvertures sur ses épaules lui protégeaient le haut du corps. En revanche, ses jambes étaient exposées.

— Nous devrions continuer à avancer.

Il luttait pour ne pas claquer des dents, remarqua Emma. Elle passa un bras autour de lui et fit de son mieux pour le protéger au maximum du vent car, s'ils ne trouvaient pas rapidement de l'aide, il finirait immanquablement en hypothermie.

Elle l'observa de la tête aux pieds. Il était musclé, dégageait une impression de force et ne montrait aucune faiblesse. Pourtant, il devait souffrir le martyre.

La tempête était passée, le soleil de retour, mais le vent soufflait constamment et semblait descendre directement du pôle Nord.

Quand, enfin, ils atteignirent la route, elle fut soulagée. La couche de neige était tellement dense qu'elle avait craint de s'être trompée de direction.

— Où allons-nous ? lui demanda Dante.

Elle inspecta les alentours.

— Si je ne m'abuse, le ranch le plus proche est à un kilomètre au nord.

Une violente bourrasque les frappa et elle fut transie de froid.

— Tenez.

Dante ôta une couverture de ses épaules et la lui tendit.

— Non, je n'en veux pas, répliqua-t-elle fermement. J'ai suffisamment chaud, vous en avez bien plus besoin que moi.

— Je suis habitué à tenir par de telles conditions. J'ai grandi dans les Badlands.

— Je me fiche de savoir où vous avez grandi. Si vous vous retrouvez en hypothermie, je ne pourrai pas vous porter, insista-t-elle en se redressant le plus possible pour avoir les yeux à peu près à hauteur des siens. Reprenez-la.

Il sourit et remit la couverture sur ses épaules.

— Alors allons-y. Je suis impatient de prendre mon café du matin.

Il serra les couvertures autour de lui et repartit.

Emma dut hâter le pas pour revenir à sa hauteur. Elle n'arrivait toujours pas à y croire : il lui avait offert une de ses couvertures alors qu'elle avait une combinaison complète et lui presque rien. Quel entêté !

Néanmoins, sa sollicitude et la force qu'il dégageait l'impressionnaient.

Elle avait de nombreuses questions en tête mais devrait attendre qu'ils soient à l'abri, au chaud, pour les lui poser.

Elle voulait consacrer toute son énergie à soutenir le rythme. Le soleil était haut dans le ciel et son reflet sur la neige lui donnait mal aux yeux. Elle baissa la tête et fixa les traces de pas de Dante. Même quand elle le laissait prendre un peu d'avance pour récupérer, elle restait dans son sillage.

Après une marche sans fin et alors qu'elle avait l'esprit tellement engourdi de froid qu'elle n'arrivait même plus à réfléchir, elle leva les yeux et faillit pousser un cri de joie.

Au loin, un fin panache de fumée se détachait du paysage immaculé. Là où il y avait de la fumée, il y avait un feu, et donc de la chaleur. Son moral remonta et elle trouva l'énergie pour hâter le pas, le regard fixé devant elle. La forme d'un bâtiment d'habitation finit par apparaître.

Mais alors qu'ils n'étaient plus qu'à une cinquantaine de mètres de la maison, elle fit un pas de travers et s'affala dans la neige.

Avant même qu'elle ait esquissé le moindre mouvement pour se relever, Dante la prenait dans ses bras et la portait.

— Po... posez-moi, articula-t-elle avec difficulté.

— Chut, répondit-il en la tenant fermement contre lui sans s'arrêter.

Elle n'eut d'autre choix que passer les bras autour de son cou et se laisser faire.

Arrivé devant la porte, il frappa.

Il y eut un bruit de pas à l'intérieur puis la lourde porte de bois s'ouvrit.

— Mon Dieu ! s'exclama un vieil homme vêtu d'une chemise en flanelle, d'un jean et de grosses chaussettes en laine.

— Nous avons besoin d'aide, monsieur, dit Dante.

— Olaf, ne reste pas planté là, laisse-les entrer et ferme la porte, intervint une vieille dame. Entrez, entrez.

L'homme s'écarta et, d'un geste, les invita à l'intérieur.

Avant même que la porte fût refermée, Emma avait déjà plus chaud.

— Nous avons réussi, dit-elle, les larmes aux yeux tant elle était fatiguée et rassurée à la fois.

— Venez, allongez-la devant la cheminée, intima la vieille dame à Dante.

Au passage, elle poussa un golden retriever et désigna le canapé.

— A cause de la tempête, nous n'avons plus d'électricité depuis la nuit dernière, expliqua-t-elle. Alors, nous campons dans le salon et nous restons près du feu. Nous avons un groupe électrogène mais nous ne l'utilisons qu'en cas d'urgence.

Emma faillit en éclater de rire. Il ne devait pas y avoir grand monde qui jugeait que se retrouver sans électricité par une telle température n'était pas une situation d'urgence. Mais dans le Dakota du Nord, les gens de la campagne étaient endurcis et ne devaient pas souvent s'affoler.

Dante la posa doucement sur le canapé et lui ôta sa doudoune.

— Laissez-moi faire, intervint la dame. Allez plutôt vous asseoir près du feu, vous êtes congelé. Je m'appelle Marge, apprit-elle à Emma, et voici mon mari, Olaf.

Elle l'observa et fronça les sourcils.

— On ne se serait pas déjà rencontrées ? Votre visage me semble familier.

— Je crois que nous nous sommes vues cet été, répondit-elle en s'efforçant de sourire. Je m'appelle Emma Jennings, je travaille pour le département de paléontologie de l'université. Jusqu'à hier, je travaillais encore sur le site de fouilles, pas très loin d'ici.

— Je croyais que les fouilles avaient été interrompues depuis septembre, fit remarquer Olaf.

Emma haussa les épaules.

— Comme l'automne a été très doux, j'ai continué à venir les week-ends. Et là, je souhaitais effectuer une dernière journée de fouilles et plier mon matériel avant le gel.

— Et la tempête vous a surpris, en déduisit Marge. Vous avez eu de la chance de ne pas mourir de froid.

Elle continuait à lui enlever sa doudoune.

— Je… je peux l'ôter toute seule, lui assura Emma.

— Ne bougez pas, vous avez les mains glacées. Réchauffez-les pour laisser circuler le sang.

Elle jeta un regard à Dante par-dessus son épaule.

— Et lui, que faisait-il dehors en sous-vêtements ? Que s'est-il passé exactement ?

Olaf prit les couvertures de Dante et lui en donna des sèches à la place.

— Votre camionnette est restée coincée dans la neige ?

Emma leva les yeux vers Dante, ne sachant trop quoi leur dire, car elle ne voulait pas les effrayer.

Dante lui retourna un signe de tête et prit le relais :

— Je m'appelle Dante Thunder Horse, je suis pilote d'hélicoptère au sein du service de surveillance des frontières à Grand Forks. Mon appareil a été abattu hier pas très loin d'ici.

Olaf écarquilla les yeux mais ne répondit pas.

Dante reprit la parole. Quand il eut terminé son récit, Olaf passa la main dans ses cheveux gris et secoua la tête, abasourdi.

— Si même dans le Dakota du Nord, nous sommes en danger, il y a du souci à se faire.

— Ça vous dérange si j'utilise votre téléphone ? demanda Dante. Je dois prévenir ma base que je suis en vie.

Marge tendit une couverture à Emma.

— Donne-lui le téléphone, Olaf.

Celui-ci s'exécuta.

Dante composa le numéro, porta le téléphone à son oreille et fronça les sourcils.

— Je n'ai pas de tonalité.

— Evidemment ! s'exclama Olaf. Je suis bête ! Sans électricité, le téléphone ne peut pas fonctionner. Mais nous en avons un autre dans la cuisine qui a peut-être encore un peu d'autonomie.

Une minute plus tard, il était de retour.

— Pas de tonalité non plus. Je suppose que la tempête d'hier soir a fait tomber des poteaux télégraphiques.

— Je dois rentrer à Grand Forks sans tarder, lança Dante. A l'heure qu'il est, ma base a certainement lancé des recherches.

— Je peux vous emmener à Devil's Lake, reprit Olaf, mais pas plus loin. Sinon, je ne serai pas de retour auprès de Marge avant la tombée de la nuit.

— Ne t'inquiète pas pour moi, je peux me débrouiller seule, l'assura Marge.

— Nous ne voulons pas vous causer de soucis, déclara Emma.

— En effet, renchérit Dante. Si vous pouvez nous conduire à Devil's Lake, ce sera très bien. Là-bas, nous trouverons sûrement quelqu'un pour nous conduire à Grand Forks.

— D'accord, fit Olaf. Je vous conduirais bien jusqu'à Grand Forks moi-même. Mais, avec cette neige et ma femme toute seule ici qui doit s'occuper du feu pour qu'il ne gèle pas à l'intérieur de la maison…

— Nous comprenons et nous vous sommes déjà très reconnaissants, le rassura Dante. Devil's Lake, ça nous convient.

— Bien, je vais sortir la camionnette de la grange, répondit Olaf en se dirigeant vers l'arrière de la maison. Marge, va chercher des vêtements pour monsieur, il ne peut tout de même pas rester aussi peu vêtu jusqu'à Grand Forks.

Marge les laissa seuls dans le salon et revint quelques instants plus tard avec un jean, une vieille doudoune et une chemise en flanelle.

— Ces affaires étaient à mon fils. Il est un peu plus grand que son père, elles devraient donc vous aller.

— Je vous les rapporterai dès que possible.

— Ne vous inquiétez pas. Il y en a d'autres dans son armoire et, de toute façon, il vient rarement ici en hiver. D'habitude, c'est nous qui allons lui rendre visite en janvier et février. Il vit en Floride avec sa famille. A cette période de l'année, il fait un peu meilleur qu'ici, ajouta-t-elle avec un sourire entendu.

Dante lui retourna son sourire et accepta les vêtements.

— Si vous souhaitez aller vous habiller, la salle de bains est au bout du couloir, dit Marge en pointant la direction.

Dante disparut quelques minutes puis réapparut vêtu d'un jean un peu large à la taille et trop court aux jambes, nota Emma. Il était également serré dans la chemise, mais ne se plaignit pas. Il devait déjà être heureux de porter autre chose que de simples sous-vêtements thermiques.

Il enfila la doudoune et remonta la fermeture à glissière.

— Je vais aider Olaf à sortir la camionnette.

— Non, ne bougez pas, répliqua Marge. Vous avez suffisamment souffert du froid, continuez à vous réchauffer quelques minutes supplémentaires.

— Je vais bien, ne vous inquiétez pas.

Il tourna la tête vers Emma.

— Je reviens vous chercher dès que nous sommes prêts à partir.

Emma en fut émue. Il lui avait adressé un simple regard qui ne signifiait rien de particulier mais, quand il posait les yeux sur elle, elle était toujours touchée.

Elle resta seule avec Marge. Elle aurait voulu avoir la force de sortir aussi mais l'idée de se retrouver de nouveau dans l'air glacial lui sapait d'avance toute énergie. Comment Dante faisait-il pour être aussi endurant ?

— C'est un homme en acier trempé que vous avez là, fit Marge.

Emma voulut lui expliquer qu'ils n'étaient pas ensemble mais elle se ravisa. Peu importait ce que Marge croyait, c'était sans conséquences et, qu'elle pense que Dante était son compagnon ne lui déplaisait pas.

— Depuis combien de temps êtes-vous avec lui ? demanda soudain Marge.

Finalement, elle aurait mieux fait de tout lui dire spontanément…

— Pas très longtemps, répondit-elle évasivement.

C'était la réponse la plus proche de la vérité, non ?

Marge sourit.

— Tous les deux, vous formez un beau couple. Avez-vous besoin d'une doudoune supplémentaire ? Dans la camionnette, Olaf laisse toujours des couvertures et un sac de couchage au cas où nous resterions bloqués quelque part. N'hésitez pas à vous en servir. Quand on prend froid, il faut parfois du temps pour s'en remettre. Je parle d'expérience.

Emma acquiesça. Elle connaissait la rigueur des hivers du Dakota du Nord.

— J'ai mis mon Camping-gaz en route pour faire chauffer de l'eau, reprit Marge. Si vous n'êtes pas trop pressés, je peux vous concocter un petit déjeuner tout simple.

— Merci, mais ce n'est vraiment pas la peine de vous donner tant de mal, déclara Emma.

Néanmoins, elle en avait l'eau à la bouche.

Marge eut un petit rire.

— Oh ! Ça ne m'ennuie pas du tout, au contraire. Vous savez, par ici, nous recevons rarement de la visite. Je vais préparer un petit quelque chose.

Au bruit de vaisselle sortie du placard et de poêles posées sur le feu ne tarda pas à succéder un délicieux parfum de bacon grillé. Quand Dante et Olaf revinrent dans la maison, Emma en salivait et elle repoussa sa couverture pour se lever.

— Tout est prêt, déclara Dante.

— Tant mieux, répliqua Marge. Alors, venez manger un morceau avec Olaf et moi. Mieux vaut partir avec l'estomac plein.

Marge déposa des assiettes et une cafetière fumante sur la table.

— C'est vraiment gentil de votre part, dit Emma en s'asseyant.

Elle posa les yeux sur les œufs brouillés et les tranches de bacon devant elle.

— Je sens que je vais me souvenir longtemps de ce petit déjeuner.

— Merci beaucoup, vous êtes un ange, dit Dante à Marge en lui donnant l'accolade avant de s'asseoir à son tour.

Leur hôtesse en eut le rouge aux joues.

— Avec un simple réchaud, Marge peut faire des miracles, déclara fièrement Olaf.

Marge lui fit un signe entendu.

— En fait, Olaf m'a épousée seulement parce que je suis une cuisinière correcte.

— C'était aussi la plus jolie fille du comté.

Emma sourit, attendrie. Olaf et Marge s'aimaient beaucoup, cela ne faisait aucun doute.

— Depuis combien de temps vivez-vous ensemble ?

Olaf inclina la tête et réfléchit.

— Ça fait combien, Marge, trente ans ? Plus ?

— Plutôt pas loin de quarante.

— Tant que ça ? Je n'arrive plus à compter car tu ne changes pas.

— Espèce de menteur.

Emma échangea un regard complice avec Dante. L'ambiance chaleureuse et le délicieux petit déjeuner lui redonnaient de l'énergie. Elle se sentait bien.

C'était vraiment une drôle de journée, se dit-elle au moment de prendre congé. Ils venaient de passer un moment très agréable alors que, quelques heures plus tôt, on avait tenté de les tuer, Dante et elle.

D'ailleurs, le long du trajet jusqu'à Devil's Lake, de sombres pensées revinrent l'assaillir. Celui qui avait abattu l'hélicoptère de Dante avait voulu à tout prix finir le boulot. De toute évidence, ils pouvaient craindre une nouvelle tentative.

5

A Devil's Lake, Dante put enfin appeler sa base. La standardiste se montra soulagée de le savoir en vie :

— Plusieurs hélicoptères ont été envoyés sur la zone où l'on vous a localisé pour la dernière fois, mais la neige avait presque tout recouvert et on n'a repéré l'épave qu'il y a peu de temps.

La standardiste le mit ensuite en ligne avec Jim Kramer, son supérieur.

— Bon sang, Thunder Horse, où étais-tu ?

Dante éclata de rire.

— Je faisais une petite randonnée.

— Tu nous as fichu une belle trouille, oui !

— Ça fait plaisir de savoir que vous vous êtes inquiétés.

Dante faisait partie de l'équipe de surveillance des frontières depuis plusieurs années, ses collègues et lui étaient très proches. Quand un membre de l'équipe avait un souci, tout le monde faisait corps autour de lui.

— En tout cas, tout s'est bien terminé, je suis en vie et en bonne santé.

— Heureux de l'entendre, répliqua Jim. Mais que s'est-il passé ?

— Un type a abattu mon hélico au lance-roquettes.

— Quoi ?

— Ecoutez, je suis à Devil's Lake, là. La tempête a fait chuter pas mal de lignes à haute tension et de poteaux télégraphiques. Je vais chercher un routier qui passerait par Grand Forks. A mon retour, je vous ferai un rapport détaillé.

— D'accord, mais je vais te faire gagner du temps. Biacowski est parti à ta recherche. Je vais le contacter et lui dire de venir te chercher.

— Je veux bien s'il a de la place pour deux passagers.

— Que veux-tu dire ?

— Si j'ai pu réchapper à l'accident et survivre au froid et à la tempête de la nuit dernière, c'est grâce à une personne qui travaille à l'université de Grand Forks.

— Tu la remercieras de ma part. Je suis vraiment soulagé que tu ailles bien.

— Merci, je n'y manquerai pas.

Après avoir fixé un lieu de rendez-vous où Biacowski viendrait les prendre, Dante raccrocha. Quand il revint à la camionnette, Emma embrassait Olaf, qui s'apprêtait à repartir.

Un sentiment qui ressemblait étrangement à de la jalousie le gagna. Il n'avait pourtant rien à craindre d'Olaf mais qu'Emma soit aussi chaleureuse avec le vieil homme le contrariait d'autant plus qu'elle gardait ses distances avec lui depuis qu'ils avaient rejoint la civilisation.

Il lâcha un soupir. Quand Samantha était encore en vie, il lui suffisait de voir un homme lui dire bonjour pour éprouver de la jalousie. Chaque fois, cela la faisait rire et elle lui disait qu'il fallait vraiment qu'il se fasse une raison. Il lui avait promis de se maîtriser mais il n'y était jamais complètement parvenu.

Ce n'était pas une jalousie possessive, plutôt l'expression d'une peur de la perdre, tant il l'aimait. Et, hélas, sa peur était devenue réalité. Elle ne l'avait pas quitté, elle était partie définitivement, dans des circonstances dramatiques.

Il observa Emma : elle n'avait pas beaucoup de points communs avec Samantha. Cette dernière avait des cheveux blonds lisses et des yeux gris tandis qu'Emma était une petite brune aux cheveux bouclés et aux yeux noirs.

Samantha était capitaine dans l'armée, milieu éminemment machiste, et elle avait une confiance en elle très affirmée alors qu'Emma semblait introvertie et craindre les hommes.

Cependant, elle n'avait pas hésité à foncer avec sa motoneige sur l'homme armé qui voulait sa mort, se rappela Dante. Malgré leurs différences, toutes deux étaient des femmes de caractère.

Le regard d'Emma croisa le sien et elle lui sourit. Elle n'était pas aussi sexy que Samantha mais elle dégageait une douceur et une sérénité qui l'apaisaient et l'excitaient à la fois. Son cœur battit un peu plus fort et il eut envie de se retrouver de nouveau blotti sous les couvertures avec elle. Elle lui avait fait un cadeau très spécial, un cadeau qu'elle ne pourrait jamais lui reprendre. Dommage qu'il ne soit pas prêt pour se lancer dans une véritable relation. Elle en aurait valu la peine.

Elle se mit à rosir, remarqua-t-il. Probablement avait-elle lu dans ses pensées…

Le vrombissement familier d'un hélicoptère en approche le sauva de l'embarras. C'était presque une musique, une douce musique.

Avec un pincement au cœur, il repensa à son appareil qui n'était plus qu'une épave sous la neige. Un hélicoptère, ça coûtait beaucoup d'argent, il fallait en prendre soin et ça ne se remplaçait pas du jour au lendemain. Il avait songé plusieurs fois à ce qu'il aurait pu faire pour éviter le crash, mais il ne pouvait pas revenir en arrière.

Biacowski passa au-dessus d'eux, leur fit signe et se posa dans un champ ouvert aux abords de Devil's Lake.

Olaf les conduisit suffisamment près pour qu'ils puissent rejoindre l'hélico à pied.

Emma l'embrassa encore une fois et le remercia chaleureusement.

Dante lui serra la main.

— Un grand merci à votre épouse et à vous pour tout ce que vous avez fait.

— Je vous en prie, c'était un plaisir. J'espère que vous

reviendrez nous voir un de ces jours. Dans de meilleures circonstances, si possible, ajouta-t-il en riant.

Emma lui retourna son sourire.

— Nous essaierons, c'est promis.

Tous deux se dirigèrent vers l'appareil, penchés en avant car les pales tournaient toujours. Dante aida Emma à monter à l'arrière et à boucler ses sangles puis lui tendit un casque équipé d'un micro pour qu'elle puisse communiquer avec le pilote et lui.

Enfin, il s'installa à son tour à l'avant et posa lui aussi son casque sur ses oreilles.

Biacowski lui adressa un regard sévère.

— Ne me fais plus jamais aussi peur.

— Désolé de t'avoir donné des émotions, répondit Dante avec un petit rire. Mais si tu n'avais pas été malade, ça aurait pu être pire, car je doute qu'Emma aurait pu nous secourir tous deux.

Biacowski se retourna et leva le pouce.

— Un grand merci à vous, Emma. Je vous suis redevable.

Elle acquiesça timidement.

— C'est même tout le service qui vous doit une fière chandelle. Dante est un de nos meilleurs pilotes.

Emma plaça le micro devant sa bouche :

— Je suis heureuse d'avoir été utile.

Biacowski se pencha vers Dante.

— Où l'as-tu trouvée ? Elle est mignonne, dis donc.

Dante jeta un regard à Emma, car elle pouvait entendre tout ce que Biacowski disait.

— C'est plutôt elle qui m'a trouvé, pas l'inverse.

— Dès que nous serons arrivés, je veux que tu me racontes tout.

— Promis. Je te demande seulement de nous faire rentrer au plus vite car la journée a été longue.

Il se renfonça dans son siège. Une petite sieste ne lui ferait pas de mal, pensa-t-il.

Discrètement, il se retourna : Emma n'était pas loin non

plus de s'endormir. La chute de la caravane dans la fosse puis la randonnée forcée dans la neige l'avaient épuisée et c'était compréhensible.

Il ferma les yeux mais le bruit des rotors lui donnait tellement envie de prendre les commandes qu'il fut incapable de s'endormir. Il renonça à son projet de sieste et inspecta le paysage blanc en dessous. A tout moment, il s'attendait à ce qu'un homme surgisse en motoneige avec un lance-roquettes.

Il était nerveux et ne parvint à se détendre qu'à l'approche de Grand Forks.

Biacowski effectua un premier survol de la base puis, avec dextérité, se posa sur une piste disponible.

Avant même que les pales aient complètement cessé de tourner, Dante aida Emma à défaire ses sangles.

— Dès que j'aurai fait mon rapport à mon chef, je vous reconduirai chez vous, lui annonça-t-il. Ça ne vous ennuie pas de patienter un moment ?

— Je peux très bien rentrer en taxi, répondit-elle. Ne vous inquiétez pas pour moi.

— En fait, je pense que mon chef souhaitera également entendre votre témoignage. Vous avez vu l'homme qui a abattu mon hélico.

— Oui, mais pas en détail.

— Tout ce que vous pourrez donner comme précisions sera utile.

Il lui tendit la main pour l'aider à descendre puis, en compagnie de Biacowski, ils se dirigèrent vers les bâtiments.

Jim Kramer les accueillit à la porte de son bureau, les pria d'entrer et leur proposa un café.

— Vous êtes sûrs que vous ne feriez pas mieux d'aller à l'hôpital ? leur demanda-t-il en les observant avec inquiétude. Vous n'avez pas très bonne mine, excusez-moi de vous le dire.

Dante croisa le regard d'Emma et soupira.

— Nous avons eu une journée éprouvante.

Il raconta tout ce qui s'était passé au cours des dernières

vingt-quatre heures puis son chef posa quelques questions à Emma.

— Pourriez-vous décrire plus ou moins précisément cet homme en motoneige ?

Elle fit non de la tête.

— Je peux seulement affirmer qu'il avait les cheveux noirs. Tout s'est passé très vite et je voulais avant tout l'empêcher de s'en prendre à Dante.

Kramer fit le tour de son bureau pour serrer la main d'Emma.

— Bien sûr. Je vous remercie d'avoir sauvé la vie d'un de mes meilleurs éléments. Dante est surtout un type bien qui nous aurait énormément manqué.

Gêné par ses louanges, Dante changea de position. Il était d'autant plus embarrassé qu'il s'en voulait de ne pas avoir réussi à éviter le crash.

— Ce qui me préoccupe, confia-t-il, c'est que le type qui a descendu mon hélico est revenu finir le boulot. Deux fois. Et je crains qu'il ne récidive quand il apprendra que sa seconde tentative a également échoué. Et s'il pense qu'Emma pourrait l'identifier, il risque de s'en prendre à elle.

Kramer s'appuya contre son bureau et se passa la main sur le menton.

— Tu as raison. J'imagine que je pourrais assigner un homme à sa protection.

Emma se redressa.

— Non, je n'ai pas besoin qu'on me protège. Je peux me débrouiller toute seule.

Kramer secoua la tête.

— Le type qui s'en est pris à Dante doit certainement savoir qu'agresser un agent du service des frontières est un crime d'Etat. Il ne va pas courir le risque d'être identifié.

Dante se pencha vers Emma et lui prit la main.

— Laissez-nous assigner un homme à votre protection. Au moins pendant quelque temps.

Emma pinça les lèvres.

— Non, merci. Les vacances de Noël viennent de débuter,

je ne reprendrai pas le travail avant quelques semaines. D'ici là, je serai prudente. Je refuse que vous mobilisiez des moyens pour ma seule personne.

Kramer se tourna vers Dante.

— Je ne peux pas la forcer à accepter de l'aide.

Dante croisa le regard d'Emma. A son expression obstinée, elle ne supportait pas qu'on décide à sa place. Toutefois, il lui devait la vie et il était hors de question qu'on s'en prenne à elle.

— J'ai pas mal de congés en retard, il me semble.

— C'est vrai, admit Kramer.

— Je comptais passer un peu de temps avec ma famille au ranch Thunder Horse pendant les fêtes. Si vous n'y voyez pas d'inconvénient, j'aimerais utiliser ces congés dès à présent pour rester avec Emma… Le temps qu'on découvre qui a osé abattre un hélicoptère et tenté de nous tuer.

— Ai-je mon mot à dire ? intervint Emma.

Dante lui retourna un sourire malicieux.

— Seulement si c'est pour donner votre accord.

— Non, désolée, rétorqua-t-elle en se levant. J'aime être seule et je n'ai pas envie qu'on s'occupe de moi comme si j'étais une enfant en bas âge.

Dante avait toujours eu de l'admiration pour les femmes indépendantes à fort caractère, mais il restait déterminé à la convaincre. Il se leva à son tour.

— Si cela peut vous rassurer, vous ne saurez même pas que je suis dans les parages. Je resterai dans ma voiture à proximité de l'endroit où vous habitez.

Avant même d'avoir terminé sa phrase, il comprit son erreur.

— Quoi ? s'écria Emma. Vous allez m'épier comme un déséquilibré qui me suivrait partout ?

Jim Kramer partit d'un petit rire.

— Ecoutez, je vais vous laisser accorder vos violons, moi j'ai d'autres réunions. Passez à l'infirmerie pour qu'on s'assure que tout va bien et, ensuite, vous pouvez y aller. Dante, je ne vous revois pas avant le jour de l'An… Alors, d'ici là, tâchez de rester au chaud. On annonce que, dès cette nuit, la température pourrait descendre jusqu'à moins quinze.

— Je vous assure que nous n'avons pas l'intention de passer la nuit dans le froid, répondit Dante. Même si on peut y trouver des avantages...

Kramer leur dit au revoir puis quitta son bureau.

Dante se tourna alors vers Emma : elle était rouge de confusion.

— Je ne veux pas vous priver de vos vacances en famille, marmonna-t-elle.

Dante eut envie de sourire mais se retint. Manifestement, son allusion à ce qui s'était passé entre eux la nuit précédente avait gêné Emma et elle cherchait à changer de sujet. Il en fut légèrement amusé.

— Je vous promets d'aller voir ma famille quand même.

— Il n'y a pas de « quand même ». C'est avec vos proches que vous devez passer vos vacances, pas avec moi.

— Et si ça me plaît d'être avec vous ?

Elle le toisa.

— Et si moi, je n'aime pas être avec vous ?

Son regard brillait de colère et elle lui plaisait tout autant ainsi que quand elle se montrait timide et douce. Il prit ses mains entre les siennes.

— Vous êtes sincère ?

— Vous avez dit vous-même que vous ne pouviez m'offrir aucune garantie, alors ne commencez pas à avoir pitié de moi.

— Je n'ai pas pitié de vous, je m'inquiète pour vous.

— Je peux me débrouiller toute seule. Je le fais depuis des années.

— Je comprends très bien, répliqua-t-il d'un ton conciliant en lui passant doucement les pouces sur le dessus des mains. Vous êtes indépendante et débrouillarde, c'est entendu. Mais, jusqu'à ce matin, a-t-on déjà cherché à vous tuer ?

Elle ouvrit la bouche mais ne trouva pas de réponse.

— Non, répondit-il pour elle. Moi, j'ai déjà vécu cette situation et ça ne m'amuse vraiment pas. Je vous jure que, dans des cas comme ça, se retrouver seul, ce n'est vraiment pas bon.

— Pour autant, je n'ai pas besoin que vous deveniez mon garde du corps.

— Emma, de quoi avez-vous peur exactement ? Du type qui s'en est pris à nous ou de moi ?

— Ni de lui ni de vous, rétorqua-t-elle en baissant les yeux. C'est de moi que j'ai peur.

Son expression malheureuse lui serra le cœur.

— Pourquoi ?

Elle releva la tête, regarda dans le vide et resta silencieuse un long moment. Puis elle déclara :

— Cela fait trop longtemps que je vis seule et que je m'accroche à mon indépendance. Devoir compter sur quelqu'un d'autre me fait paniquer.

Visiblement, elle ne disait pas tout, songea Dante. Dans le passé, elle avait dû être blessée.

— Devoir compter sur les autres, ce n'est pas forcément négatif. En plus, ce ne sera que temporaire. Une fois que ce type aura été arrêté, tout redeviendra comme avant.

Elle ne répliqua pas : son obstination commençait probablement à flancher. Il décida d'insister.

— En plus, vous m'avez sauvé la vie deux fois.

Il porta une de ses mains à ses lèvres et y déposa un petit baiser.

— J'ai une dette envers vous et si vous ne m'autorisez pas à vous protéger pendant un petit moment, je me sentirai toujours redevable. Oseriez-vous me laisser vivre avec ce poids sur la conscience ? Ma virilité en prendrait un sacré coup.

Elle fronça les sourcils.

— Vous ne me devez rien. Et votre… virilité ne risque rien non plus.

Sa gêne évidente lui rappela la sensation de son corps délicat contre le sien et, comme elle se mit à rougir, il ne devait pas être le seul à y repenser.

— S'il vous plaît. Laissez-moi jouer les gardes du corps. Vous ne le regretterez pas.

Elle soupira.

— Vous croyez réellement que je suis en danger ? Moi, alors que j'ai une vie des plus ennuyeuses ? Comment pourrais-je constituer une menace ?

— Vous avez vu ce type, voilà tout.

— Oui, mais il pense certainement que nous sommes tous deux morts dans la caravane.

— Il finira par apprendre que nous nous en sommes sortis.

— Mais j'ai à peine vu son visage, je ne sais pas à quoi il ressemble.

— Il n'en sait rien. Pour lui, l'important, ce sera que nous sommes toujours en vie et que nous pourrions l'identifier.

Emma poussa un nouveau soupir.

— D'accord, je vous autorise à garder un œil sur moi, mais seulement pour quelques jours. Je suis sûre que l'enquête ne tardera pas à aboutir et que le coupable sera arrêté.

Satisfait, Dante lui sourit. Il n'était pas aussi optimiste qu'elle et faisait peut-être du zèle. Mais la protéger était de son devoir. S'il lui arrivait malheur, il ne se le pardonnerait jamais.

La base était à plusieurs kilomètres de la ville. Quand ils sortirent du bâtiment, une bourrasque les saisit et Emma serra sa doudoune autour d'elle.

— Comment rejoignons-nous Grand Forks ? s'enquit-elle.

Dante indiqua le parking.

— Ma Jeep est garée là-bas.

Il faisait tellement froid qu'elle claquait des dents.

— Votre voiture n'est pas équipée de sièges chauffants, par hasard ?

De sa poche, il sortit sa clé, récupérée au vestiaire de la base, et actionna le déverrouillage des portières.

— Eh bien figurez-vous que si.

— Dieu merci.

— Mieux encore, elle dispose d'un thermostat intégré et le chauffage doit déjà s'être mis en marche.

Alors qu'ils approchaient d'une grosse Jeep noire, un ronronnement de moteur surprit Emma.

— C'est celle-ci ?

— Tout juste. Je sais qu'elle est un peu tape-à-l'œil mais j'ai toujours aimé conduire et j'avais envie d'une voiture bien équipée. J'ai économisé pour me l'offrir depuis que j'ai quitté l'armée.

— Dans l'armée, vous étiez déjà pilote d'hélicoptère ?

Il acquiesça sans un mot.

Elle s'interrogea : avait-il gardé des séquelles de ses années militaires ? Souffrait-il de stress post-traumatique ?

La nuit précédente, elle l'avait réveillé en plein cauchemar. Sur le moment, elle avait cru que c'était lié à la chute de l'hélicoptère. Mais il y avait peut-être autre chose. Il lui avait confié qu'on avait déjà essayé de le tuer. Avait-il vu des hommes mourir sous ses yeux ?

Le ciel était gris, le vent soufflait. Elle hâta le pas pour rejoindre la Jeep, monta et apprécia la relative chaleur qui régnait déjà à l'intérieur.

Dante monta lui aussi et démarra.

Le trajet jusqu'à Grand Forks se fit en silence. Quand il tourna à gauche alors qu'il aurait fallu prendre à droite pour aller chez elle, elle se rappela ne pas lui avoir précisé où elle habitait.

— Je vis dans le quartier de l'université.

— Et moi dans le sud de la ville, répondit-il en lui jetant un regard. Je me suis dit que nous pourrions passer chez moi en premier pour prendre quelques vêtements de rechange et des affaires dont j'aurai besoin.

— Comment ça ?

— Pour pouvoir rester avec vous.

— Avec moi ?

— Oui, je pensais que c'était réglé. Pendant quelques jours, je suis votre garde du corps.

— Mais cela ne signifie pas que vous devez rester avec moi en permanence.

— Comment suis-je censé assurer votre protection si je ne suis pas au même endroit que vous ?

— Mais…

Elle se mordit la lèvre inférieure.

— C'est que mon appartement est vraiment petit.

Imaginer Dante chez elle, même si ce n'était que pour quelques jours, lui faisait perdre ses moyens. Et ils n'étaient même pas encore arrivés…

— Si vous le souhaitez, nous pouvons nous installer chez moi. Mais je pensais que vous vous sentiriez mieux chez vous.

Elle chercha quoi dire. Elle n'était plus dans ses repères. Elle menait une existence ordonnée que rien ne venait jamais troubler. Depuis que l'hélicoptère de Dante avait chuté, c'était le chaos. Au sens propre.

— Nous resterons chez moi, dit-elle finalement. Mais c'est tout. Vous dormirez sur le canapé.

Il ne répondit pas et garda les yeux sur la route. Mais un petit sourire étirait ses lèvres.

S'il souriait franchement, elle ne résisterait pas, elle en était bien consciente. Il avait beaucoup trop de charme et de charisme pour qu'une pauvre petite professeure d'université à la vie bien rangée lui tienne tête.

Je suis fichue.

Dante tourna la tête.

— Pardon ? Vous avez parlé ?

— Non, non… Je n'ai rien dit du tout, bafouilla-t-elle.

Il fallait qu'elle se reprenne. Certes, ils avaient fait l'amour ensemble, mais cela ne signifiait pas qu'ils allaient remettre ça dès qu'ils auraient franchi la porte de son appartement ! Il l'avait avertie qu'il ne souhaitait pas se lancer dans une relation.

Elle ne devait pas trop s'attacher et tomber amoureuse de lui. Sinon, elle ne parviendrait pas à gérer ses émotions.

Mieux valait qu'elle garde ses distances pour ne pas risquer d'avoir le cœur brisé.

Mais comment allait-elle s'y prendre alors qu'elle vivait dans un deux-pièces ?

6

— Si vous voulez, je vous attends dans la voiture pendant que vous allez chercher vos affaires, proposa Emma à Dante.

Il était en train de se garer devant chez lui.

— Désolé, répondit-il en inclinant la tête, mais je ferais un piètre garde du corps si, à la première occasion, je vous laissais hors de ma vue. Accompagnez-moi.

Quand elle pénétra dans l'appartement, Emma fut décontenancée. Même si elle avait partagé un moment intime avec Dante et qu'il s'était montré d'une grande gentillesse, elle ne le connaissait pas très bien et elle avait espéré que l'endroit où il vivait lui en apprendrait un peu plus. Hélas, son intérieur était aussi austère et impersonnel qu'un cabinet médical.

Dante se dirigea vers la cuisine et saisit un téléphone sans fil.

— Il faut que j'appelle ma famille au cas où ils auraient entendu parler de l'accident.

Il alla dans la chambre en téléphonant. Apparemment, il était tombé sur un répondeur car il déclara :

— Maman, c'est moi. Si par hasard tu as entendu aux infos qu'un hélico du service des frontières s'est écrasé, rassure-toi, je vais bien. C'était mon appareil mais je ne suis pas blessé. Rappelle-moi dès que tu pourras, je t'embrasse.

Tandis qu'il commençait à rassembler des affaires, Emma détailla le salon et la cuisine.

Il n'y avait pas beaucoup de meubles. Un canapé en cuir, un fauteuil, une table basse et un poste de télévision occupaient l'espace. Au mur, il y avait en tout et pour tout deux photos encadrées. La première représentait une famille : Dante posait manifestement avec ses trois frères, sa mère et son père.

Elle s'approcha. Dante affichait un large sourire et semblait heureux. Elle aurait aimé le rencontrer à cette époque, songea-t-elle avec amertume, car cette insouciance semblait l'avoir quitté depuis.

— Dante, cette photo au mur, c'est vous avec votre famille, n'est-ce pas ?

— Oui, confirma-t-il depuis la chambre.

— Quand a-t-elle été prise ?

— Il y a quatre ans. Mon père était encore en vie.

Son père était décédé. Un détail de plus qu'elle apprenait sur lui.

— Désolée.

— Je vous en prie, répondit-il.

Dans la chambre, des tiroirs s'ouvraient puis se refermaient. Elle contempla la seconde photo. Dante posait en tenue de pilote de l'armée en compagnie de deux hommes et d'une femme. Il avait un bras autour des épaules de celle-ci. Elle avait les cheveux attachés et souriait largement. Elle était blonde, les yeux clairs. Elle était très jolie, avec une expression à la fois avenante et déterminée. Elle semblait à son aise au milieu des hommes.

Emma avait toujours eu de l'admiration pour les femmes qui parvenaient à s'imposer dans l'armée. Elle-même n'en aurait pas été capable.

Elle se concentra sur Dante, sur son bras passé autour des épaules de cette femme. Elle avait représenté beaucoup pour lui, c'était évident.

— Que faites-vous ? lui demanda soudain Dante.

Elle sursauta. Elle était tellement happée par sa contemplation des photos qu'elle ne l'avait pas entendu revenir dans la pièce. Il avait passé un jean et une chemise propres et portait un sac sur l'épaule. Avec des vêtements à sa taille, il était encore plus sexy.

Elle culpabilisa d'avoir détaillé ces photos pour en savoir

plus sur sa vie privée. Mais elle n'allait pas faire comme si de rien n'était, car elle voulait en apprendre davantage sur l'homme avec lequel elle avait fait l'amour.

— Qui est-ce ?

Il hésita puis fit quelques pas pour se poster à côté d'elle et regarder la photo.

— Une fille que j'ai bien connue.

Elle tourna la tête pour observer son expression.

— Elle est très jolie.

Dante regardait fixement la photo et semblait perdu dans ses souvenirs.

— Grâce à Samantha, mes années dans l'armée ont été plus douces.

La blessure dans sa voix la bouleversa. Néanmoins, elle ne put se retenir d'ajouter :

— Elle a un très beau sourire.

Il acquiesça.

— Tout le monde appréciait Samantha.

Elle continua à l'observer.

— Est-ce que vous l'aimiez ?

Il tourna vivement la tête.

— Quoi ?

— Est-ce que vous l'aimiez ? répéta-t-elle.

— Oui.

— Et vous l'aimez toujours ? lui demanda-t-elle doucement.

Il pinça les lèvres, son regard devint impénétrable.

— Oui.

Elle inspecta de nouveau la pièce. Rien dans l'appartement n'indiquait la présence d'une femme. Et d'ailleurs, s'il avait été encore avec elle, il n'y aurait pas eu cette nuit d'amour dans la caravane, songea Emma.

— Que lui est-il arrivé ? osa-t-elle s'enquérir.

— Elle a perdu la vie dans un accident de la route. Au cours d'une mission.

Elle eut le cœur lourd. La découvrir en photo, si belle et

rayonnante, et apprendre qu'elle n'était plus de ce monde la secouait, même si elle ne l'avait pas connue.

— C'est terrible.

— Ouais, dit-il sèchement, comme s'il ne voulait surtout pas s'étendre sur le sujet. Vous êtes prête ?

Elle acquiesça.

— Je suis vraiment désolée. J'ai l'impression qu'elle comptait beaucoup pour vous.

— En effet.

Elle comprit sa propre tristesse. Le sort de cette femme la touchait, mais elle prenait également conscience d'autre chose : elle ne parviendrait jamais à la remplacer. Comment le pourrait-elle ? Samantha était superbe, et un regard suffisait pour comprendre que c'était une femme sûre d'elle avec énormément de personnalité.

Soudain, Emma eut le moral très bas. Dante lui avait fait l'amour mais avait découvert qu'elle était tellement peu intéressante qu'elle était encore vierge.

La honte lui fit baisser la tête.

— Allons-y ! lança-t-il.

Mais au moment de sortir, elle s'arrêta net.

— Vous savez, je préférerais vraiment que vous me raccompagniez chez moi et que vous oubliiez votre projet de me servir de garde du corps.

Dante fronça les sourcils.

— Pourquoi revenez-vous encore sur la question ? Je pensais que nous étions d'accord. Je vais rester quelques jours avec vous. Je vous promets de me faire discret et de ne pas vous gêner.

Même s'il se montrait discret, pensait-il vraiment qu'elle pourrait oublier sa présence ? Il était tellement beau et imposant que ce serait mission impossible. Et ce serait également douloureux car, désormais, elle savait que son cœur appartenait à une femme qui n'était plus là mais qu'il n'oublierait jamais.

Elle ne devait garder à l'esprit qu'une chose : il ne souhaitait pas la protéger pour se rapprocher d'elle. Comment pourrait-il en avoir envie après avoir connu une femme comme Samantha ? Ce qui s'était passé la nuit précédente était anecdotique, ça ne serait pas arrivé s'ils n'avaient pas eu besoin de se réchauffer.

Elle redressa les épaules et acquiesça.

— Vous avez raison, ce n'est que pour quelques jours. Ensuite, vous irez voir votre famille, et moi je recommencerai à préparer mes cours pour la rentrée.

Et, comme d'habitude, elle passerait Noël toute seule. Quelle vie pathétique…

Depuis la mort de sa mère, elle n'avait plus parlé à son père. Tous les ans, elle redoutait Noël. Cette année ne ferait pas exception.

Dante posa son sac dans le coffre de sa Jeep puis lui ouvrit la portière. Elle prit soin de ne pas l'effleurer en montant. Quand il était près d'elle, elle était déjà sensible à sa présence, alors autant ne pas en rajouter. Elle ne lui avait peut-être pas laissé un souvenir impérissable, mais elle, elle n'était pas près d'oublier que c'était le premier homme à lui avoir fait découvrir le plaisir physique. Son pied glissa sur le montant de la Jeep et elle bascula.

Dante referma ses bras puissants autour d'elle pour l'empêcher de tomber et la serra contre son buste.

Emma déglutit avec peine. Dante la tenait juste en dessous des seins, lui communiquant sa chaleur.

Un instant, elle oublia la réalité et se mit à rêver : il la tenait contre lui parce qu'il en avait envie.

Puis elle recouvra ses esprits et, à peine eut-elle repris son équilibre qu'elle voulut sortir de ses bras.

— Doucement, lui dit-il. Quand il gèle, le marchepied peut devenir glissant.

C'est maintenant qu'il me le dit…

— Tout va bien. Désormais, je ferai attention. Excusez-moi.

— Ne vous excusez pas, je voulais seulement m'assurer que vous ne vous étiez pas fait mal.

Elle monta, tandis que Dante avait toujours une main sur son dos pour éviter qu'elle glisse de nouveau.

Contrariée par sa maladresse et sa réaction, elle s'enfonça dans son siège et baissa les yeux tandis qu'il s'installait au volant. Elle lui expliqua rapidement comment se rendre chez elle puis se tut.

Elle fit de son mieux pour fixer la route mais elle n'arrivait pas à se retenir de lui jeter un coup d'œil de temps en temps. Il avait un profil ciselé, typique des Amérindiens, des pommettes hautes et la mâchoire large.

A plusieurs reprises, il observa ses rétroviseurs en fronçant les sourcils.

— Qu'est-ce qui ne va pas ? finit-elle par lui demander alors qu'ils approchaient de sa résidence.

Au carrefour avec sa rue, il passa tout droit au lieu de bifurquer. Elle se tourna vers lui.

— Vous avez raté ma rue, dit-elle.

— Je l'ai fait exprès. Je n'en jurerais pas mais j'ai l'impression qu'on nous suit.

Emma se retourna légèrement.

— Ici à Grand Forks ?

— Je sais bien que c'est une petite ville et qu'il n'est pas surprenant que deux voitures empruntent le même trajet... Mais le même véhicule est derrière nous depuis que nous sommes partis de chez moi.

Quelques instants plus tard, il se détendit.

— Ça va, il a tourné.

Il effectua un grand tour du quartier, puis revint dans sa rue.

— Je suis peut-être trop méfiant mais je préfère prendre trop de précautions que pas assez.

Il entra dans le parking et se gara tout au fond, sur une place de stationnement qui n'était pas visible depuis la rue.

Il prenait son rôle de garde du corps trop à cœur, jugea Emma, mais elle ne dit rien. Ils étaient à Grand Forks, dans le Dakota du Nord, pas à Chicago ou Houston.

Dès qu'il eut coupé le moteur, elle déboucla sa ceinture

et descendit sans poser le pied sur la marche pour éviter une nouvelle glissade.

— J'habite au deuxième étage.

Elle passa la première dans l'escalier et, arrivée sur le palier, se pencha pour récupérer son double de clé dissimulé sous un pot de fleurs.

— Vous ne devriez pas laisser une clé de chez vous ici. N'importe qui pourrait s'introduire dans votre appartement.

— Cela fait des années que je vis seule et il ne m'est jamais rien arrivé.

— Je sais, mais ce n'est pas prudent.

— A vrai dire, étant donné que mon sac est resté dans la caravane, je suis heureuse d'avoir un double ici. D'autant plus que, le week-end, le concierge est très difficile à joindre.

Elle déverrouilla la porte, ouvrit et alluma.

Son appartement était tel qu'elle l'avait laissé. Après toutes les péripéties qu'ils avaient traversées, c'était presque bizarre. Mais rassurant aussi.

— Posez votre sac près du canapé, dit-elle à Dante. Je suis désolée mais je n'ai pas beaucoup de provisions. Je comptais faire des courses en rentrant.

— Nous irons quand vous le souhaiterez.

— Il faut d'abord que j'appelle ma compagnie d'assurances pour ma camionnette. Et je suppose que je devrais également signaler ce qui s'est passé à la police.

Elle secoua la tête avec impuissance.

— Je ne suis même pas certaine de ce que je dois faire.

— Je vous conduirai au poste de police pour que vous fassiez une déposition. A l'heure qu'il est, mon chef s'est certainement mis en rapport avec les autorités. Tout devrait aller assez vite et une enquête ne tardera pas à être ouverte. D'autant que, compte tenu de la gravité des faits, les fédéraux et la sécurité intérieure seront sur le coup.

Emma en eut des frissons.

— Nous sommes dans le Dakota du Nord, quand même, pas dans un pays en guerre.

Dante eut une mine sombre.

— Oui, mais depuis quelques années, au moindre incident sur le sol américain, on ne fait plus dans la dentelle.

— C'est difficile d'accepter l'idée qu'on ne peut plus se sentir en sécurité nulle part.

Sur le parking, une alarme de voiture se déclencha et la fit sursauter. Elle eut un rire nerveux.

— Décidément, je suis encore sous le choc, il n'en faut pas beaucoup pour me faire réagir.

Dante traversa la pièce pour regarder par la fenêtre.

— C'est ma Jeep. Je parie que quelqu'un a posé la main dessus. L'alarme est hypersensible et ça suffit à la déclencher.

Emma le rejoignit à la fenêtre. Les feux de détresse de la Jeep clignotaient et l'alarme continuait à gémir.

Dante sortit sa clé de sa poche, la pointa sur son véhicule et l'actionna. Le silence revint instantanément.

Emma voulut s'éloigner de la fenêtre mais Dante fit pareil au même instant et leurs visages se retrouvèrent à quelques centimètres l'un de l'autre.

— C'est mieux, non ? lui dit-il avec un sourire.

Elle répondit d'un signe de tête. Elle n'arrivait plus à prononcer la moindre parole et contempla ses lèvres. Des lèvres qui lui avaient donné des baisers tellement sensuels !

Il leva la main et lui caressa la joue.

— Je vous promets de vous protéger du mieux possible.

Puis il se pencha en avant et effleura sa bouche.

Emma laissa échapper un long soupir et fit un pas en avant, comme si une force irrépressible l'attirait vers lui.

Il passa une main dans son dos, laissa descendre l'autre sur sa nuque pour la tenir contre lui et l'embrassa franchement.

Sa langue prit possession de sa bouche ; elle en eut le souffle coupé.

Puis sa main dans son dos glissa sous son pull et caressa sa peau.

Emma aurait voulu ne plus rien porter du tout, être nue

contre lui. Elle avait beau ne pas être experte en amour, son instinct…

Dehors, une portière de voiture claqua et la sortit de ses songes.

Dante releva la tête et regarda de nouveau par la fenêtre.

— Pardon. Je vous ai promis de me faire discret et, à peine arrivé chez vous, voilà que je vous embrasse. Je suis vraiment désolé.

— Ce n'est rien.

Leur baiser avait été délicieux, mais elle n'allait pas le dire et prendre le risque d'apparaître naïve ou faible, même si, de tout son être, elle avait envie qu'il la prenne encore une fois dans ses bras.

Dante retira ses mains et les fourra dans ses poches.

Elle n'osa pas bouger et suivit son regard. Sur le parking, une voiture sortait de la place de stationnement juste à côté de sa Jeep.

Emma se crispa. Le conducteur braquait trop sèchement alors qu'il n'était pas complètement sorti de sa place.

— Il va accrocher votre Jeep, dit-elle.

Elle ouvrit la fenêtre pour crier au conducteur de s'arrêter.

Mais, avant qu'elle ait pu ouvrir la bouche, il y eut une explosion.

Emma recula brusquement, bascula en arrière et entraîna Dante dans sa chute. Elle lui tomba dessus si brutalement qu'il fut sonné.

Quand il retrouva ses esprits, il se leva et se précipita dans l'escalier pour descendre au parking. Le capot de sa Jeep était soulevé, la tôle froissée et le pare-brise côté passager cassé.

La voiture qui était stationnée juste à côté avait été repoussée de l'autre côté du parking par l'explosion, le conducteur était affalé sur son volant et de la fumée s'échappait du moteur.

Dante courut jusqu'à la voiture et voulut ouvrir la portière, mais elle était verrouillée. Il tapa à la vitre, appela pour attirer l'attention du conducteur, mais l'homme était inconscient.

Très vite, des flammes commencèrent à sortir du moteur.

Aux abois, Dante fureta de tous côtés, à la recherche de quelque chose pour briser la vitre et extirper l'homme du véhicule. Mais la neige avait tout recouvert et rien ne pouvait lui être utile.

Des pas le firent alors se retourner : Emma courait vers lui.

— Tenez, prenez ceci, lui dit-elle en lui tendant un marteau.

Il lui retourna un petit sourire. Décidément, dans les situations d'urgence, on pouvait compter sur elle.

Il contourna la voiture pour briser la vitre côté passager et ne pas risquer de blesser le conducteur. Il dut s'y reprendre à plusieurs fois pour pouvoir passer la main et presser le déverrouillage automatique des portières sans se blesser.

Emma ouvrit côté conducteur et s'empressa de déboucler la ceinture de sécurité qui retenait l'homme sur son siège.

Des flammes de plus en plus hautes montaient du capot, Dante en avait chaud au visage.

— Reculez ! cria-t-il à Emma.

Celle-ci l'ignora et saisit l'homme au volant par le bras.

— Nous devons le sortir de là.

Dante arriva à côté d'elle. Elle s'écarta pour le laisser prendre l'individu dans ses bras et le porter sur son épaule. Il se retourna et partit en courant.

— Allez, vite, ne restez pas là ! lui lança-t-il.

Elle courut elle aussi. Avec l'homme sur son épaule et le sol glissant, Dante était ralenti et il eut tout juste le temps d'atteindre l'entrée de l'immeuble avant que la voiture ne se transforme en brasier. Tous les propriétaires des autres appartements étaient dans le couloir, affolés.

Emma fit signe à une femme qui se tenait devant sa porte, bouche bée.

— Lisa, appelez le 911 !

Les yeux écarquillés, celle-ci acquiesça, disparut dans son appartement puis en ressortit un portable collé à l'oreille. Elle s'exprimait d'une voix agitée pour expliquer la situation à son interlocuteur.

— Appuyez-vous sur moi, proposa Emma à Dante.

Elle passa un bras autour de ses épaules pour l'aider à avancer tandis qu'il tenait toujours l'homme inconscient contre lui.

L'aide d'Emma fut bienvenue mais Dante s'efforça néanmoins de ne pas trop peser sur elle.

— Nous devrions l'emmener au chaud, déclara Emma en désignant l'appartement de la jeune femme qui appelait les secours.

Celle-ci s'écarta pour les laisser entrer.

Dante tira l'homme jusqu'au canapé, l'allongea puis se redressa.

— Il nous faut des couvertures, annonça Emma.

Lisa, la propriétaire de l'appartement, toujours au téléphone, désigna le couloir.

— Une ambulance et les pompiers sont en chemin, dit-elle. La standardiste me demande de rester en ligne jusqu'à leur arrivée. Vous trouverez des couvertures dans le placard du couloir.

— J'y vais, déclara Emma.

Elle revint quelques instants plus tard avec deux épaisses couvertures.

Dehors, il y eut un bruit de sirènes en approche et, peu après, la résidence fut encerclée par des véhicules d'urgence. Les pompiers bondirent de leur camion et vinrent rapidement à bout de l'incendie de la voiture.

Deux brancardiers déplièrent une civière dans l'appartement et s'empressèrent de transporter le conducteur blessé jusqu'à l'ambulance.

Quand la police eut terminé de prendre les dépositions et qu'une dépanneuse eut évacué l'épave calcinée, la nuit était tombée.

Emma remercia sa voisine pour son aide puis remonta à son appartement en compagnie de Dante.

Celui-ci referma la porte derrière lui et s'appuya dessus.

Elle le regarda, les traits tirés et les yeux inquiets.

— Si vous étiez monté dans votre Jeep...

— Je serais mort. Et si vous aviez été avec moi, vous auriez péri également ou vous auriez au moins été gravement blessée.

Il poussa un soupir.

— J'espère que le conducteur de la voiture qui a déclenché l'explosion s'en sortira.

— Moi aussi, je le souhaite de tout cœur, répondit Emma en se passant nerveusement la main dans les cheveux, les yeux humides.

Dante en eut le cœur serré. Il ouvrit les bras et elle ne se fit pas prier pour se blottir contre lui. Il la tint longuement sans rien dire.

— Nous ne sommes pas en sécurité ici, dit-il enfin.

Elle se redressa pour le fixer de ses yeux anxieux.

— Mais où irions-nous ? Nous n'avons nulle part où aller.

— Bien sûr que si, répliqua-t-il. Préparez vos affaires, nous allons au ranch Thunder Horse. Nous partirons demain matin à la première heure.

7

Dans son lit, Emma était allongée sur le dos, les yeux grand ouverts. Elle aurait dû être épuisée et, pourtant, elle ne parvenait pas à trouver le sommeil. Trop de pensées se bousculaient dans son esprit, des images des événements des dernières vingt-quatre heures repassaient en boucle devant ses yeux.

Si Dante n'avait pas été allongé non loin de là sur son canapé, elle aurait certainement succombé à une crise d'anxiété.

Elle avait beau être très indépendante, elle aurait donné cher pour s'allonger à côté de lui, se retrouver dans ses bras et être ainsi protégée de tout. Alors, peut-être serait-elle parvenue à s'endormir.

Mais non, elle se faisait des illusions. Si elle avait été allongée contre lui, elle n'aurait pas résisté à l'envie de le caresser, de savourer sa peau et son corps vigoureux.

Elle n'en pouvait plus d'être toute seule dans son grand lit alors qu'il était dans la pièce à côté. Elle repoussa la couverture et s'assit.

Une large silhouette se dessina alors dans l'encadrement de la porte.

— Vous non plus vous n'arrivez pas à dormir ? lui demanda-t-il.

La faible lumière qui filtrait à travers les volets le faisait paraître encore plus imposant qu'au naturel et incroyablement sexy. D'autant qu'il était seulement vêtu d'un caleçon.

Elle déglutit.

— Non, je ne cesse de repenser à tout ce qui nous est arrivé.

— Moi aussi.

Il vint s'asseoir au bord du lit.

— Dès que je ferme les yeux, je me mets à cogiter.

— Vous auriez pu mourir. A quatre reprises.

— Et vous auriez pu perdre la vie presque autant de fois.

Elle renifla de dédain.

— Je me fais l'impression d'être une poule mouillée.

Dante s'installa sur le lit et la prit dans ses bras.

— Vous voulez bien ?

Elle se laissa faire et, très vite, elle eut chaud et fut en sécurité.

— Moi je trouve qu'au contraire vous êtes extrêmement courageuse. Vous n'avez pas hésité à risquer votre vie pour me sauver quand vous avez foncé sur le type qui a abattu mon hélico.

Emma ne considérait pas son attitude comme courageuse.

— Je n'ai pas réfléchi. Pour moi, c'était évident que je ne pouvais pas rester sans rien faire.

— Sauf que la plupart des gens n'auraient rien fait, justement, ou en tout cas hésité. Et ce n'est pas tout. Plus tard, quand la caravane est tombée dans la fosse, vous avez gardé votre sang-froid, vous êtes sortie très vite pour que j'aie moi aussi le temps de passer par la fenêtre et vous m'avez aidé à y parvenir. Je doute fort que, sans vous, j'aurais réussi.

— Bien sûr que si, protesta-t-elle.

Il continua sans l'écouter.

— Vous avez marché dans un froid glacial sans vous plaindre une seule fois, alors que je voyais bien que vous aviez du mal.

Elle émit un grognement.

— Et j'ai fini par m'effondrer avant que nous arrivions à la maison.

— Disons plutôt que vous m'avez offert l'occasion de jouer les héros. Je n'ai eu à vous porter que sur quelques mètres mais, quand Olaf a ouvert la porte, je l'ai impressionné, dit-il avec un petit rire.

Elle posa la joue contre son buste, osa également le toucher et suivre sa respiration sous sa paume.

— Continuez, Dante. Pour le moment, je ne suis toujours pas convaincue.

Il remua pour étendre les jambes sur le lit et reprit :

— Après l'explosion de ma voiture et alors que l'autre véhicule était en feu, vous avez risqué votre vie pour tenter de faire sortir le conducteur. Non, franchement, vous êtes tout sauf une poule mouillée. Je dirais même que vous m'impressionnez.

Autant que Samantha ? faillit-elle lui demander. Mais elle se retint. Samantha n'était plus de ce monde : se comparer à elle était indécent. Et en parler ferait souffrir Dante, elle en était persuadée.

Elle resta silencieuse et se blottit contre lui.

— Dormez, Emma. Si vous voulez, je resterai éveillé jusqu'au matin pour monter la garde.

— Non, vous devez dormir aussi. Demain, nous aurons de la route à faire et je parie que vous avez l'intention de conduire sur la plus grande partie du trajet.

— N'ayez crainte, j'ai l'habitude de rester éveillé très longtemps.

— Je n'en doute pas. Mais moi, je n'en suis pas capable et je suis sûre que nous pouvons dormir tranquilles tous les deux. De toute façon, j'ai le sommeil léger : au moindre bruit étrange, je vous préviendrai.

— Oui, je suppose que nous ne risquons rien. Voulez-vous que je retourne sur le canapé ?

— Non, dit-elle en appuyant plus fermement la main sur son torse. Je vous promets de me tenir tranquille.

Il eut un petit rire.

— Très bien. Mais si vous vous montriez coquine, je ne serais pas contre non plus.

L'ardente envie de revivre leur nuit dans la caravane la tenaillait. Elle songea à prendre l'initiative et l'embrasser, mais finalement s'abstint.

Dante soupira puis changea de position.

— Dormez. La journée a été longue et demain sera également chargé.

— Espérons quand même que ce sera moins éprouvant. J'ai eu mon lot d'émotions fortes pour un moment.

— Moi aussi.

Elle resta longuement blottie dans ses bras sans s'assoupir puis, quand il se mit à respirer plus fort et plus régulièrement, elle se détendit, même si elle était un peu déçue qu'il n'ait rien tenté. Passer la nuit dans les bras de Dante devenait une habitude à laquelle elle se faisait beaucoup trop facilement.

Dante poussa un juron. Son hélicoptère avait été pris pour cible et touché, mais il était néanmoins parvenu à rejoindre sa base et à se poser sans dommages. Alors qu'il s'en félicitait, un de ses hommes à l'arrière déclara :

— Giddings est blessé. Il nous faut une ambulance au plus vite.

Il défit son harnais, se mit en rapport avec la tour de contrôle pour donner ses instructions puis descendit et contourna l'appareil pour se rendre au chevet de son équipier blessé.

Giddings s'était porté volontaire pour occuper le poste de mitrailleur. Il était très doué et leur avait plusieurs fois sauvé la mise.

Il n'avait que vingt-trois ans et, aux Etats-Unis, son épouse mettrait bientôt leur premier enfant au monde. Il était à moins d'un mois de rentrer au pays pour être là à sa naissance.

Dante se maudit. Jamais il n'aurait dû l'autoriser à participer à cette mission. Une vieille superstition voulait que, plus approchait le moment où un homme devait rentrer chez lui, plus le risque qu'il lui arrive malheur était grand.

Quand l'ambulance arriva, il insista pour accompagner Giddings à l'hôpital et rester avec lui jusqu'à avoir la certitude qu'il était hors de danger. Quand, enfin, il obtint un diagnostic rassurant et put rentrer au camp, il était tard.

Il décida néanmoins de passer voir Samantha. Vu l'heure, elle avait terminé son service et, après ce qui s'était passé, il avait besoin de passer du temps avec elle.

Elle partageait sa chambre avec le lieutenant Mandy Brashear et, d'habitude, il frappait toujours avant d'entrer mais quelqu'un pleurait derrière la porte : il se précipita à l'intérieur.

— Samantha ?

Il se retrouva face à Mandy, qui leva la tête et le regarda de ses yeux remplis de larmes.

— Oh ! Dante, dit-elle, oubliant le protocole qui voulait que, normalement, quand on s'adressait à un supérieur, on l'appelait par son grade et non par son prénom. Tu n'es pas au courant ?

Un mauvais pressentiment le saisit, et son cœur se serra.

— Que se passe-t-il ? Où est Samantha ? demanda-t-il en la cherchant des yeux, même s'il avait compris qu'elle n'était pas là.

— Oh ! Mon Dieu.

Mandy sanglota de plus belle et eut du mal à parler.

— Elle est allée à l'orphelinat aujourd'hui et… je… je n'arrive pas à y croire.

Mandy s'enfouit le visage dans les mains et pleura toutes les larmes de son corps.

Une terrible appréhension monta en lui. Il prit Mandy par les épaules pour qu'elle le regarde.

— Où est Samantha ?

— Elle était à l'hôpital quand je suis partie. Oh ! Dante… Elle… elle est morte.

Refusant d'y croire, il retourna à l'hôpital où il avait passé la moitié de l'après-midi, à attendre des nouvelles de Giddings. Bon dieu, il ignorait qu'au même moment, dans un autre service, Samantha avait rendu son dernier soupir !

Il eut tout juste le temps de l'apercevoir avant qu'on l'emmène. Il n'avait même pas pu lui dire au revoir.

— Dante, l'appela une voix féminine.

Celle de Samantha, crut-il un instant. Mais ce n'était pas le même timbre.

— Dante, réveillez-vous.

Une main le secouait doucement par l'épaule.

Il ouvrit les yeux, se retrouva face à Emma et battit des paupières.

Qu'est-ce qu'elle faisait là ?

Soudain, il comprit : il avait rêvé, il était dans le Dakota du Nord.

Il se redressa.

— Qu'est-ce qu'il y a ?

Emma lui sourit.

— Excusez-moi mais votre téléphone portable n'arrête pas de sonner depuis un quart d'heure.

Il secoua la tête pour s'éclaircir les idées puis se leva et se rendit dans le salon. Il ramassa son portable, qu'il avait laissé sur la table basse : sa mère l'avait appelé.

Il était 2 heures du matin. Jamais elle ne l'aurait contacté à une heure pareille, sauf en cas d'urgence. Il rappela, inquiet.

— Allô, maman ? Qu'est-ce qui ne va pas ?

— Oh ! Dieu merci, tu réponds enfin.

Sa mère poussa un long soupir avant de continuer.

— Pierce et Tuck ont eu un accident. Ils sont à l'hôpital de Bismarck.

Dante serra plus fort son téléphone. La dernière fois qu'il s'était rendu à l'hôpital de Bismarck, c'était après la chute de cheval de son père, qui lui avait coûté la vie. Et voilà que ses frères se retrouvaient là-bas.

— Comment est-ce arrivé ?

— Hier, ils revenaient de week-end. Pierce a perdu le contrôle de son véhicule. Apparemment, les freins ont lâché. Selon la police, ils roulaient vite car c'était avant la tempête. Ils sont sortis de la route et ont fait plusieurs tonneaux.

Sa mère eut du mal à terminer sa phrase. Elle était au bord des larmes.

Dante en eut l'estomac noué. Il aurait voulu être auprès

d'elle pour la serrer dans ses bras et la réconforter. C'était une femme de tempérament et il en fallait beaucoup pour l'ébranler.

— Désolée, je ne peux pas…

Il y eut des grésillements, comme si sa mère avait laissé tomber le téléphone.

— Allô, maman ?

D'autres voix féminines résonnaient en fond.

— Maman !

— Dante, c'est Julia.

Julia était l'épouse de Tuck et la mère de Lily, leur petite fille.

— Tuck a été propulsé hors du véhicule et ne souffre que d'un léger traumatisme. En revanche, Pierce est resté coincé dans la voiture et, le temps que les secours parviennent à le sortir, la tempête avait débuté, si bien qu'ils ont mis un temps fou pour atteindre Bismarck.

— Bon sang.

Il avait beau avoir rejoint l'armée et passé plusieurs années à l'étranger, il était très attaché à sa famille. Qu'il ait failli perdre un de ses frères lui faisait très mal.

— Tuck ne risque plus rien, continua Julia, mais c'est plus compliqué pour Pierce. On sait qu'il a eu deux côtes cassées et un poumon perforé, ce qui lui a causé une hémorragie interne. Pour le moment, il est toujours inconscient. Les médecins le maintiennent dans un coma artificiel pour éviter qu'il souffre le temps de déterminer toute l'étendue de ses blessures.

Dante se pinça l'arête du nez entre deux doigts. Son propre accident ne comptait plus. Apparemment, sa mère n'avait même pas eu l'occasion d'écouter le message qu'il lui avait laissé sur le téléphone du ranch. Tant mieux. Il se chargerait d'appeler Sean McKendrick, le régisseur, pour lui demander d'effacer ce message. Il allait bien, alors il était inutile d'inquiéter davantage sa mère.

— Comment ma mère tient-elle le coup ?

— Plutôt bien, mais tu imagines que le choc est dur à

encaisser. Nous savons que tu envisageais de venir au ranch la semaine prochaine mais, avec Pierce et Tuck à l'hôpital, Roxanne qui reste en permanence ici aussi et Maddox à l'autre bout du monde, les régisseurs des deux ranchs se retrouvent livrés à eux-mêmes. Alors nous nous disions que tu aurais peut-être envie d'être là plus tôt…

— J'arrive sans tarder, répliqua Dante en se levant.

— Merci beaucoup, dit Julia, qui semblait soulagée. Au fait, Dante…

Elle baissa la voix et parut marcher, comme si elle s'isolait avant de continuer.

— Ces derniers temps, il y a eu une série d'incidents étranges. Ta mère a affirmé que c'était seulement de la malchance, mais, Roxanne et moi, nous croyons qu'il s'agit d'opérations de sabotage tout à fait volontaires et nous craignons que cela empire. Ta mère a d'ailleurs fait appel à une société de sécurité pour qu'ils installent des caméras de surveillance.

— Pourquoi elle ne m'en a rien dit ?

— Tu sais comment elle est, elle refuse de vous appeler au secours à la moindre occasion. Néanmoins, elle avait besoin de se rassurer, d'où l'installation de ce système de sécurité.

Cette nouvelle était vraiment inquiétante, jugea Dante car, encore une fois, sa mère ne perdait pas facilement son sang-froid.

— Je vais venir directement à l'hôpital. Il me faudra environ cinq heures pour être là, donc je devrais arriver vers 7 heures.

— Ecoute, Dante, ne prends pas de risques inutiles, ce n'est vraiment pas le moment. Je préférerais que tu attendes un peu avant de prendre la route. Ce serait plus raisonnable.

— D'accord, alors je partirai au lever du jour. Je serai là à midi.

— Entendu. Je te laisse mais ne raccroche pas, ta mère souhaite te dire encore un mot.

Dante prit une longue inspiration et attendit que sa mère vienne au téléphone.

— Dante, tes frères vont s'en sortir.

— Je sais, maman. C'est surtout pour toi que je m'inquiète.

Elle balaya ses propos d'un claquement de langue.

— Oh ! Je ne suis pas née de la dernière pluie, ne crains rien pour moi. Et ne te précipite pas ici en te disant que tu dois absolument être là pour nous. Maddox revient la semaine prochaine, Pierce et Tuck vont se remettre. Pense également à toi, mon garçon.

— Promis. Je t'aime, maman.

— Moi aussi, je t'aime.

Une fois qu'il eut raccroché, Dante resta un long moment debout, à faire tourner son téléphone entre ses doigts. De nombreux souvenirs de moments partagés avec ses frères lui revinrent. Il se rappela notamment le jour où, ensemble, ils avaient traversé les prairies du ranch sur le dos de chevaux sauvages qu'ils avaient apprivoisés. Leur père était un Indien Lakota, et leur mère les avait encouragés à connaître cette culture.

Wakantanka, le « Grand Esprit », veillait sur eux. Mais où était passé ce Grand Esprit quand la voiture de ses frères avait quitté la route ?

Peut-être était-il là, après tout, sinon ils y auraient laissé leurs vies.

Une main sur son bras le sortit de ses songes.

— Qu'est-ce qui ne va pas ?

Emma se tenait à côté de lui, seulement vêtue d'une petite nuisette bleue. Sa peau pâle dessinait sa silhouette dans la faible lumière.

— Mes frères ont eu un accident.

Elle poussa un gémissement.

— Comment vont-ils ?

— Pour le moment, ils sont à l'hôpital.

— Vous devez vous rendre auprès d'eux.

— Nous partirons au petit matin. Nous passerons par Bismarck avant de nous rendre au ranch.

— Justement, je voulais vous demander où se situe exactement le ranch Thunder Horse.

— Dans les Badlands, au nord de Medora.

— Bien, répondit-elle avec un sourire. Alors je vais emporter ma combinaison polaire. Maintenant, vous avez besoin de dormir, la route est longue.

— Je n'y arriverai pas, répliqua-t-il en secouant la tête.

— Alors au minimum venez vous allonger à côté de moi. Ça vous reposera.

Elle lui prit la main pour le tirer vers la chambre et il se laissa faire, touché par le réconfort qu'elle lui apportait.

A peine fut-il allongé qu'elle vint se blottir contre lui et posa la joue sur son torse. Il resta immobile à fixer le plafond. Il pensait à ses frères et à sa mère, à son père qui n'était plus là.

— Cessez de cogiter, lui chuchota doucement Emma, tout contre sa peau.

Elle lui passa une main sur le torse et décrivit de petits cercles pour l'apaiser.

— Pensez à autre chose, ajouta-t-elle tandis que sa main descendait plus bas.

Il lui attrapa le poignet.

— Encore une fois, soyez bien consciente de ce que vous faites.

Elle leva la tête pour le regarder. Dans la lumière rasante, ses yeux brillaient.

— Je sais ce que je fais.

Il lâcha son poignet et elle descendit avec sa main sur son ventre puis sur son caleçon, alors qu'il était déjà en érection.

Il poussa un long soupir pour se maîtriser.

— Pourquoi faites-vous cela ?

Une désagréable pensée parasite s'était emparée de lui. Il la fit rouler sur le dos et lui emprisonna les poignets.

Elle lui retourna un regard surpris, les yeux écarquillés.

— Avez-vous plus ou moins pitié de moi ?

Emma secoua négativement la tête avec véhémence.

— Non. Pas du tout.

— Pourquoi, alors ?

— Je suis désolée, je n'aurais pas dû me montrer aussi entreprenante.

Elle battit des paupières.

— Je comprends très bien que je ne vous intéresse pas tant que ça, je suis tellement…

— Tellement quoi ?

— Inexpérimentée, finit-elle avec une expression blessée.

Il était allongé sur elle et bougea un peu les hanches pour qu'elle sente son érection.

— Vous trouvez que je n'ai pas l'air intéressé ? Mais vous, que cherchez-vous ? Car je n'ai vraiment pas besoin qu'on ait pitié de moi.

Elle détourna le regard, elle devait être rouge de confusion, devina-t-il.

— Disons que j'étais curieuse, murmura-t-elle.

— Curieuse ?

— Oui, je ne sais pas. Curieuse de savoir si la seconde fois serait aussi forte que la première, peut-être…

Elle le fixa de nouveau de ses grands yeux et il se détendit d'un coup.

Lentement, il se pencha en avant pour lui donner un petit baiser. Elle avait les lèvres douces mais, chaque fois qu'il l'embrassait, il y avait comme une hésitation, une timidité dans son attitude. Avec Samantha, c'était autre chose. Elle était tel un fauve indomptable et jamais rassasié. Toutes deux étaient aussi différentes que la nuit et le jour.

Samantha l'avait attiré parce qu'elle avait une capacité à mordre la vie à pleines dents, alors qu'Emma était toujours un peu en retrait, comme si elle attendait qu'on lui montre ce qu'était la vie, justement.

Il libéra ses mains et lui écrasa les lèvres. Il montrait plus d'ardeur à cause du désir intense qui courait en lui, mais aussi parce qu'il était en colère d'avoir une fois de plus pensé à

Samantha. De toutes ses forces, il avait essayé de refermer ce chapitre de son existence, d'oublier ce qu'il avait perdu avec elle et de ne pas considérer que, sans elle, la vie devenait une longue traversée du désert.

La discrète et sérieuse Emma avait été la première femme à laquelle il avait proposé d'aller prendre un café après la mort de Samantha. Mais, ensuite, il n'avait pas voulu la revoir : ç'aurait été comme trahir Samantha.

Pourtant, il devait se confronter à la réalité : Samantha était partie pour toujours, tandis qu'Emma se tenait là, manifestement prête à s'offrir à lui. Il s'était laissé aller à l'embrasser, et elle n'avait rien fait pour l'en dissuader.

Aussi, il continua et l'embrassa dans le cou, délicatement : sous ses lèvres, son pouls battait très fort.

Elle fit courir ses doigts sur lui : ses cheveux, sa nuque, ses épaules. Comme pour l'inviter à descendre vers ses seins gonflés de désir sous le fin tissu de sa nuisette.

Il en saisit l'extrémité, la lui ôta et la jeta négligemment.

Dans la faible lumière, elle semblait encore plus frêle et délicate, et ses petits seins dressés constituaient une tentation irrésistible.

Il les prit dans sa bouche, l'un après l'autre. Elle eut un tressaillement et s'arqua pour s'offrir plus encore à ses baisers. Il ne se fit pas prier.

Lentement, il laissa descendre sa main sur son ventre. Jusqu'à son intimité. Elle poussa alors un halètement, entre le plaisir et la peur.

Il voulut retirer sa main, mais elle la couvrit de la sienne, l'incitant à continuer ses caresses.

Elle avait beau être « inexpérimentée », elle apprenait vite et n'hésitait pas à lui montrer ce qu'elle aimait.

Rapidement, sa respiration devint plus courte, ses gémissements plus fréquents et elle se mit à bouger les hanches.

— Oh ! Dante ! s'exclama-t-elle en atteignant l'orgasme.

Elle se laissa retomber sur le matelas et respira bouche ouverte.

— Indescriptible, dit-elle.

Il l'embrassa tendrement puis s'allongea à côté d'elle.

— Attendez, fit-elle, visiblement gênée. Et vous ?

— N'ayez crainte, vous donner du plaisir est amplement suffisant pour moi.

Elle ne parut pas convaincue.

— Mais…

Il lui passa une main sur le visage pour l'apaiser.

— Je vous assure, Emma. Dormez maintenant, car je sens que demain sera encore une longue et difficile journée.

Emma se détendit et se lova contre Dante. Elle aurait aimé lui donner autant de plaisir qu'elle en avait pris, mais elle n'osa pas insister davantage.

Elle baignait dans une douce chaleur, elle devait profiter de ce moment. D'autant que, quand tout serait terminé, ils ne continueraient pas forcément à se voir.

Mais, tant qu'elle serait avec lui, elle prendrait tout ce qu'il lui offrirait. Et tant pis si ce n'était pas très raccord avec l'image de jeune femme libre et indépendante qu'elle aurait voulu donner. En vérité, elle souffrait de la solitude et elle avait un immense besoin d'affection. Elle devait donc se forger autant de bons moments et de bons souvenirs que possible avec lui.

De toute façon, chaque fois qu'elle rencontrait un homme qui lui plaisait, il ne souhaitait pas s'engager dans une relation. Vivre seule semblait être son destin.

Elle écarta cette dernière pensée et ferma les yeux. Demain était un autre jour et, si elle voulait avoir les idées claires, mieux valait dormir.

8

Dante jeta un regard à Emma tandis qu'elle changeait de position sur le siège du SUV qu'il avait loué. Depuis qu'ils étaient partis, elle n'avait pas dit grand-chose et ses yeux affichaient de tristes cernes. Elle avait eu beau dormir un peu, ils n'avaient pas eu de véritable nuit de sommeil au cours des dernières quarante-huit heures.

Quant à lui, sa nuque était raide et son corps parcouru d'ecchymoses et de courbatures depuis l'accident d'hélico et la chute de la caravane.

Il avait insisté pour disposer d'un véhicule à quatre roues motrices. Les chemins du ranch étaient déjà difficilement praticables en été ; alors, en hiver, jamais une voiture à deux roues motrices n'aurait pu les emprunter.

Sa compagnie d'assurances s'occupait de déterminer les circonstances exactes de la destruction de sa Jeep et lui ferait savoir de quelle somme il pourrait disposer pour la remplacer. De son côté, le bureau d'enquête du ministère des Transports se chargeait de reconstituer le fil des événements de son accident d'hélicoptère, tandis que le FBI assisterait la police de l'Etat puisqu'il y avait eu destruction de matériel fédéral et atteinte à l'intégrité physique d'un agent d'un service gouvernemental.

Pierce et Tuck faisaient justement partie du FBI et le lieu de l'accident dépendait de leur juridiction. Evidemment, ils ne pouvaient mener l'enquête eux-mêmes mais leurs collègues les tiendraient au courant.

Jusque-là, aucune organisation, personne n'avait revendiqué l'attaque de l'hélico.

Dante avait eu brièvement son chef au téléphone : pour le moment, l'examen des débris n'avait rien donné. En outre, la tempête avait recouvert les traces de la motoneige de l'agresseur et il n'avait pas été possible d'effectuer de relevés ni de déterminer dans quelle direction il s'était enfui. Par ailleurs, un nouvel épisode neigeux était annoncé dans les prochaines vingt-quatre heures.

L'hiver avait mis du temps à démarrer, mais ne relâcherait certainement pas son étreinte sur le Dakota du Nord avant fin avril, songea Dante. Emma s'était assoupie peu après leur départ et avait dormi pendant plus d'une heure. De gros efforts avaient été faits pour que les principaux axes entre Grand Forks et Fargo, puis entre Fargo et Bismarck soient dégagés. A quelques endroits, la chaussée était glissante et il avait dû se montrer prudent mais, la plupart du temps, il avait pu rouler à bonne allure. Le vent était néanmoins assez fort et, de temps en temps, une bourrasque l'obligeait à serrer le volant pour maintenir la trajectoire.

Quand ils arrivèrent à l'hôpital de Bismarck, le ciel était gris et menaçant. Dante décida de ne pas rester longtemps dans l'établissement. Sinon, ils ne pourraient pas repartir.

Il se gara sur le parking, se préparant au pire. Le long de la route, la connexion au réseau sur son portable avait été limitée, voire inexistante.

A l'approche de Bismarck, il avait consulté son téléphone, mais il n'avait pas reçu d'appels et on ne lui avait pas laissé de messages. Pas de nouvelles, bonnes nouvelles, s'était-il dit pour se rassurer.

Il coupa le moteur, descendit de voiture et s'étira pour détendre ses muscles crispés.

Emma s'était réveillée, elle était elle aussi descendue et remontait le col de sa doudoune.

Ils se dirigèrent vers l'entrée de l'hôpital. Emma lui prit la main et la serra.

— Si vos frères sont aussi solides que vous, alors je ne doute pas qu'ils s'en sortiront.

Il serra également sa main, heureux de sa présence. Il se rappelait où se trouvait le service de soins intensifs, car son père y avait été conduit après son accident. Il y était décédé d'ailleurs.

L'odeur âcre de désinfectant lui fit revenir en tête ces mauvais souvenirs.

Quand ils sortirent de l'ascenseur, il était midi pile. Dante trouva immédiatement sa mère, Julia et Roxanne, en conversation avec un homme en blouse blanche.

Il hâta le pas, sans lâcher la main d'Emma.

— Quelles sont les nouvelles ? Comment va Pierce ? demanda-t-il sans attendre.

Sa mère se retourna, et quand elle le vit, son visage s'illumina.

— Dante !

Elle se précipita vers lui et le serra fort dans ses bras. Cela lui fit du bien. Après un moment, il recula d'un pas pour lui faire face.

— Comment va Pierce ? s'enquit-il de nouveau.

— Oh ! Dante, fit-elle seulement en essuyant une larme qui avait coulé sur sa joue.

Il redouta le pire.

Roxanne s'avança et passa un bras autour des épaules de sa mère.

— Il s'est réveillé, dit-elle avec un sourire. Il a repris brièvement connaissance et le médecin assure que c'est bon signe.

Elle se mordit la lèvre inférieure et une larme coula également sur sa joue.

C'était la première fois que Roxanne pleurait devant lui, s'aperçut Dante. Il en fut bouleversé.

— Alors il va se remettre ?

Le médecin s'avança vers eux.

— Tout indique qu'il récupère lentement mais sûrement.

Nous devons encore le garder en observation mais, si son état continue à s'améliorer, il pourra rentrer chez lui prochainement.

— C'est un miracle, déclara sa mère. J'ai vu des images de la voiture aux infos. C'est vraiment incroyable qu'il soit en vie.

— Et où est Tuck ?

— On me demande ? lança Tuck, qui était juste derrière, deux gobelets de café dans les mains.

Il boitait, il avait quelques égratignures sur le visage mais, en dehors de cela, il semblait globalement en forme, se rassura Dante.

Tuck lui tendit un des deux gobelets.

— Tu as l'air d'en avoir davantage besoin que moi, dit-il. J'ai quelques bleus, un genou un peu enflé mais je survivrai. Et toi, qu'est-ce qu'il t'est arrivé ?

Dante avait oublié sa vilaine égratignure à la tempe. Il haussa les épaules.

— Oh ! Ce n'est rien, je me suis cogné dans ma porte d'entrée.

Sa mère l'observa en plissant les yeux. On ne trompait pas facilement Amelia Thunder Horse. Quand il mentait, elle s'en apercevait toujours. Elle parut sur le point de le lui faire remarquer mais se tourna alors vers Emma, qui était restée discrètement en retrait. Amelia haussa les sourcils et lui demanda poliment :

— Etes-vous avec Dante ou bien attendez-vous de pouvoir parler au médecin ?

Emma s'apprêta à répondre, mais Dante intervint avant qu'elle puisse le faire :

— Maman, je te présente Emma Jennings.

S'il lui expliquait comment ils s'étaient retrouvés ensemble, il ne ferait qu'ajouter des soucis supplémentaires, ce qu'il ne voulait pas. Il ajouta :

— Emma est ma fiancée. Elle est venue passer Noël avec nous. J'espère que tu n'y vois pas d'inconvénient.

Tous écarquillèrent les yeux et la plus abasourdie parut

Emma. Mais elle se reprit très vite et esquissa un timide sourire.

Amelia s'avança et la prit par les épaules.

— Eh bien c'est une surprise, mais une bonne surprise. Après toutes ces émotions, c'est… fantastique.

Julia donna à son tour l'accolade à Emma.

— Je suis Julia, l'épouse de Tuck. Félicitations à vous deux.

— Et moi, je suis Tuck, un des frères de Dante, se présenta celui-ci en saluant Emma. Comment se fait-il que tu ne nous aies jamais parlé d'elle ? demanda-t-il à son frère.

Roxanne intervint avant qu'il ait le temps de répondre.

— Enchantée, je suis Roxanne, l'épouse de Pierce.

Emma marmonna des remerciements. Elle semblait un peu perdue et avait les pommettes roses.

La mère de Dante essuya une nouvelle larme.

— Excusez-moi de montrer autant d'émotion. Mais c'est tellement soudain !

Dante passa un bras autour de la taille d'Emma pour l'attirer à lui.

— Je sais. Nous nous sommes décidés très vite. Mais nous étions certains de prendre la bonne décision. N'est-ce pas, Emma ?

Elle leva les yeux pour croiser son regard et acquiesça.

— Oui, c'est vrai.

Elle se tourna de nouveau vers la famille de Dante et ajouta :

— J'espère que ma venue à l'improviste ne vous contrarie pas.

Amelia lui sourit.

— Absolument pas. Il y a largement assez de place pour tout le monde au ranch et je suis ravie que Dante vous ait rencontrée. Depuis qu'il a quitté l'armée, je m'inquiète beaucoup pour lui, vous savez.

— Maman, répliqua Dante sur le ton de la réprimande. Je vais bien et mon boulot au service de surveillance des frontières me plaît beaucoup, je te l'ai déjà dit.

— Et maintenant tu as Emma, répliqua sa mère dans un

soupir. Bientôt, tous mes fils seront mariés, heureux, et je suis sûre que je ne tarderai pas à être de nouveau grand-mère.

Derrière eux, les portes de l'ascenseur s'ouvrirent et le shérif William Yost, du comté de Billings, en sortit, se dirigeant à grands pas vers Amelia. Il la prit dans ses bras.

— Amelia, ma chérie, je suis venu dès que j'ai pu me libérer.

Que le shérif se comporte de manière aussi familière avec sa mère contraria Dante. Il se crispa.

Tuck, lui, serra les poings et fit un pas en avant.

— Qu'est-ce qu'il fiche ici ?

Amelia lui retourna un regard irrité.

— Tout va bien. William est venu parce que je l'ai appelé. Il collabore avec le shérif du comté de Burleigh et la police de l'Etat pour déterminer les causes de l'accident.

Dante fronça les sourcils.

— Je croyais que les freins de la voiture de Pierce avaient lâché.

Amelia observa Tuck, qui prit la parole :

— Nous avons demandé que la voiture soit examinée par des techniciens de la police scientifique. Un mécanicien a jeté un premier coup d'œil aux freins et il a déclaré sans hésiter que les câbles avaient été sectionnés.

— Quand ?

— Ça, nous n'en savons rien, répliqua Tuck qui se passa une main sur la nuque, révélant les éraflures sur son bras.

— J'ai parlé au mécanicien en personne, intervint le shérif. Les câbles n'avaient pas été sectionnés jusqu'au bout, la fuite de liquide de frein a donc été progressive.

— Ouais, c'est pour cela qu'on ne s'est pas rendu compte tout de suite qu'il y avait un souci, reprit Tuck. Quand nous avons compris, il était déjà trop tard, on ne pouvait plus rien faire.

Tuck tourna la tête vers le bureau des infirmières, d'où quelqu'un venait de sortir.

Une infirmière se dirigea vers eux.

— S'il vous plaît, si vous souhaitez continuer à parler, allez dans la salle d'attente mais ne restez pas dans le couloir, vous dérangez les autres patients.

Le petit groupe obtempéra.

— Où est Lily ? demanda Dante à Tuck et Julia.

— Quand le chef de Tuck a appris la nouvelle, sa femme et lui sont venus à l'hôpital, répondit Julia. Ils sont repartis avec Lily et s'en occupent. Tuck et moi, nous étions d'ailleurs sur le point de retourner la chercher. Nous comptions rentrer ensuite au ranch. Mais puisque tu es là...

— Emma et moi, nous allons également au ranch, précisa Dante.

— Dans ce cas, ne traînez pas si vous voulez éviter la neige, les avertit le shérif. On attend jusqu'à dix centimètres supplémentaires.

Tuck posa le bras sur les épaules de Julia.

— Si vous allez au ranch maintenant, j'aimerais rester encore un peu ici au cas où Pierce se réveillerait de nouveau.

Dante acquiesça. Il observa brièvement le shérif puis se tourna de nouveau vers son frère.

— Si tu restes, je me sentirai mieux. Je m'occuperai de vérifier que tout va bien chez nous ainsi qu'au ranch Carmichael.

Le ranch Carmichael jouxtait le ranch Thunder Horse. Il appartenait à la famille de Roxanne, l'épouse de Pierce, et ce dernier y donnait un coup de main quand il n'était pas en service au FBI. Au ranch Thunder Horse, d'habitude, c'était Maddox qui gérait le quotidien.

— Merci, dit Roxanne. Moi aussi je reste.

— Je m'en doutais.

Amelia prit Dante dans ses bras et l'embrassa.

— Sois prudent sur la route, je ne supporterais pas qu'il arrive malheur à un autre de mes fils.

Dante lui déposa un baiser sur le front.

— C'est promis. Ne vous souciez que de Pierce. Emma et moi, nous nous débrouillerons en attendant votre retour.

Il ajouta dans la foulée :

— J'aimerais quand même passer voir Pierce avant de partir.

— Il n'a droit qu'à un seul visiteur à la fois et seulement pour quelques minutes, rappela Amelia.

Elle adressa un sourire d'excuse à Emma.

— Restez avec nous pendant que Dante va voir son frère.

Dante laissa Emma entre les mains de sa mère, se dirigea vers la chambre qu'elle lui avait indiquée et poussa la porte.

Pierce était allongé, immobile, et sa large stature occupait tout le lit. De nombreux tuyaux le reliaient à des moniteurs, il avait le teint plus pâle qu'à l'habitude et des coupures au visage.

Dante avait plusieurs fois rendu visite à des soldats blessés dans un état plus grave, mais que son frère soit sur un lit d'hôpital avec tous ces moniteurs qui produisaient de petits sons réguliers lui donna un coup au cœur. Ils avaient déjà perdu leur père. Cela n'aurait pas dû se produire.

Son propre accident d'hélicoptère devenait soudain une simple péripétie, d'autant qu'il en était sorti indemne. Pierce était fort et, avec l'aide de Wakantanka, le « Grand Esprit », il se remettrait. Mais une petite prière ne pourrait pas faire de mal.

Dante ferma les yeux et leva la tête.

— *Wakan tanan, kici un wakina chelee*, récita-t-il doucement.

Ces paroles, que ses ancêtres psalmodiaient avant lui, lui sortirent droit du cœur.

— Que le Grand Esprit te bénisse, Thunder Horse.

Emma quitta l'hôpital avec Dante, encore étourdie par les paroles de félicitations de sa famille. Quand ils furent dehors, elle mit sa capuche pour se protéger du vent et attendit qu'ils soient à l'abri dans le SUV pour s'exprimer.

— C'était quoi, cette histoire ?

Dante mit le moteur en route et quitta sa place de stationnement.

— Quelle histoire ?

Elle bouillait de colère.

— Alors maintenant je suis votre fiancée ?

En même temps, elle s'interrogeait : pourquoi ce mensonge la mettait-il à ce point en rage ? Peut-être parce que la famille de Dante avait accueilli la nouvelle avec chaleur et enthousiasme… Imaginer leur désillusion quand il faudrait leur annoncer qu'ils n'étaient pas fiancés la dépitait.

Dante pinça les lèvres et lui jeta un bref regard.

— Je suis désolé. Je voulais à tout prix éviter d'inquiéter davantage ma mère et c'est la seule explication qui m'est venue en tête pour justifier votre présence.

— Vous auriez pu trouver autre chose qui prête moins à conséquence !

— Rassurez-vous, une fois que Pierce sera rétabli et que ma mère aura cessé de s'inquiéter pour lui, ce sera beaucoup plus facile de lui dire la vérité.

— Mentir à votre famille me déplaît. A votre mère en particulier.

— Et moi je n'aime pas la voir pleurer, répliqua-t-il doucement.

Emma se rappela le visage mouillé de larmes d'Amelia Thunder Horse. Instantanément, toute colère la quitta. Effectivement, si Dante avait parlé à sa mère de l'accident d'hélicoptère, Amelia aurait eu de quoi faire une dépression nerveuse.

— Je suppose que vous avez fait pour le mieux, soupira-t-elle. C'est vrai que votre mère vit des moments difficiles et, moi non plus, je n'ai pas envie de lui causer des soucis supplémentaires.

Dante tendit le bras pour lui prendre la main et la serra quelques secondes.

Elle baissa les yeux sur ses doigts qui tenaient les siens. Aussitôt, son cœur se serra.

— Vous avez une famille très attachante.

— Ouais.

— Vos frères et vous, vous vous êtes toujours bien entendus ?

— Ils feraient n'importe quoi pour moi et inversement.
Et vous, vous avez des frères et sœurs ?

— Non.

— Et vos parents ?

— Ils ne sont plus là.

Sa formulation était juste. Sa mère était morte et elle
ignorait où était son père.

— Désolé.

— Ce n'est rien. J'ai l'habitude de la solitude.

— Personne ne devrait se retrouver seul pendant les fêtes.

Elle haussa les épaules.

— Ça ne me dérange pas.

Ça, en revanche, c'était un mensonge au premier degré.
Elle détestait les fêtes de fin d'année précisément parce
qu'elle les passait toute seule. Ce n'était pas bien grave, se
répétait-elle. Mais que les autres prennent des vacances et
effectuent des préparatifs pour les fêtes lui pesait. Elle avait
apprécié de passer ses week-ends sur le site de fouilles.
Gratter le sol lui occupait l'esprit et elle ne se retrouvait pas
seule dans son appartement.

Le reste du trajet se fit en silence.

Quand le ranch apparut, les premiers flocons commençaient
à voleter. En quelques minutes, ils se firent plus nombreux,
plus denses, et quand Dante se gara devant la maison, il
neigeait à plein temps et le vent s'était levé.

— Allez-y, entrez, lui intima Dante.

Le vent arctique le contraignait à parler fort.

— Je vais aller voir le régisseur et les animaux dans l'écurie.

— Non, je vous accompagne, protesta Emma.

Elle remonta à fond sa fermeture à glissière, mit sa capuche
et se fourra les mains dans les poches. Le vent lui piqua les
joues et lui fit battre des paupières, des flocons se collèrent
à ses cils.

— Vous feriez mieux d'aller vous mettre au chaud à l'intérieur, je peux tout faire seul.

— Laissez-moi vous accompagner, s'il vous plaît, j'ai besoin de me dégourdir les jambes.

— Par ce temps ?

— N'oubliez pas que je suis moi aussi du Dakota du Nord, répliqua-t-elle avec un sourire.

Ils se dirigèrent vers l'écurie à l'arrière de la maison. Plusieurs chevaux étaient dans le corral et leur dos était déjà couvert d'une fine pellicule blanche. A leur approche, ils trottèrent vers la barrière. Dante l'ouvrit et saisit le licou d'une jument alezan.

— Vous pensez pouvoir la tirer à l'intérieur ? lui demanda-t-il.

Emma ne connaissait rien aux chevaux mais conduire la jument dans l'écurie ne devrait pas être trop compliqué. Elle acquiesça, tendit la main et prit le harnais.

La jument se mit à encenser avec une telle énergie qu'elle faillit la soulever du sol. Elle serra les dents, s'accrocha de toutes ses forces au harnais et se dirigea vers la porte de l'écurie.

Dante la doubla en tirant un grand cheval noir qui lui aussi faisait de la résistance.

Par chance, quand elle le vit passer la porte, la jument le suivit docilement.

Une fois à l'intérieur, à l'abri du vent, la jument se calma et marcha au pas.

— Vous pouvez la lâcher, elle va rejoindre sa stalle toute seule, l'informa Dante. Je vais chercher les deux autres.

— Que puis-je faire d'autre ?

— Remplissez deux seaux de fourrage, répondit-il en désignant le coin de l'écurie où étaient disposés deux containers.

Emma lut sur le premier :

FOURRAGE

Puis sur le second :

BLÉ

Elle saisit deux seaux posés sur l'étagère au-dessus des containers et les remplit de fourrage. Elle ne savait pas très bien de quoi le mélange était fait, mais une odeur de mélasse s'en échappait. Les chevaux qui étaient déjà dans leur stalle se mirent à hennir et à claquer des sabots avec impatience.

La porte se rouvrit et Dante pénétra dans l'écurie avec deux grands chevaux. Il les tira vers les stalles puis revint prendre les deux seaux qu'elle avait remplis. Il passa de stalle en stalle pour donner à manger à tous les chevaux puis alla reposer les deux seaux.

— Je n'ai pas vu la camionnette du régisseur, dehors. J'espère qu'il ne va pas tarder, car il commence à neiger vraiment fort.

Il leva les yeux vers elle et lui tendit la main.

— Prête ? lui demanda-t-il.

Elle acquiesça et prit sa main. Le vent était très violent et Dante dut batailler pour pousser la porte.

Une fois qu'ils furent sortis, il ferma l'écurie et ils partirent en petite foulée vers la maison.

Les flocons étaient de plus en plus épais et la maison disparaissait presque derrière.

Dante guida Emma dans la bourrasque.

A la porte, il essaya la poignée. La porte était verrouillée. Il ôta un gant, chercha dans sa poche, en sortit son trousseau de clés et ouvrit. Il actionna de nouveau la poignée et l'invita à entrer la première. Il la suivit sans tarder et claqua la porte derrière lui.

Emma se retrouva dans une vaste cuisine avec une grande table à une extrémité et une grosse cuisinière à gaz à l'autre. Des rideaux rouges bordaient la fenêtre au-dessus de l'évier et donnaient une touche de gaieté et de chaleur à la pièce.

Au moment d'ôter sa capuche, elle se figea, humant l'air.

Dante eut le même réflexe et tordit le nez.

— Ça sent le gaz, remarqua Emma.

Quand il commença à ôter sa parka, Emma l'arrêta d'un geste.

— Ne bougez pas !

Il s'immobilisa, les mains sur les pans de sa parka.

— Vous sentez ? Si vous enlevez votre parka, l'électricité statique risque de provoquer une étincelle. C'est ce qui arrive chaque fois que j'ôte ma capuche.

— Bien vu, répliqua-t-il. Sortez, je m'occupe de tout.

— Non, je ne sortirai pas sans vous.

— Si nous restons ensemble à l'intérieur et qu'il arrive quoi que ce soit, aucun de nous deux ne sera en mesure d'appeler les secours. Ne discutez pas, sortez de la maison.

Il retourna à la porte pour l'ouvrir en prenant soin de garder les bras écartés pour éviter tout frottement de tissu.

Emma pinça les lèvres, contrariée.

— D'accord, mais faites attention. Ce serait dommage qu'il arrive un accident à mon tout nouveau fiancé avant même qu'il ait pu m'offrir une bague.

Elle avait voulu plaisanter, mais la nervosité lui brisait presque la voix.

Elle sortit.

Dante laissa la porte ouverte, le vent s'y engouffra et poussa des flocons sur le sol en ardoise.

Emma se recroquevilla pour se protéger du froid tandis que Dante fermait prudemment tous les boutons de gaz de la cuisinière et du four. Puis il vérifia la conduite.

Ensuite, il se redressa et disparut dans le couloir.

Quand il revint, elle claquait des dents et commençait à se transformer en bonhomme de neige.

— Tout est en ordre. J'ai laissé les fenêtres et les autres portes entrouvertes pour faire circuler l'air.

Elle entra dans la maison. Elle avait beau être à l'abri du vent, sa doudoune était glacée et elle tremblait toujours. Dehors, les nuages étaient tellement denses qu'il faisait déjà presque nuit.

Dante épousseta les flocons sur sa doudoune et lui frotta vigoureusement les épaules pour la réchauffer.

— Par prudence, nous allons laisser la maison s'aérer quelques minutes avant de nous installer pour de bon.

Elle se serra contre lui et posa la joue contre sa chemise de flanelle.

Il prit ses mains dans les siennes et les glissa sous sa parka pour les réchauffer.

— Ça va mieux ? lui demanda-t-il après quelques minutes.

Elle acquiesça de la tête car elle n'était pas encore certaine de pouvoir parler sans chevroter.

Enfin, Dante fit de nouveau le tour de la maison pour refermer les fenêtres et balaya la neige sur le pas de la porte de la cuisine.

Elle eut la velléité d'enlever sa doudoune, mais il l'en dissuada d'un geste.

— Attendez que la température remonte avant de vous dévêtir.

Elle obtempéra, fourra ses mains dans ses poches et observa la pièce.

— Vous avez trouvé d'où venait la fuite ?

— Un des boutons de la cuisinière était resté ouvert, répondit-il avec une expression inquiète.

Elle croisa son regard. Quelqu'un avait abattu l'hélicoptère de Dante, on avait fait basculer sa caravane dans une fosse, les frères de Dante avaient été victimes d'un accident de la route parce qu'on avait sectionné les câbles de frein de leur voiture, et voilà que le gaz était resté ouvert dans la maison. Pouvaient-ils croire à une coïncidence ?

— Ce genre de négligence arrive souvent ?

— Jamais. D'ailleurs, c'est ma mère qui a insisté pour avoir une cuisinière à gaz, mon père n'était pas trop pour. Nous étions enfants à l'époque et il redoutait un accident. Il ne s'est laissé convaincre que parce que ma mère lui avait promis d'être très prudente. Elle vérifiait en permanence que tout était bien fermé et elle a gardé cette habitude.

— Et vous croyez qu'elle aurait pu oublier de fermer ce

bouton parce qu'elle est partie à l'hôpital en urgence quand elle a appris l'accident de vos frères ?

— Ce n'est pas impossible mais ça me paraît très peu probable.

— Et donc, qu'en déduisez-vous ?

— Je ne veux pas tirer de conclusions hâtives mais, hier au téléphone, Julia m'a appris que ma mère avait fait appel à une société de sécurité pour faire installer des caméras suite à une série d'incidents étranges.

De la tête, il désigna un coin de la pièce.

— Apparemment, la société a commencé le travail mais les caméras ne sont pas encore en place.

Elle suivit son regard : des câbles pendaient dans un angle.

Dante quitta la cuisine et traversa la maison.

Elle lui emboîta le pas. Dans chaque pièce, des câbles avaient été installés.

— De quelle nature étaient ces incidents bizarres ? lui demanda-t-elle, tout en observant la décoration chaleureuse des lieux.

— Je l'ignore. Je crois que Julia ne voulait pas trop en dire car ma mère était près d'elle. Je comptais en apprendre plus en interrogeant le régisseur.

— Mais il n'est pas là.

Dante hocha la tête. Il avait de nombreuses questions à poser à Maddox. Mais où était celui-ci ?

Quand Maddox avait commencé à voyager plus fréquemment après son mariage, sa mère et lui avaient embauché Sean McKendrick pour qu'il s'occupe du ranch en son absence. Sa mère faisait beaucoup de travail mais, pour une femme seule, gérer un ranch était trop lourd. Sean s'était montré très compétent avec le bétail et les chevaux, et il savait également se muer en menuisier quand c'était nécessaire. C'était un homme sympathique qui semblait très attaché au Dakota du Nord.

Dante retourna dans le salon et s'arrêta devant le répondeur téléphonique. La diode indiquant qu'il y avait des messages en attente clignotait.

Il pressa le bouton d'écoute :

« Maman, c'est moi. Si par hasard tu as entendu aux infos qu'un hélico du service des frontières s'était écrasé, rassure-toi, je vais bien. C'était mon appareil mais je ne suis pas blessé. Rappelle-moi dès que tu le pourras, je t'embrasse. »

Il effaça le message.

— C'est une bonne chose que vous soyez rentré à la maison le premier, dit Emma. Sinon, il y aurait eu encore plus d'agitation.

Dante écouta le second message :

« Amelia, C'est Sean. J'ai dû me rendre en urgence à Medora pour aller chercher du matériel. Si vous rentrez avant moi, merci de vous charger de rentrer les chevaux avant qu'il se mette à neiger. »

Il effaça également ce message et écouta le dernier :

« C'est encore Sean. Le moteur de la camionnette fait des siennes et je doute d'être de retour avant la tempête. Je vais prendre une chambre d'hôtel pour la nuit et je rentre demain à la première heure. Je vais appeler le ranch Carmichael pour demander si quelqu'un de chez eux peut passer s'occuper des chevaux. »

Quelques instants plus tard, le téléphone sonna.

— Dante Thunder Horse, allô ?

— Ah, Dante, heureux de savoir que vous êtes à la maison. C'est Jim Rausch, du ranch Carmichael. J'ai eu un coup de fil de Sean me prévenant qu'il est coincé à Medora et que des chevaux chez vous ont besoin d'être rentrés.

— Oui, mais c'est bon, les chevaux sont à l'abri, le rassura Dante. Et de votre côté, tout va bien ?

— Oui, les bêtes sont rentrées et tout est bouclé. J'ai

l'impression qu'il va neiger jusque tard cette nuit. Vous êtes tous à la maison ? Et comment va Pierce ?

— Non, le reste de ma famille est encore à Bismarck. Pierce est toujours à l'hôpital. Son état s'améliore, il a repris brièvement connaissance et le médecin affirme que c'est bon signe.

— Tant mieux. Et Tuck ?

— Il est un peu sonné mais, lui, il est debout.

— Bien. J'ai vu aux infos que votre hélicoptère était tombé mais, si vous êtes là, c'est que ça va, j'imagine ?

— Oui, ça va. J'avais laissé un message à ma mère pour la rassurer mais, avec l'accident de Tuck et Pierce, elle ne l'a pas écouté et elle n'a pas vu les infos. J'ai donc effacé le message et je ne lui ai pas parlé de ce qui m'était arrivé. Elle a déjà suffisamment de soucis comme ça.

— Oh oui, d'autant que ça fait un petit moment qu'elle a des ennuis.

— Il semblerait, en effet. Vous pouvez m'en dire un peu plus ?

Le ranch Thunder Horse et le ranch Carmichael étaient voisins et, comme Roxanne, la femme de Pierce, vivait au ranch Carmichael, tout finissait par se savoir très vite.

— Eh bien, depuis quelque temps, les incidents se succèdent. Il y a d'abord eu la porte de l'écurie qui est sortie de ses gonds et a failli écraser votre frère Maddox en chutant. Trois jours plus tard, la paille dans la grange a pris feu. Heureusement, Sean est intervenu rapidement et il n'y a pas eu de dommages, mais ce n'est pas passé loin.

— Et vous êtes au courant que ma mère a demandé l'installation d'un système de sécurité complet ?

— Oui, c'est le fils du shérif Yost qui dirige la société à laquelle votre mère s'est adressée. Mais, selon Roxanne, le boulot n'est pas terminé.

— Non, loin de là.

— Roxanne m'a également dit que Maddox comptait écourter son séjour à l'étranger pour rentrer plus tôt que prévu. Votre mère a essayé de le convaincre que ce n'était pas la peine mais, pour être honnête, tout le monde est soulagé de sa décision. Cette succession d'incidents nous inquiète et, si on ajoute à cela votre accident et celui de vos frères, ça commence à faire beaucoup.

Dante n'en pensait pas moins.

— Oui, c'est inquiétant. Merci beaucoup pour ces précieux renseignements.

— De rien et, encore une fois, je suis heureux de vous savoir là. Si vous avez besoin de quoi que ce soit, n'hésitez pas.

— Merci, Jim.

Dante salua son interlocuteur, raccrocha et tourna la tête vers Emma.

— Je suis désolé de devoir vous le dire mais je commence à croire qu'en me sauvant la vie, vous vous êtes retrouvée dans un bazar dont moi-même je ne soupçonnais pas l'ampleur.

9

Emma insista pour passer la nuit sur le canapé du salon. Se retrouver seule dans cette vaste maison avec Dante la mettait mal à l'aise. Sa rencontre avec la famille, dans la journée, lui avait donné envie d'en faire partie, et ça c'était très dangereux.

Car la famille, ça ne lui avait jamais porté chance. Son père avait quitté sa mère et totalement cessé de s'occuper d'elle quand elle était encore toute petite et, dès ses douze ans, elle avait été seule quasiment en permanence.

Très tôt, elle avait appris à faire la cuisine et à laver son linge et celui de sa mère, car celle-ci, pour payer ses frais de scolarité, cumulait un emploi de jour et un travail de nuit.

Peu après qu'elle eut obtenu son diplôme au lycée, sa mère était tombée malade, infectée par un staphylocoque doré qu'elle avait attrapé à la clinique où elle faisait le ménage. Deux semaines plus tard, elle était morte.

A dix-huit ans, Emma s'était retrouvée complètement livrée à elle-même. Cette période avait été la pire de son existence et, régulièrement, elle fondait en larmes, accablée par son sort. Elle aurait alors donné cher pour avoir une épaule sur laquelle se reposer.

Afin de payer ses études, elle faisait la vaisselle le soir dans un restaurant puis, après avoir décroché son diplôme de premier cycle, elle était devenue l'assistante d'un professeur et s'était inscrite en master. Elle l'avait obtenu brillamment, ce qui lui avait valu de retenir l'attention du directeur du département de géologie, qui lui avait proposé un poste de maître de conférences. Elle l'avait accepté et, en même temps, avait poursuivi ses études pour obtenir son doctorat, déterminée à ne jamais se retrouver démunie et au besoin cumuler les petits boulots pour s'en sortir, contrairement à sa mère.

En définitive, la famille, pour elle, c'était un concept relativement abstrait alors que, pour Dante, c'était manifestement l'inverse. Il avait bien de la chance.

Le matin suivant, il la réveilla en allant s'occuper des bêtes. Aussi, elle s'habilla et prépara le petit déjeuner. Le réfrigérateur était plein et contenait de quoi nourrir une armée entière. Dans la cuisine, il y avait également un gros congélateur, tout aussi plein.

Le ranch était à l'écart de tout et sans doute fallait-il s'organiser pour ne pas avoir à faire de courses en ville trop régulièrement, surtout l'hiver, période à laquelle les routes de la région pouvaient être impraticables plusieurs jours d'affilée.

Elle cassa six œufs, les battit, coupa oignons et tomates, fit revenir le tout avec des olives noires et versa les œufs dessus pour faire une omelette.

Elle remplissait deux assiettes quand la porte s'ouvrit. Un courant d'air glacé pénétra dans la cuisine.

— Oh ! Mais ça sent divinement bon, déclara Dante.

Elle saisit la cafetière, se retourna et en versa une tasse.

— Installez-vous, le petit déjeuner est prêt.

— Super, merci beaucoup.

Dante se frotta les pieds sur le paillasson pour décoller la neige de ses bottes et huma l'air.

— Je préfère cette odeur à celle du gaz.

Il sourit et ôta sa parka, son écharpe, ses gants et sa cagoule.

— C'est vraiment gentil de votre part d'avoir tout préparé mais ne vous sentez surtout pas obligée de me faire la cuisine. Un des principes que notre mère nous a inculqués, à mes frères et moi, c'est que nous devions être capables de cuisiner et de faire la vaisselle nous-mêmes. Comme elle n'a eu que des garçons, pour elle, c'était d'autant plus important.

— Eh bien, je la féliciterai. Mais si j'ai tout préparé, c'est seulement parce que ça me donnait quelque chose à faire. Et puis, cuisiner pour un ou pour deux, ça ne fait pas beaucoup de différence.

— Encore merci.

Il tira une chaise pour elle et attendit qu'elle soit installée pour s'asseoir à son tour. Puis il serra son mug de café pour se réchauffer les mains.

— Ça fait vraiment du bien.

Ses compliments la touchèrent.

— Avez-vous eu d'autres nouvelles de votre frère ?

— Oui, en fait ma mère a appelé tard hier soir, mais vous dormiez déjà. Pierce s'est réveillé et a demandé à manger.

Il sourit et ajouta :

— C'est très bon signe. S'il demande à manger, cela signifie qu'il ne va pas tarder à se remettre complètement.

Emma poussa un soupir de soulagement. Enfin une bonne nouvelle. Elle ne connaissait pas le frère de Dante mais elle savait ce que perdre un proche signifiait et elle ne souhaitait à personne de vivre cette expérience.

— Je suis contente.

— On espère que le médecin lui permettra de quitter l'hôpital dans la journée.

— Aussi rapidement ?

— Oui, il n'est déjà plus dans le service de soins intensifs et, en général, quand un patient est en bonne voie, on ne met pas longtemps avant de le laisser sortir.

— Bien. Tant mieux.

— J'ai également pu parler à Tuck et je lui ai expliqué ce qui nous était arrivé.

Emma releva brusquement la tête.

— Alors il sait que nous ne sommes pas fiancés ?

— Non, ça, je ne lui ai pas dit. Ce sera déjà suffisamment dur d'éviter que ma mère apprenne que mon hélico s'est écrasé, donc je ne veux pas risquer qu'elle découvre cela également et qu'elle soit déçue.

— Mais maintenant que votre frère est hors de danger, ne serait-ce pas le moment de lui avouer la vérité ?

C'était la voix de la raison qui s'exprimait ainsi mais, à vrai dire, elle n'en avait aucune envie. La perspective lui nouait l'estomac et, soudain, elle n'eut plus faim.

— Non, laissons passer Noël, trancha Dante. Et puis, tout n'est pas réglé, nous devons déterminer l'origine et la raison de cette succession d'accidents et d'agressions. Une fois que ce sera fait, ma mère sera plus à même d'accepter la vérité. Maddox et son épouse, Katya, vont bientôt rentrer et il n'est pas impossible qu'ils annoncent à ma mère l'arrivée prochaine d'un bébé. Si c'est le cas, elle sera moins déçue de savoir que nous ne sommes pas réellement fiancés.

— Mais votre belle-sœur est enceinte, vous en êtes certain ?

— Non, mais je sais qu'ils veulent un enfant et je ne serais pas surpris qu'ils aient attendu leur retour pour nous apprendre la nouvelle, répliqua-t-il avec un sourire. Quant à Tuck, il travaille pour le FBI et il va mettre des enquêteurs sur la trace du type qui a abattu mon hélico, détruit votre caravane et placé des explosifs sur ma Jeep.

Emma esquissa un petit sourire.

— C'est pratique d'avoir un frère au FBI.

— C'est encore plus pratique d'en avoir deux, rétorqua Dante. Pierce est lui aussi agent du FBI.

— Deux agents du FBI, un agent du service de surveillance des frontières. Et votre autre frère, il est agent secret, peut-être ?

— Non, c'est le seul de nous quatre à être resté entièrement fidèle au ranch.

— Et pourtant il n'est pas là.

— Non, Katya, son épouse, est originaire d'Europe de l'Est.

Il fit un grand geste de la main et reprit :

— Les circonstances de leur rencontre, leur mariage, c'est

une longue histoire, et je parie qu'ils seront ravis de vous la raconter eux-mêmes quand ils seront là. En ce moment, ils sont auprès de sa famille à elle.

— Vous avez une famille très intéressante, Dante. Vous parvenez à prendre des nouvelles de tout le monde régulièrement ?

— Oui, surtout par l'intermédiaire de ma mère. C'est elle qui constitue en quelque sorte le trait d'union entre nous tous.

Emma hocha la tête. Elle n'avait fait que croiser Amelia Thunder Horse, mais celle-ci semblait être une femme ouverte, aimante et qui souhaitait par-dessus tout que ses enfants et ses proches soient heureux.

Elle en eut le cœur serré et des larmes d'émotion lui piquèrent les yeux. Il fallait qu'elle change de sujet avant de se mettre à pleurer pour de bon.

— Il a beaucoup neigé ?

— Oui, mais tout de même pas autant qu'annoncé. Nous devrions pouvoir aller jusqu'à Medora, chercher Sean, le régisseur. Et éventuellement en profiter pour faire quelques courses.

— Oh ! Avec ce qu'il y a dans le réfrigérateur et le congélateur, on peut tenir un siège.

Dante éclata de rire.

— Attendez de voir ce que sont capables d'avaler les hommes de la famille Thunder Horse.

— J'ai l'impression que vous êtes tous des grands costauds, donc je peux imaginer.

Dante l'aida à débarrasser et à ranger la cuisine. Effectivement, sa mère l'avait bien éduqué, songea Emma. Il lui arrivait de l'effleurer, de la bousculer légèrement et, chaque fois, il avait un geste pour la retenir ou s'excuser.

Mais c'était seulement parce qu'il voulait aller vite. Rien d'autre, conclut-elle. Dante Thunder Horse était un homme très séduisant et il n'aurait aucun mal à trouver une femme plus intéressante qu'une petite prof timide comme elle.

Quand ils eurent terminé la vaisselle, elle avait le rouge

aux joues et il suffisait qu'il passe près d'elle pour qu'elle réagisse physiquement.

— Je vais me brosser les dents et, ensuite, je serai prête à partir, annonça-t-elle.

Elle s'enferma dans la salle de bains et considéra son reflet dans le miroir. Elle avait les joues roses, les yeux pétillants, et même ses cheveux paraissaient plus brillants qu'à l'habitude. Que lui arrivait-il ? Elle devait se reprendre et ne pas se faire d'illusions : à la fin des vacances, tout serait terminé.

Pourtant, sa voix intérieure l'enjoignait de profiter au maximum de ces quelques jours avec Dante et sa famille. Quel mal cela pourrait-il faire ?

— Beaucoup de mal, murmura-t-elle à son reflet.

A elle.

Egalement à la mère de Dante quand ils lui apprendraient la vérité. Même si, comme toute mère aimante, elle se rangerait à la décision de son fils. Amelia comprendrait qu'une prof de campagne n'était pas faite pour lui, pas à la hauteur.

Encore une fois, Emma repensa à la chaleur et à la tendresse de cette femme.

Franchement, quel mal pourrait-il y avoir, ne serait-ce que pour quelques jours, à faire semblant d'appartenir à la famille ? Cela permettrait à Amelia de passer les fêtes sans stress supplémentaire et, elle, elle aurait Dante pour la protéger. Exceptionnellement, elle ne se retrouverait pas toute seule à Noël.

Elle se brossa les dents et se fit le serment de garder la tête froide, de ne pas se bercer de faux espoirs envers un homme qui était encore amoureux d'une femme décédée.

Elle s'éclaboussa le visage avec de l'eau froide puis s'essuya, prit une grande inspiration, ressortit de la salle de bains d'un pas décidé et buta contre une montagne de muscles.

Elle fut tellement surprise qu'elle faillit tomber, mais Dante la saisit par les épaules.

— Ça va ?

Elle eut le souffle court, elle était dans tous ses états. Elle venait de prendre des résolutions et, quelques secondes plus tard, elles avaient déjà volé en éclats.

— Oui, oui, ça va, merci.

Son cœur battait la chamade. Elle se redressa et recula d'un pas.

— Je m'apprêtais à frapper à la porte de la salle de bains pour savoir si vous y étiez prête, expliqua Dante.

— Oui, je suis prête. Je n'ai plus qu'à enfiler ma doudoune. *Et à reprendre mes esprits.*

— Vous devriez mettre votre combinaison complète, lui conseilla Dante. Il fait très froid et le vent souffle toujours.

— Entendu.

Elle passa dans le salon, où elle avait laissé son sac, en sortit sa combinaison, l'enfila par-dessus ses vêtements et mit ses bottes. Si elle avait espéré avoir l'air un brin sexy, c'était raté. Elle ressemblait au bonhomme Michelin.

— Voilà, on peut y aller, dit-elle en le rejoignant.

Elle était ridicule et affreuse.

Un sourire étira les lèvres de Dante, qui leva la main et la lui passa sur la joue.

— On vous a déjà dit que vous étiez mignonne, tout emmitouflée comme l'héroïne d'*Un conte de Noël* ?

Elle le dévisagea, aussi incrédule qu'étonnée par l'éclat de son regard. Quand il se pencha pour lui donner un petit baiser, elle crut tomber à la renverse.

— Vous m'avez manqué, la nuit dernière, lui chuchota-t-il.

Avant même qu'elle ait assimilé ce commentaire, il se dirigeait vers la porte. Il l'ouvrit et un froid mordant pénétra dans la maison. Il tint la porte et se tourna vers elle pour l'inviter à sortir.

Elle s'exécuta, encore perplexe. Pourquoi l'avait-il embrassée, et qu'avait-il sous-entendu ?

A cause de la neige, il leur fallut deux fois plus longtemps que d'habitude pour rejoindre Medora. En outre, Dante ne connaissait pas très bien le SUV de location et ne souhaitait prendre aucun risque. Ils devaient arriver à destination sans dommages.

Peut-être quelqu'un pourrait-il l'éclairer sur ce qui se passait au ranch Thunder Horse. D'autres ranchs de la région étaient-ils également victimes d'accidents suspects ?

A Medora, Dante se gara sur le parking du *diner*, car c'était peu ou prou le seul endroit où passer le temps.

Il aida Emma à descendre et tous deux entrèrent dans l'établissement. Il repéra immédiatement le régisseur : Sean était assis à une table avec une tasse de café, face à un bavard patenté. Hank Barkley, le propriétaire du magasin de matériel agricole, savait en effet tout sur tout le monde et ne se privait pas de le colporter.

Quand Sean le vit approcher, il se leva aussitôt et lui serra la main.

— Heureux de vous revoir en un seul morceau. Il paraît que Pierce va mieux lui aussi.

Dante sourit. Inutile de demander qui le lui avait appris.

Hank se leva également pour le saluer.

— Je suis venu tenir compagnie à Sean. On a tous eu très peur pour vos frères, vous savez.

Le regard de Hank se posa sur Emma. L'air curieux, il demanda :

— Je ne crois pas connaître la jeune femme qui vous accompagne.

— Je vous présente Emma Jennings. On peut se joindre à vous ?

— Bien sûr. Nous ne faisions que discuter pour passer le temps, répondit Hank.

— Oui, et si ça continue, c'est tout ce que nous pourrons faire en attendant le printemps, renchérit Sean qui regarda par la fenêtre. Je doute que toute cette neige fonde complètement avant avril.

Emma ôta sa doudoune et s'installa sur la banquette, Dante s'assit à côté d'elle. Sa jambe effleura la sienne, et ce contact, même à travers son épais pantalon, lui procura un frisson. Il n'en fallait vraiment pas beaucoup pour qu'Emma éveille ses sens et sa libido. La nuit précédente, se retrouver seul dans son lit alors qu'elle était dans la pièce à côté l'avait mis au supplice. Il avait peu dormi et, chaque fois qu'il était parvenu à s'assoupir, il avait rêvé qu'il faisait l'amour avec elle. De tels fantasmes le torturaient : avait-il le droit d'oublier ainsi Samantha ? Rien que l'idée lui déplaisait.

— Tout est en ordre, au ranch ? lui demanda Sean, qui le sortit de ses pensées.

Dante acquiesça.

— Oui, je suis passé voir les bêtes juste avant notre départ.

— Bien. Mack, le garagiste, a dit que, pour la camionnette, il doit commander une pièce et qu'il ne l'aura pas avant un ou deux jours.

— Dans ce cas, nous avons bien fait de venir vous chercher.

Dante leva les yeux au moment où Florence Metzger, la propriétaire du *diner*, passait près d'eux.

— Dante Thunder Horse, ça fait plaisir de te voir, déclara celle-ci en se penchant pour l'embrasser.

Elle se redressa et tourna la tête vers Emma, sans masquer son intérêt.

— Est-ce ta petite fiancée ?

Emma fit des yeux tout ronds.

Dante lui posa une main sur le genou, un sourire aux lèvres.

— Comment peux-tu savoir que nous sommes fiancés ?

Florence se posa une main sur la hanche.

— Figure-toi que mon cousin travaille à l'hôpital de Bismarck.

Sean eut un petit rire.

— Moi aussi, j'étais au courant. C'est Hank qui me l'a dit.

Celui-ci se redressa avec fierté.

— Je l'ai appris par l'intermédiaire de Small, l'agent de police, qui lui-même le savait par le shérif Yost.

— Donc, j'imagine que toute la ville est au courant, déclara Dante en se tournant vers Emma.

Elle était pâle et se mordait la lèvre inférieure.

Dante lui passa un bras autour des épaules, puis lui donna un petit baiser sur la joue.

— La réponse à la question de Florence est oui. Je vous présente Emma Jennings, de Grand Forks. Ma fiancée.

Hank, Florence et Sean leur présentèrent tous trois leurs félicitations.

— C'est merveilleux, s'exclama Florence avec enthousiasme. Puis-je voir la bague ? On dit toujours que la bague qu'un homme a offerte à sa fiancée en dit beaucoup sur lui.

A ces mots, Emma devint livide, remarqua Dante. Lui-même était décontenancé. Il n'avait absolument pas pensé à cela.

— Chut, Florence, tu vas gâcher la surprise, lui dit-il en appuyant ses paroles d'un clin d'œil entendu.

Florence fronça les sourcils puis, après quelques secondes de réflexion, se plaqua une main sur la bouche.

— Oh ! Mais oui, suis-je bête, nous sommes à quelques jours de Noël…

C'était passé près mais le désastre avait été évité. Dante prit la main d'Emma dans la sienne.

— Assez parlé de nous. Quelles sont les nouvelles par ici ?

Hank et Florence ne se firent pas prier pour raconter les derniers événements survenus dans la petite communauté. Frank et Eliza Miller attendaient un nouvel enfant : leur cinquième ! Jess Blount et Emily Sanders s'étaient mariés deux mois plus tôt et eux aussi allaient prochainement avoir un bébé. Vera Bradley était décédée, ses deux filles se disputaient son héritage.

Dante écoutait poliment. Tous les noms lui étaient plus ou moins familiers.

A une autre table, un client fit signe à Florence.

— Il faut que je retourne travailler. Appelez-moi si vous avez besoin de moi.

Elle se hâta d'aller servir du café et prendre d'autres commandes.

Dante s'adressa à Hank :

— Et comment vont les affaires en ville ? Y a-t-il des magasins qui ont fermé, de nouveaux arrivants ?

Hank hocha la tête :

— Les Taylor ont enfin réussi à vendre leur quincaillerie à un couple de Fargo. La scierie a définitivement fermé peu de temps avant Halloween. Quant à l'ancien hôtel, un promoteur de Minneapolis l'a racheté pour le rénover.

Il marqua une pause puis reprit :

— Je suppose que c'est à cause de ces chercheurs de pétrole qui prospectent dans la région depuis quelques mois : ils tentent de racheter des terres.

— Ce sont les mêmes que l'été dernier ?

— Oui, mais pas seulement : maintenant, il y en a d'autres.

Sean fronça les sourcils.

— Votre mère ne vous en a pas parlé, Dante ? Ils sont passés plusieurs fois au ranch, il y en a un en particulier qui se montre très insistant, un dénommé Langley. Il a le chic pour débarquer sans prévenir à n'importe quelle heure. Votre mère a beau lui répéter qu'elle n'a pas l'intention de vendre ses terres, il revient à la charge. C'est en partie à cause de lui et de ses collègues qu'elle a souhaité faire installer un système de vidéosurveillance et une alarme.

Dante posa les coudes sur la table et se pencha en avant :

— Pensez-vous que ces types puissent être derrière les accidents qui se sont produits au ranch ? Qu'ils pourraient chercher à effrayer ma mère pour la persuader de vendre ?

Sean croisa les bras.

— Pour convaincre votre mère de vendre, il en faudrait davantage que l'effrayer. Elle a un sacré tempérament et ne se laisse pas intimider.

— Certes. Mais maintenant que Maddox voyage fréquemment, elle se retrouve plus souvent seule à s'occuper du ranch et c'est une lourde responsabilité.

Sean parut quelque peu vexé par cette remarque.

— J'essaie d'être là aussi souvent que possible. Peut-être que je devrais insister pour qu'elle m'accompagne quand je dois aller en ville. Ça ne me dérangerait pas, au contraire. Quant à ces accidents, rien ne prouve que ce ne sont pas de simples accidents, justement. La porte de la grange n'était pas de première jeunesse et vous savez que, par ici, les vents sont très violents. Quant au foin, il était tout frais quand nous l'avons rentré, il n'est pas impossible que l'incendie se soit déclaré spontanément.

Dante en était bien conscient : un feu de foin frais était un accident relativement fréquent. D'ailleurs, habituellement, ils le laissaient sécher avant de le mettre en balles. Mais, cette année, ils avaient dû se dépêcher car, peu après la période des foins, de fortes pluies avaient été annoncées.

— Vous avez raison… Mais tout de même, deux événements de ce type en une semaine…

Il laissa sa phrase en suspens pour indiquer son scepticisme.

Le régisseur haussa les épaules.

— Dans les deux cas, le shérif n'a découvert aucun élément suspect. Tout ce qu'on peut dire, c'est qu'on a eu de la chance qu'il n'y ait pas de blessés.

— Vous n'avez remarqué ni empreintes ni traces de pas ?

— La nuit précédant la chute de la porte, il avait plu, et si quelqu'un avait desserré les gonds, il l'avait fait avant qu'il pleuve. Après, la pluie a fait disparaître toutes traces de pas.

— Et le jour de l'incendie, vous n'avez remarqué personne sur le domaine du ranch ?

Sean pinça les lèvres.

— Eh bien, votre mère avait un rendez-vous et n'était pas là. Quant à moi, au moment où l'incendie s'est déclaré, je rentrais tout juste de la coopérative.

Dante leva la main.

— Attendez, comment ça : ma mère avait un rendez-vous ?

Sean n'osa pas répondre mais Hank, lui, ne s'en priva pas :

— Cela fait un moment que le shérif Yost courtise votre mère, si je puis dire. Je l'ai même entendu dire un jour qu'il voulait l'épouser, et il a prétendu à Florence qu'avant même qu'elle rencontre votre père il était déjà amoureux d'elle.

— Mais je ne pensais pas que ma mère était sensible à son charme, avoua Dante.

— Eh bien, il faut reconnaître à Yost qu'il sait se montrer à la fois patient et tenace.

Sean émit un grognement.

— Moi, je me demande ce que votre mère lui trouve. Elle mérite mieux que lui.

Le ton de voix du régisseur intrigua Dante. Il semblait presque jaloux.

Emma, qui depuis le début de la conversation était restée silencieuse, se redressa et intervint :

— Les prospecteurs de pétrole sont toujours en ville ?

— Oui, certains, précisa Hank. Ils ont pris leurs quartiers dans l'aile de l'hôtel qui a déjà été rénovée.

— Et que savez-vous du système de sécurité au ranch ? voulut savoir Dante. Il ne semble pas encore installé.

Sean fit la moue.

— Je sais seulement que Ryan, le fils du shérif Yost, a commencé les travaux il y a une quinzaine de jours. Mais il n'avait pas encore reçu l'ensemble des caméras, si j'ai bien compris.

— J'ignorais que Ryan était de retour dans la région. Sa mère était partie vivre avec lui dans la réserve Rosebud après avoir divorcé de Yost, non ?

Hank se frotta les mains.

— J'ai eu l'occasion de discuter avec Ryan. Il m'a dit avoir quitté la réserve à ses dix-huit ans. Il a fait son service militaire puis il s'est engagé et il est resté dans l'armée pendant quatre ans. A la fin de son contrat, il n'a pas rempilé, il a cherché du travail et s'est fait embaucher dans une société d'installation de systèmes de sécurité du Dakota du Nord. C'est à ce moment-là qu'il est revenu. Il y a un an, son patron a pris sa retraite et il s'est vu proposer d'ouvrir et diriger une franchise de la société. En gros, son secteur, c'est tout ce qui s'étend à l'ouest de Bismarck.

— Ses bureaux sont situés en dehors de Medora ?

— Oui, mais de toute façon il est très souvent sur la route. Il a même racheté un vieil avion pour gagner du temps sur certains déplacements. Il a son brevet de pilote.

— Tout indique qu'il s'en est plutôt bien sorti, dit Sean. Tous les gamins de la réserve ne peuvent pas en dire autant.

Dante en savait quelque chose. Son arrière-grand-père avait quitté la réserve dès qu'il avait été en âge de le faire. Il était très attaché à ses racines Lakota mais il avait compris que, s'il voulait s'ouvrir des perspectives, pour lui et sa famille, il devait tenter sa chance ailleurs.

— Ryan n'a pas beaucoup de points communs avec Yost, poursuivit Hank. Il était plus attaché à sa mère. Quand elle a divorcé, elle est partie du jour au lendemain vivre avec lui dans la réserve, et Ryan ne revenait jamais voir son père.

— Et vous savez ce que fait Ryan en attendant de recevoir les caméras qu'il doit installer au ranch ?

— Il a un chantier à Bismarck, je crois, répondit Hank. Il va rentrer en fin de journée, il a lui aussi pris une chambre à l'hôtel.

Dante se rassit au fond de la banquette et réfléchit quelques secondes à tout ce qu'il venait d'apprendre.

— Bien, merci pour ce tour d'horizon. Vous ne voyez rien d'autre d'intéressant à ajouter ?

Sean sourit.

— Ce serait plutôt à vous de nous raconter ce qui vous est arrivé. La télé a diffusé des images de l'hélicoptère qui est tombé. Vous êtes conscient que votre mère ne va pas tarder à être au courant, n'est-ce pas ?

— Sans doute. Mais, comme je suis là, au moins, elle ne se fera pas de mauvais sang et elle ne s'attardera pas trop sur cet accident.

— Je n'en suis pas si sûr. Elle serait même capable d'appeler votre patron pour lui dire que vous ne devez plus remonter dans un hélico.

Elle en serait bien capable en effet, Dante n'en doutait

pas. Elle n'avait jamais apprécié que ses fils choisissent des métiers dangereux. Néanmoins, elle avait respecté leur choix.

Dante se leva et tendit la main à Emma.

— Bien, j'ai quelques visites à effectuer avant de repartir.

— Puis-je vous être utile ? proposa Sean qui se leva également.

— Si vous avez besoin de fourrage, chargez les sacs dans le coffre de mon SUV. Emma et moi, nous reviendrons vite et, ensuite, nous pourrons prendre la route du ranch.

— Avoir un peu de fourrage d'avance, ce ne serait pas inutile, confirma Sean.

Dante acquiesça et lui tendit ses clés. Puis il salua Hank pendant qu'Emma remettait sa doudoune.

— Heureux de vous avoir revu, Hank.

Florence n'était pas loin et il lui fit signe.

— Salut, Florence, à bientôt.

— A bientôt, j'espère, oui, répondit-elle avec un sourire.

Il tendit la main à Emma, qui l'accepta et traversa le *diner*. Au moment de pousser la porte, son portable sonna. Il s'arrêta pour prendre la communication. C'était sa mère.

— Salut maman. Comment va Pierce ?

— Il est déjà autorisé à sortir, c'est incroyable. J'ai demandé au médecin si c'était bien raisonnable et il m'a répondu que Pierce ne tenait déjà plus en place et récupérerait mieux à la maison. Nous venons de prendre la route, je pense que nous serons au ranch dans l'après-midi, si du moins les routes sont praticables jusqu'au bout.

— Qui est au volant ? demanda Dante.

En effet, Pierce détestait ne pas conduire quand il montait dans une voiture, et Dante le savait très bien.

— Roxanne, répondit sa mère avec un petit rire. Pierce avait beau savoir qu'il n'était pas en état de conduire, elle a dû lui faire la leçon pour qu'il se tienne tranquille.

— Et Tuck ?

— Il va rentrer aussi, mais un peu plus tard. Il souhaitait

faire un saut au bureau avant de prendre la route. Il va venir avec Julia et Lily et ils resteront jusqu'à la fin des vacances.

— Et comment rentrez-vous puisque la voiture de Pierce n'est plus en état ?

— Nous avons loué un véhicule pour deux semaines.

— J'espère que vous avez vérifié les freins avant de partir !

Sa mère émit un grognement.

— Tu ne crois pas si bien dire. Tuck a passé une heure les mains dans le moteur puis sous la voiture pour vérifier que tout était en ordre.

— Tant mieux. Je veux absolument avoir toute ma famille autour de moi pour Noël.

— Moi aussi, et ce sera merveilleux. D'autant qu'avec Emma, la famille va encore s'agrandir !

Dante ne répondit pas. Pourquoi gâcher le Noël de sa mère ? Elle semblait tellement heureuse qu'il ne soit plus seul !

Il échangea encore quelques paroles avec elle puis raccrocha.

Il jeta alors un regard à Emma : elle avait relevé son col pour affronter le froid. De longues mèches brunes entouraient son visage. Elle était vraiment mignonne ainsi, mais ne le savait probablement pas.

Elle tourna la tête, sentant peut-être son regard sur elle.

— Quoi ? fit-elle.

— Rien. Je me disais seulement que j'étais vraiment heureux que vous ayez accepté de venir avec moi. Et j'espère que vous apprécierez ma famille autant qu'eux vous apprécient.

Elle battit des paupières et prit un air timide.

— Vous croyez vraiment qu'ils m'aiment bien ?

— Oui, je suis affirmatif.

Il lui prit la main et, ensemble, ils marchèrent jusqu'à l'hôtel. La façade en était pimpante, mais à l'intérieur il restait encore beaucoup à faire.

— Bonjour, puis-je vous aider ? leur demanda sans enthousiasme la jeune femme à la réception.

— Pouvez-vous me dire si Ryan Yost est dans sa chambre ? s'enquit Dante.

— Non, répliqua la réceptionniste sans hésiter. Mais je dispose de chambres libres. Souhaitez-vous en prendre une ?

Dante lui adressa un grand sourire charmeur.

— Peut-être.

10

La réceptionniste devint rouge de plaisir et battit des paupières, remarqua Emma. Elle aussi, quand Dante lui adressait ce genre de sourire, elle fondait complètement.

Sur la photo où il posait à côté de Samantha, il arborait cette séduisante expression. Elle aurait voulu être capable de raviver chez lui le bonheur qu'il éprouvait avant la disparition de la femme dont il était amoureux. Etre aimée sans retenue par un homme tel que Dante, ce devait être tellement merveilleux !

Dante s'appuya sur le comptoir et se pencha en direction de la réceptionniste.

Il lut le badge qu'elle avait épinglé à son chemisier.

— Vous vous appelez Nicole, c'est bien ça ?

Elle acquiesça.

— Oui, c'est ça.

— Un joli prénom pour une jolie fille.

La dénommée Nicole écarta une mèche de cheveux blonds de son visage.

— Merci.

— Moi, je suis…

Nicole leva la main pour l'interrompre.

— Attendez, laissez-moi deviner. Vous faites partie de la famille Thunder Horse. Vous ressemblez beaucoup à Maddox.

Dante inclina la tête.

— Gagné, Maddox est mon frère. Moi, je m'appelle Dante.

Il se tourna vers Emma.

— Et ma compagne s'appelle Emma. Nous sommes tous

deux des amis de Ryan. Cela fait bien longtemps que nous ne l'avons pas revu et nous aurions aimé lui dire bonjour.

— Ah, d'accord, je vois, répondit la réceptionniste qui se détendit et sourit à son tour. Il habite ici, chambre 207, depuis qu'elle a été refaite. Mais, pour le moment, il est absent ; en partant ce matin, il a dit qu'il serait de retour aux environs de midi.

— Très bien, c'est tout ce que nous désirions savoir, répliqua Dante. Avez-vous un stylo et un post-it pour que nous puissions lui laisser un petit mot sur sa porte ?

Elle s'empressa de lui fournir le tout.

— Avez-vous besoin d'autre chose ?

— Non, je vous remercie, c'est parfait, répliqua-t-il en lui adressant un clin d'œil complice.

Il se redressa et regarda autour de lui.

— L'escalier est au fond, derrière les plantes vertes, indiqua Nicole en pointant du doigt le fond du hall. C'est au deuxième étage, seconde porte à droite.

— Merci.

De nouveau, il se tourna vers Emma :

— Tu veux bien m'attendre ici, chérie ? J'en ai pour une minute.

Qu'il l'appelle « chérie » la toucha, mais elle se ressaisit aussitôt : ce n'était qu'un jeu.

— Oui, vas-y, je t'attends.

Nicole regarda Dante traverser le hall puis, quand il eut disparu, retourna son attention sur Emma. Elle lui fit une petite moue dédaigneuse.

— J'aurais parié que c'était un Thunder Horse. Voilà une famille que tout le monde connaît dans la région. En revanche, vous, vous ne devez pas être d'ici.

Emma acquiesça.

— Non, je vis à Grand Forks. Je…

Elle hésita à se désigner comme la fiancée de Dante. Mentir était toujours une épreuve.

— Je suis en visite chez les Thunder Horse.

Nicole fronça les sourcils.

— Il paraît qu'un des frères Thunder Horse s'est fiancé récemment. S'agit-il de Dante ? Et vous êtes sa fiancée ? ajouta-t-elle en plissant les yeux.

Décidément, les nouvelles se répandaient très vite dans cette petite ville.

— Euh… oui, c'est moi, reconnut-elle.

Elle devait montrer plus d'assurance, songea-t-elle simultanément. Aussi, elle redressa les épaules et continua :

— Tout s'est passé très vite. Quand il m'a demandée en mariage, je ne m'y attendais pas du tout. Et j'ai toujours du mal à me faire à cette idée.

Elle s'efforça de sourire pour apparaître comme une heureuse future mariée.

— J'étais tellement ébahie que je ne savais pas quoi répondre.

— Eh bien apparemment vous avez répondu oui, rétorqua Nicole sur un ton ouvertement jaloux.

Elle posa le regard sur les mains d'Emma.

— Tiens, vous n'avez pas de bague de fiançailles ? Quel dommage…

Emma rougit et fourra les mains dans ses poches.

— Non, pas encore. Mais Noël approche, ajouta-t-elle sur un ton entendu.

Evidemment, une fois les vacances terminées, tout serait oublié. Elle le savait pertinemment. Mais, pour le moment, elle avait le droit de faire comme si Dante était bel et bien son fiancé et de mettre en tête à cette réceptionniste qu'il était inutile d'espérer.

Deux ouvriers pénétrèrent alors dans le hall en portant un rouleau de moquette.

Nicole se leva et alla leur ouvrir la porte.

Deux autres hommes, en costume et imperméable, s'avancèrent vers la réception. L'un d'entre eux sourit à Emma.

— Enchanté, lui dit-il, je suis Monty Langley, et mon

collègue s'appelle Theron Price. Il ne me semble pas vous avoir déjà vue. Vous êtes ?

— Emma Jennings, répondit-elle, sur la défensive.

— Emma…, répéta le dénommé Langley en la détaillant de la tête aux pieds.

Cette fois, elle fut heureuse d'être emmitouflée dans sa combinaison et haussa les sourcils : elle n'appréciait guère de telles manières.

— Vous prenez une chambre ? lui demanda Langley.

— Non.

— Non ? Alors que diriez-vous d'aller prendre un verre ? Je suis sûr qu'il doit y avoir un bar quelque part.

— Non, merci, rétorqua-t-elle sèchement.

— Dommage. Et moi qui pensais qu'une éclaircie venait enfin égayer ce trou à rats…

— Eh bien vous vous êtes trompé, dit-elle en se détournant à moitié.

Langley plissa les yeux puis s'adressa à son collègue :

— Allez, viens Theron, j'ai une bouteille de whisky dans ma chambre.

Tandis qu'il se dirigeait vers le couloir au fond du vestibule, il jeta un dernier regard par-dessus son épaule et déclara :

— Et on dit que dans le Dakota du Nord, les gens sont accueillants…

— Avec ceux qui le méritent, pas avec les goujats, marmonna Emma.

— J'ai entendu, précisa Langley avant de s'éloigner définitivement.

Une fois que les deux hommes furent hors de vue, Emma s'empressa de monter l'escalier jusqu'au deuxième étage.

Elle ne trouva pas Dante.

Aussi, elle avança jusqu'à la chambre 207 : la porte en était entrouverte.

Elle la poussa doucement et entra.

— Dante ? chuchota-t-elle.

Il faisait sombre dans la pièce car les rideaux étaient tirés.

Des vêtements traînaient sur le lit et la poubelle débordait de canettes de soda. Une main se posa alors sur sa bouche et elle fut attirée contre un torse vigoureux.

D'instinct, elle leva les bras, s'apprêtant à asséner un coup de coude à son agresseur.

— Chut, fit une voix tout contre son oreille.

C'était Dante et elle se figea. Il ôta sa main de sa bouche.

— Ne faites pas de bruit, j'ai presque fini, chuchota-t-il.

— Mais qu'est-ce que vous fichez ?

— Je jette un coup d'œil.

Avait-il perdu la tête ?

— N'est-ce pas une effraction ?

— Seulement si on se fait prendre. De toute façon, la porte n'était pas fermée à clé.

— Oui, mais quand même. Et si la réceptionniste vous avait surpris ? Ou pire, si Ryan Yost était arrivé ?

— Ce n'est pas le cas…

— Mais ça aurait pu se produire. Deux types sont entrés dans l'hôtel. Je suppose qu'il s'agit des prospecteurs de pétrole.

— Vraiment ? Peut-être qu'on devrait aller leur dire un mot.

— Je n'en ai aucune envie. L'un d'eux, un certain Langley, m'a fait du gringue.

Dante lui posa un doigt sous le menton.

— Cela prouve qu'il a bon goût.

— Nous devrions partir.

— C'est ce que nous allons faire.

Il s'assura qu'il n'y avait personne dans le couloir puis tira Emma derrière lui. Quand elle fut sortie, il referma et colla un post-it sur la porte.

Elle n'eut pas le temps de le lire car il la poussa vers l'escalier.

Langley et Price n'étaient pas ressortis de leur chambre et, au rez-de-chaussée, Nicole était toujours en conversation avec les ouvriers.

Un homme au teint mat, à la coupe de cheveux militaire

et au regard perçant, poussa la porte pour entrer alors qu'ils allaient sortir.

Il s'arrêta face à eux et fixa son attention sur Dante.

— Excusez-moi, vous êtes bien un des frères Thunder Horse, non ?

Il tendit la main et ajouta :

— Je suis Ryan Yost.

Emma en eut des frissons. Deux minutes plus tôt, ils étaient dans sa chambre. Ils étaient passés à un cheveu de se faire prendre.

Dante serra la main de cet homme et lui sourit, l'air parfaitement détendu. Comment parvenait-il à se montrer aussi détaché ? se demanda Emma.

— Cela fait un bail qu'on ne s'est pas vus, lança-t-il. La dernière fois, tu devais encore être à l'école primaire.

Ryan acquiesça et fit une moue qui semblait indiquer que cette période ne lui rappelait pas que de bons souvenirs.

— Ouais, c'était peu de temps avant le divorce de mes parents et que je parte vivre dans la réserve avec ma mère. Vous êtes de retour dans la région pour de bon ?

Dante secoua négativement la tête.

— Non, je suis en visite dans ma famille pour les fêtes.

— Oui, bien sûr, répliqua Ryan qui regarda autour de lui. Est-ce que par hasard vous me cherchiez ?

— En fait, oui. Ma mère souhaitait savoir quand tu comptais terminer l'installation du système de sécurité au ranch.

— Ah, d'accord. J'attends toujours les caméras que j'ai commandées. Je pensais les recevoir aujourd'hui mais il y a un peu de retard. J'espère les recevoir demain et venir les poser dans la foulée.

— Parfait. Je le lui dirai.

— J'ai été étonné qu'elle souhaite faire installer un système de sécurité, confia Ryan. Dans le secteur, la plupart des gens ne ferment même pas leur porte à clé.

— Les temps changent, lâcha Dante.

— Ouais. En même temps, d'une certaine façon, c'est bon pour mes affaires.

— J'imagine.

Dante regarda vers la sortie.

— Bien, nous allons te laisser. Nous nous verrons demain au ranch.

Ryan fit un pas de côté pour les laisser passer.

— Comptez sur moi.

Dehors, le froid était toujours aussi mordant et Emma remonta son col.

— Pouvez-vous m'expliquer à quoi vous jouez ? demanda-t-elle à Dante.

— Je veux découvrir qui s'en prend au ranch.

— Vous pensez que ça peut être Ryan Yost ?

— Je n'en sais rien. Je souhaitais lui parler et, comme la porte de sa chambre n'était pas fermée, j'y ai jeté un coup d'œil pour me faire une idée sur notre homme.

— Mais, si j'ai bien compris, vous le connaissiez déjà.

— Oui et non. Il est un peu plus jeune que moi et nous fréquentions la même école quand nous étions gamins. Mais il a quitté la région quand il avait une dizaine d'années et je ne l'avais pas revu depuis.

Dante lui prit la main et ils se dirigèrent vers le SUV, toujours garé sur le parking du *diner*.

Sean les y attendait déjà et faisait les cent pas pour se réchauffer.

— C'est bon, on peut y aller ? leur demanda-t-il quand il les vit.

— Oui, répondit Dante en tendant la main. Je vais conduire.

Sean lui lança les clés et Dante déverrouilla les portières. Emma s'installa à l'avant, Sean sur la banquette arrière et Dante prit le volant.

Le long du trajet, Sean donna quelques précisions supplémentaires à Dante sur la vie du ranch :

— Les chevaux sauvages ont pris leurs quartiers dans le canyon. J'ai repéré une jument qui boitait. Il me semble que c'est celle que votre frère a baptisée Sweet Jessie. J'aimerais bien faire un tour là-bas dans la journée si possible et, éventuellement, la ramener si elle a besoin de soins.

— Elle a eu un poulain au printemps dernier, non ?

— Oui. Il est déjà très autonome mais c'est la jument qui m'inquiète.

— Je pourrais peut-être vous donner un coup de main.

Dante tourna la tête vers Emma.

— Tu es déjà montée à cheval ?

— Non, désolée. Mais il ne fait pas un peu froid pour ça ?

Dante eut un petit sourire.

— Les propriétaires de ranchs du Dakota du Nord ne s'arrêtent jamais. Les animaux sont toujours leur priorité.

— Je comprends. J'aimerais bien venir, dit-elle malgré son appréhension. Est-ce dur de monter à cheval pour la première fois ?

Sur la banquette arrière, Sean éclata de rire. Dante se contenta de sourire.

— L'hiver n'est pas la meilleure période pour apprendre. Si tu veux nous accompagner, nous pouvons y aller en motoneige. Sean, lui, devra prendre un cheval pour ramener Sweet Jessie si elle a besoin d'être soignée.

Sembler aussi gourde contraria Emma.

— Je ne veux pas vous ralentir.

— Ne t'inquiète pas, la rassura Dante. En motoneige, nous atteindrons plus rapidement le canyon, et si nous constatons qu'il faut ramener la jument, à l'arrivée de Sean nous lui aurons déjà posé un harnais pour qu'il puisse la tirer.

Tranquillisée, Emma acquiesça.

— D'accord. Si je ne vous gêne pas, j'aimerais vraiment y aller.

Quand ils arrivèrent au ranch, elle était plus détendue. Sean et Dante discutaient de ce qui devait être fait avant l'arrivée d'un nouvel épisode neigeux.

— Ah, la famille est de retour, déclara Dante avec enthousiasme au moment de se garer devant la maison.

Il y avait déjà trois véhicules, nota Emma : un SUV flambant neuf, une grosse camionnette équipée de pneus cloutés et un SUV blanc qui arborait le macaron du shérif du comté de Billings.

De nouveau, Emma eut le trac.

— On dirait que le shérif est revenu avec eux, dit Sean en descendant de voiture.

— Qu'est-ce qu'il fiche ici ? marmonna Dante avec un air renfrogné.

Il s'approcha d'elle, la prit par le coude et se pencha :

— N'ayez crainte, ma famille ne mord pas.

— Les membres de votre famille ne me font pas peur, je suis seulement mal à l'aise parce que nous les menons en bateau.

— Pour eux, nous sommes fiancés, je ne vois pas l'intérêt de les détromper.

— Mais c'est un mensonge.

Dante s'arrêta pour lui faire face et lui prit la main.

— Si cela peut vous faire plaisir, nous leur dirons que nous avons décidé de nous donner du temps pour mieux nous connaître avant d'envisager autre chose.

Emma poussa un soupir.

— Merci. Je me sentirais beaucoup mieux, en effet.

Dante lui prit le bras et se dirigea avec elle vers la porte.

A ce moment-là, le shérif Yost sortit de la maison.

— Heureux que vous soyez là, Dante, lança-t-il.

— Merci, shérif. Moi aussi, je suis content d'être à la maison.

— J'étais seulement passé pour m'assurer que votre mère était bien rentrée.

Il mit son chapeau, qu'il avait à la main, et ajouta :

— Bien, il est temps pour moi de retourner travailler.

Dante s'écarta pour le laisser passer, avec une satisfaction à peine dissimulée.

Le shérif monta en voiture, démarra et s'éloigna.

— Je n'ai pas confiance en ce type, lâcha Dante.

— Pourquoi ?

— Je ne sais pas. Question d'instinct.

Il haussa les épaules.

— Allez, venez, allons rejoindre tout le monde.

Mais avant même qu'ils aient poussé la porte, Tuck l'ouvrit en grand.

— Dante, viens-là, mon vieux.

Il le serra dans ses bras et expliqua :

— Hier, j'étais encore un peu à côté de mes pompes et je ne t'ai pas vraiment félicité pour vos fiançailles. Julia et moi, nous sommes vraiment heureux de cette bonne nouvelle.

— A ce propos…, commença Dante.

Il n'eut pas le temps de continuer. Julia apparut à son tour et tira Emma à l'intérieur.

— La mère de Dante et Tuck est dans tous ses états tellement elle est ravie. Cette nouvelle l'a sacrément aidée à tenir le coup la nuit dernière car elle se faisait encore du souci pour Pierce. C'est grâce à vous deux qu'elle est parvenue à surmonter cette épreuve.

Emma se mordit la lèvre inférieure. Elle ne savait plus quoi dire.

— En parlant de Pierce et de maman, où sont-ils ? intervint Dante. Emma et moi, nous voulions leur parler.

Roxanne émergea alors du couloir. Elle avait l'air fatiguée mais heureuse.

— Ta mère était tellement excitée d'avoir tous ses enfants à la maison qu'il m'a fallu redoubler d'efforts pour la convaincre que l'on pouvait préparer à manger nous-mêmes et qu'elle ferait mieux d'aller se reposer. Finalement, après avoir aidé Pierce à se mettre au lit, elle est allée s'allonger, elle aussi.

— Préparez-vous ! les avertit Julia. A son réveil, elle va vous bombarder de questions. Elle veut savoir comment vous vous êtes rencontrés, ce qui vous a décidés à vous fiancer, et j'en passe… Quant à Pierce, lorsque nous avons été en mesure de lui apprendre la nouvelle, il voulait quitter l'hôpital sans délai pour te réprimander de ne pas nous avoir prévenus plus tôt.

Emma écoutait en silence, le cœur gros. Ces fiançailles n'étaient qu'un écran de fumée, mais elle n'avait pas la force de le leur annoncer.

— A propos de nos fiançailles, ce n'est pas ce que vous pensez..., tenta de nouveau Dante.

Julia, Tuck et Roxanne le regardaient avec un grand sourire et attendaient qu'il continue.

Emma lui prit la main.

— Ce que Dante essaie de vous dire, c'est que nous avons pris notre décision tellement vite que nous n'avons même pas songé à prévenir quiconque, ni même à nous procurer une bague.

— Pas de bague ? répéta Roxanne en croisant les bras. Enfin, Dante, quand on demande une femme en mariage, on y met les formes !

Dante baissa les yeux sur Emma, le regard plein d'interrogations.

— Allez, raconte-leur comment tu m'as fait ta demande, Dante, l'encouragea Emma.

Julia tapa des mains.

— Oh oui, c'est tellement romantique.

Dante battit des paupières.

— Euh, en fait, nous nous connaissions très peu, mais j'ai tout de suite compris qu'Emma était faite pour moi.

Emma faillit en renifler de dédain. Il lui avait effectivement proposé d'aller boire un café mais, après, il avait disparu de la circulation et ne l'avait jamais rappelée. Elle se sentait un peu coupable mais elle était néanmoins curieuse de savoir quelle histoire il allait inventer.

— Allez, continue, l'incita Tuck, on veut tout savoir.

— Franchement, il n'y a pas grand-chose à ajouter. Nous étions ensemble, on discutait amicalement et, soudain, pour moi, c'était clair, il fallait que je lui demande de m'épouser.

— Tu es sérieux ? lui demanda Roxanne. J'espère que tu y as mis un brin de solennité.

Dante serra nerveusement le col de sa chemise entre deux doigts.

— Euh, eh bien, je… non. En fait, je…

— Il m'a demandé si je voulais l'épouser, sans la moindre hésitation, le coupa Emma qui lui prit la main. C'était spontané, j'ai compris qu'il n'avait même pas songé à me faire sa demande auparavant.

Le cœur battant, elle porta sa main à sa joue.

— Je n'aurais pas pu rêver demande plus romantique.

C'était la vérité car jamais elle n'avait envisagé que quiconque, et encore moins Dante, la demande un jour en mariage. D'ailleurs, en réalité, il ne le ferait pas.

— C'est ça, l'amour, déclara Julia dans un soupir. C'est le cœur qui s'exprime.

— Oui, c'est vrai, renchérit Dante, qui donna un petit baiser sur la joue à Emma.

— Allez, je t'en prie, embrasse-la pour de vrai, intervint Tuck.

— Oui, Dante, fais-le, que l'on comprenne pourquoi elle a répondu oui sans hésiter ! lança Roxanne.

Dante se crispa nettement, remarqua Emma.

Quant à elle, elle avait les joues en feu.

— Oh non, nous ne sommes pas très démonstratifs, vous savez.

— Faisons une exception, répliqua Dante.

Il la prit dans ses bras et l'embrassa avec passion.

Elle n'osa d'abord pas répondre à son ardeur mais, petit à petit, elle se détendit et se laissa aller au contact sensuel de ses lèvres et à la chaleur de son corps contre le sien.

Elle oublia qu'ils n'étaient pas seuls, se hissa sur la pointe des pieds et s'abandonna à son baiser.

— Hem, fit Tuck. C'est bon, là, je crois qu'on est convaincus.

— Quel baiser ! intervint Julia, manifestement émue.

Dante garda le front pressé contre celui d'Emma durant de longues secondes.

— Ça va ? lui chuchota-t-il.

Elle acquiesça, encore sous le charme.

Enfin, Dante se redressa et se frotta les mains.

— Bien. Emma, Sean et moi, nous comptions nous rendre au canyon pour aller voir comment se porte Sweet Jessie.

— Je vous accompagne, dit Tuck.

— Tu te remets à peine d'un accident de la route, rappela Dante. Reste tranquille aujourd'hui.

Tuck haussa les sourcils.

— Parce que toi, tu n'as pas besoin de te remettre ?

— Il n'a pas tort, renchérit Julia à voix basse. Ils ont encore parlé du crash de ton hélicoptère aux infos.

Roxanne dévisagea Dante et ajouta :

— Dans le journal, il était aussi question de l'explosion d'une Jeep à Grand Forks, qui a fait un blessé. La description du véhicule nous a fait penser à la tienne. Tu n'as rien à nous dire à ce sujet ?

Emma déglutit. Le frère et les belles-sœurs de Dante étaient perspicaces : ils ne tarderaient pas à découvrir dans quelles circonstances Dante et elle s'étaient retrouvés ensemble. Fatalement, ils comprendraient qu'ils n'étaient pas fiancés.

Devant le silence de Dante, Roxanne devina la vérité.

— C'était bien ta Jeep, n'est-ce pas ? C'est pour ça que tu es venu avec une voiture de location !

Dante leva la main.

— Du calme. C'était un accident. Emma et moi en sommes sortis sans la moindre égratignure.

— Mais c'est toi qui étais visé et ça aurait pu mal tourner, commenta Tuck.

— Je préférerais que maman ne sache rien du crash de l'hélico ni de cette explosion. Elle a déjà été suffisamment malmenée.

Julia pinça les lèvres.

— Nous aurons beau ne pas en parler, elle l'apprendra

rapidement. Elle se tient au courant de l'actualité. En plus, elle est beaucoup plus forte que tu ne le penses.

— Ecoute, trancha Tuck. Nous sommes tous d'accord pour ne rien lui dire. Mais si elle l'apprend et que c'est elle qui nous en parle, nous ne nierons pas.

Dante soupira.

— Entendu.

— Bien, pour en revenir aux chevaux, intervint Roxanne, vous voulez que je vous donne un coup de main ?

— Moi je viendrais volontiers, renchérit Julia, mais les chevaux, ce n'est pas trop mon truc. En plus, Lily fait la sieste et j'aimerais être là à son réveil.

— Ne vous tracassez pas : à trois, nous nous en sortirons, leur assura Dante.

Il se tourna vers Roxanne et ajouta :

— Si Pierce se réveille, il demandera à te parler, alors reste là.

— Ne perdez pas de temps et revenez avant la tombée de la nuit, les avertit Tuck. La température risque de descendre aux alentours de moins vingt, ce soir.

— Très bien. Si nous ne sommes pas revenus à temps, envoyez quelqu'un nous chercher, déclara Dante en prenant la main d'Emma.

— Nous n'y manquerons pas.

Ils traversèrent la cuisine puis sortirent. Sean se dirigea vers l'écurie tandis qu'eux deux se rendaient au vestiaire à côté du garage. Dante vérifia qu'Emma était assez couverte.

— A l'arrière d'une motoneige, on a encore plus froid, rappela-t-il.

— N'ayez crainte, j'ai l'air fragile mais je suis capable de résister.

Néanmoins, il lui noua une écharpe en laine autour du cou et lui donna une seconde paire de gants à enfiler ainsi qu'un casque. Puis il disparut dans le garage et, quelques secondes plus tard, il y eut un bruit de moteur qu'on mettait en marche.

Elle ressortit du vestiaire : Dante émergeait du garage sur

une motoneige rouge profilée. De la tête, il lui fit signe de monter. Elle obtempéra, passa les bras autour de sa taille et se serra contre son dos. Elle aimait être avec lui, quelles que soient les circonstances et la température. Quand ils étaient ensemble, elle pouvait être elle-même.

11

Dante démarra au moment où Sean tirait son cheval pour le faire sortir de l'écurie. C'était le début d'après-midi et le ciel était chargé. Encore une fois, il neigerait en fin de journée, songea Dante. Au moins, cela dissuaderait un éventuel saboteur de venir causer des dégâts supplémentaires au ranch.

Traverser les prairies des Badlands lui fit du bien et lui permit d'évacuer la tension des derniers jours. Il n'y avait plus que lui, le ciel immense et la femme hypersexy avec les bras autour de sa taille. Il en arrivait presque à oublier son ancienne vie dans l'armée, Samantha et les hommes de son unité.

Il chassa la culpabilité que lui procurait cette réflexion. D'autant qu'il avait besoin de concentration. Le froid était là pour le lui rappeler. Il devait faire attention à l'heure et à l'environnement autour d'eux. Si jamais ils se retrouvaient coincés quelque part par cette température alors que la nuit approchait, on risquait de ne pas les retrouver avant le lendemain matin. Et la nuit serait longue à passer…

Il leur fallut une bonne demi-heure pour atteindre le canyon. Emma devait commencer à avoir les mains et les pieds engourdis, malgré ses deux paires de gants et ses bottes. Il l'aurait bien laissée à la maison mais il souhaitait garder un œil sur elle. Certes, il avait confiance en sa famille mais tous avaient déjà fort à faire et, de toute façon, Emma aurait certainement insisté pour l'accompagner.

Il longea un moment le canyon et s'arrêta à l'entrée du

chemin qui permettait d'y descendre. Il coupa le moteur de la motoneige.

— A partir d'ici, nous continuons à pied.

Emma passa une jambe par-dessus l'engin pour se lever, vacilla et se rassit.

Dante se leva et se posta face à elle.

— Vous sentez encore vos pieds ?

— Il faut que je les fasse remuer un peu avant de marcher mais, maintenant que nous nous sommes arrêtés, ça va mieux.

— Au retour, je vous laisserai piloter. La motoneige est équipée de poignées et de cale-pieds chauffants.

— C'est maintenant que vous me le dites, répliqua-t-elle avec un sourire. Non, je plaisante, ne vous inquiétez pas, ça va.

Elle ôta son casque, le posa sur le siège de la motoneige et mit sa capuche.

— Et maintenant ?

— Nous allons descendre dans le canyon pour trouver les chevaux.

Il baissa les yeux sur le chemin puis reporta son attention sur elle.

— J'aurais dû vous prévenir que nous aurions également à marcher dans la neige. Si vous préférez, vous pouvez rester là et attendre Sean.

— Je suis plus résistante que j'en ai l'air, je vous l'ai déjà dit. Allez, je vous suis.

Sa détermination, sa volonté de ne pas être une gêne lui plaisaient. Elle avait vraiment du répondant face à toutes sortes de situations. Toutefois, le chemin pour descendre dans le canyon était très pentu et, par temps de neige, difficile à négocier sans glisser. Si jamais elle n'arrivait pas à suivre, il l'aiderait à remonter.

Pourtant, ils arrivèrent en bas sans encombre et tombèrent nez à nez avec les poneys qui devaient avoir été attirés par le bruit de la motoneige.

Un peu plus loin, le reste du troupeau approchait, mené par

Sweet Jessie. Elle s'appuyait effectivement plus que d'habitude sur sa jambe avant droite, remarqua Dante.

Derrière elle, son poulain suivait.

Le regard d'Emma s'agrandit.

— Qu'ils sont beaux ! Ils sont à vous ?

— Non, ce sont des chevaux sauvages, ils n'appartiennent à personne.

— Alors pourquoi venir s'occuper d'eux ?

— C'est une tradition familiale. Nous nous chargeons également d'effectuer les comptages annuels de population et de transmettre les chiffres au bureau d'administration du territoire. Et quand un cheval est malade, dans la mesure du possible, nous le soignons.

Il enleva un gant et sortit de sa poche quelques carottes qu'il avait prises au passage. Il en donna quelques-unes à Emma.

— Tenez, tendez-les à la jument.

— Elle ne risque pas de me mordre ?

— Il est possible qu'elle se méfie mais gardez bien la paume ouverte et elle ne vous fera rien.

Emma tendit le bras et ouvrit la main, comme il le lui avait dit.

Dante remit son gant et passa les mains dans son dos pour cacher les carottes qu'il tenait.

Sweet Jessie s'approcha au petit trot puis s'arrêta à une dizaine de mètres d'eux.

— Pourquoi s'est-elle arrêtée ?

— Parce qu'elle ne vous connaît pas, répondit-il à voix basse pour ne pas effrayer les animaux. Laissez-lui le temps de comprendre que vous ne lui voulez pas de mal.

— Elle est beaucoup plus grande que moi, je ne vois pas comment je pourrais représenter une menace pour elle.

— Pourtant, je vous assure que les hommes représentent bel et bien une menace pour les chevaux sauvages.

Sweet Jessie avança pas à pas, tendant le cou. Quand elle fut tout près, elle leva la tête et attrapa les carottes.

Emma poussa un petit soupir et sourit à Dante.

Un rayon de soleil avait percé à travers les nuages et vint se poser sur elle. Ses cheveux noirs encadraient son visage, prenaient de beaux reflets, et son regard brillait d'un éclat nouveau. Cette vision le bouleversa.

Emma était vraiment très belle. Elle était pleine d'énergie, à la fois fragile, innocente et forte. Au mépris du danger, elle lui avait sauvé la vie puis lui avait offert sa virginité.

Cédant à ses émotions, il s'approcha d'elle.

Son sourire s'effaça, elle battit des paupières et redressa légèrement la tête pour recevoir son baiser.

Dante en eut brusquement conscience : il n'était pas loin de succomber complètement à une femme qu'il ne connaissait qu'à peine.

Il l'embrassa doucement, puis se fit plus pressant, plus ardent à mesure que son désir s'intensifiait. Malgré le froid, il regretta leurs épais vêtements qui constituaient une barrière entre leurs deux corps.

Soudain, Emma fut poussée en avant et la magie du moment se brisa.

Sweet Jessie n'avait pas eu le temps de manger toutes les carottes qu'Emma avait dans la main et, impatiente, elle l'avait poussée du museau pour les rappeler à son bon souvenir.

Dante releva la tête et éclata de rire. Il s'écarta pour qu'Emma termine de nourrir la jument.

Tandis que Sweet Jessie attrapait les dernières carottes, il tendit la main pour saisir le licou effiloché qu'elle avait autour du col.

Quand elle eut terminé de manger, la jument secoua la tête pour tenter de se libérer.

— Vous devriez vous reculer, conseilla Dante à Emma.

Elle s'exécuta et le regarda faire avec un peu d'appréhension dans les yeux. Sweet Jessie continua de se débattre quelques instants, mais Dante tint bon et, finalement, la jument se calma et se laissa faire.

Il lui passa affectueusement la main sur le dos.

— Emma, pourriez-vous me passer la corde ? lui demanda-t-il en s'efforçant de parler d'un ton calme et apaisant.

Elle ramassa la corde posée au sol et la lui tendit.

Il passa le mousqueton dans l'anneau du licou d'un geste rapide et assuré.

— Allez ma belle, on va regarder de plus près ce qui t'arrive.

Il appliqua son épaule contre la jument et poussa pour qu'elle s'appuie sur sa bonne jambe.

Celle-ci commença par résister mais, comme il appuyait plus franchement, elle bascula son poids sur sa jambe droite et le laissa soulever sa jambe blessée.

Il l'inspecta : elle avait, juste au-dessus du sabot, une entaille qui s'était infectée. Il fallait nettoyer et panser la plaie. Sweet Jessie devrait rester au repos jusqu'à ce que la blessure se referme.

— Est-ce grave ? s'enquit Emma.

— Si nous ne faisons rien, il est possible que la blessure cicatrise d'elle-même.

— Et si ce n'est pas le cas ? insista-t-elle avec une mine inquiète.

— L'infection risque de se propager et de lui être fatale.

— Alors nous la ramenons au ranch ?

— Oui, Sean le fera à son arrivée.

Sur ce, Dante se redressa et leva la tête vers le chemin.

— Passez la première, je vais tirer Sweet Jessie derrière moi. Si elle panique, elle risque de partir au galop et ça pourrait être dangereux.

— D'accord.

Emma tourna les talons et remonta le chemin à pas rapides. Néanmoins, elle prenait soin de vérifier où elle posait les pieds pour ne pas déraper. A intervalles réguliers, elle se retournait également pour s'assurer que Dante était bien derrière elle.

Il tenait fermement la corde dans une main et tirait la jument pour l'aider à monter.

A mi-chemin, Emma commença à être essoufflée, mais

elle avait encore suffisamment de forces pour ne pas avoir à s'arrêter.

Elle fixa son regard sur le bout du chemin et fit un nouveau pas.

Il y eut alors une déflagration qui déchira l'atmosphère. Des cailloux se mirent à rouler et à dévaler la pente. Puis des plaques de neige et des rochers se détachèrent, comme si la colline s'écroulait.

— Un glissement de terrain ! cria-t-elle en se retournant.

Sweet Jessie eut un mouvement de recul et faillit faire tomber Dante. Il lâcha la corde et posa un genou à terre.

Des cailloux se mirent à dévaler le chemin et Emma n'eut pas le temps de s'écarter. Quand ils l'atteignirent, elle fut déséquilibrée, chuta et se mit, elle aussi, à descendre la pente. Elle roulait, heurtait des cailloux, des rochers, elle eut mal aux bras, aux jambes, et ce ne fut que lorsqu'elle se retrouva à une dizaine de mètres du canyon qu'elle put s'arrêter.

Des graviers continuaient à rouler autour d'elle mais elle ne risquait plus rien. Elle bougea les orteils, plia les genoux et les coudes : non, elle n'avait rien de cassé. Tout semblait en ordre et elle se redressa sur son séant.

— Emma !

Elle tourna la tête.

Contrairement à elle, Dante avait eu le temps de s'écarter et d'éviter la chute. Mais il accourait vers elle à toute vitesse et elle redouta qu'il provoque un nouveau glissement de terrain.

— Ça va, ça va, lança-t-elle pour le rassurer.

Sa doudoune et sa combinaison l'avaient protégée. Si elle avait été vêtue plus légèrement, elle aurait certainement été blessée.

Elle prit appui sur une main pour se relever. Cela lui fit tout de même un peu mal.

— Ne bougez pas, lui intima Dante.

Elle l'ignora et se mit debout, car elle n'avait rien de grave, elle le sentait. Elle aurait quelques bleus, sa cheville la faisait légèrement souffrir, mais elle était en un seul morceau.

Dante arriva à sa hauteur, le visage grave.

— Vous n'auriez pas dû vous lever.

Il la prit dans ses bras.

— Dieu merci vous êtes en vie.

Il la tint longuement contre lui, un peu trop fort même car elle était quand même contusionnée.

— Doucement, Dante, j'ai les côtes sensibles.

— Les côtes sensibles, rien de plus ?

Il eut un petit rire, desserra son étreinte, la prit par les épaules et la regarda en souriant. Il lui passa la main sur le visage, épousseta ses vêtements puis lui donna un petit baiser.

— Vous m'avez fait une belle frayeur.

Elle rit également, soulagée que cet épisode se termine bien.

— Je vous ai fait peur, vraiment ? Alors vous imaginez ce que j'ai ressenti. Où est Sweet Jessie ? s'enquit-elle en inspectant les alentours.

— Je crains qu'elle ne soit déjà loin.

Il tourna la tête vers le chemin et fronça les sourcils.

— J'aimerais bien savoir ce qui a déclenché ce glissement de terrain.

Dante balaya du regard le canyon et le flanc de la colline. Rien d'anormal. La déflagration indiquait que quelqu'un devait avoir provoqué une petite explosion qui avait entraîné la chute de cailloux et de rochers. Emma aurait pu y laisser la vie.

Il serra la mâchoire, en colère.

Puis il passa un bras autour de la taille d'Emma et l'invita à se diriger à l'abri d'un gros rocher saillant.

— Je vais chercher la motoneige.

— Mais comment allez-vous descendre jusqu'ici ?

— Il y a un autre chemin plus large qui permet d'accéder au canyon. Je ne voulais pas l'emprunter pour éviter que le bruit du moteur effraie les chevaux.

— Mais maintenant, ils ont été effrayés de toute façon…

— Absolument. Vous vous sentez la force de rester seule quelques minutes ?

Elle acquiesça.

Toutefois, elle commençait à trembler de froid, remarqua Dante. Il devait la reconduire au ranch sans tarder. Elle avait beau ne pas être sérieusement blessée, elle devait avoir mal partout et être secouée. La laisser seule, même l'espace de quelques minutes, lui coûtait, mais il ne lui faudrait pas plus longtemps pour revenir en motoneige que pour l'aider à remonter le chemin.

— Allez-y, ne vous en faites pas pour moi, insista-t-elle.

Elle mit sa capuche, serra les bras autour de son buste et lui sourit.

Il partit sans attendre et monta aussi vite que possible.

Il grimpa la pente bouche ouverte pour reprendre son souffle.

Arrivé au sommet de la colline qui surplombait le canyon, il scruta les environs, au cas où le responsable du glissement de terrain serait encore là.

Mais il n'y avait rien ni personne à l'exception de la motoneige. Il la rejoignit, redoutant un piège ou un sabotage.

Au moment de s'installer sur le siège, il s'arrêta net. Des fils sortaient du capot. Avec d'infinies précautions, il le souleva : un bloc qui ressemblait à de la terre glaise avait été déposé dessous et deux câbles, plantés dedans, étaient raccordés au starter.

Il connaissait ce type d'explosifs, il en avait déjà vu, mais pas sur un véhicule à moteur.

Il avait donc deux options : abandonner la motoneige et attendre l'arrivée de Sean à cheval, mais cela signifierait qu'Emma repartirait avec Sean et que lui resterait sur place, attendant que Sean revienne le chercher. Il faisait déjà froid, la température allait encore chuter et il y avait peu de chances que tous ces allers-retours puissent se faire avant la tombée de la nuit.

La seconde option consistait à désamorcer les explosifs pour pouvoir utiliser la motoneige. Il observa le mécanisme. Apparemment, c'était l'impulsion électrique du starter qui était censée déclencher l'explosion. Normalement, s'il ôtait le câble relié au starter, il n'y aurait plus de risques.

Cependant, il n'était pas expert en explosifs et, s'il ne prenait pas garde, ce pourrait en être fini de lui.

Il leva la tête. Sean n'arrivait toujours pas.

Dante envoya une brève prière à Wakantanka, saisit le câble et tira. Rien ne se produisit. Il laissa échapper un long soupir de soulagement.

Tout doucement, pour ne pas secouer le pain de plastic, il le souleva, s'éloigna de la motoneige et le déposa au sol. Puis il retourna vers son engin et chercha d'éventuelles traces dans la neige.

Une autre motoneige, aux sillons différents de la sienne, était passée par là. Il y avait également une tache sombre sur la neige. Il se pencha, la toucha du doigt et le porta à son nez pour le renifler : de l'huile. Cette seconde motoneige perdait de l'huile.

Pressé d'aller chercher Emma, il ne poussa pas plus loin son inspection. Il vérifia que d'autres explosifs n'étaient pas dissimulés ailleurs sur sa motoneige, puis l'enfourcha et actionna la mise en route. Le moteur démarra du premier coup.

Il prit sans attendre la direction du second chemin qui descendait vers le canyon.

Emma était toujours recroquevillée à l'abri du rocher où il l'avait laissée. Elle était pâle et ses lèvres commençaient à bleuir.

— Venez, ma belle, lui dit-il en l'aidant à s'installer sur le siège. Ça va aller ?

— Je vais faire de mon mieux, répondit-elle en claquant des dents.

Il remonta lentement pour s'assurer qu'elle se tenait bien à lui.

Quand ils atteignirent le sommet, Sweet Jessie apparut : elle était finalement montée aussi.

Dante s'arrêta près d'elle, descendit et attacha la corde de l'animal à l'arrière de la motoneige. Puis il repartit, à petite vitesse pour que Sweet Jessie puisse suivre malgré sa jambe blessée, et prit la direction du ranch.

Un quart d'heure plus tard, il commença à neiger. Face à eux, Sean approchait à cheval.

Dante lui fit un résumé des événements puis lui passa le licou de la jument pour qu'il la ramène et, sans attendre, repartit, plus vite cette fois.

Emma était collée contre lui.

A leur arrivée, il se gara juste devant la maison.

Il prit Emma dans ses bras et la porta à l'intérieur.

Tuck vint à leur rencontre.

— Il me semblait bien avoir entendu la motoneige. Mais que s'est-il passé ? demanda-t-il en les observant tous les deux.

— Nous avons eu des ennuis, répondit Dante. Je t'expliquerai une fois qu'Emma sera installée près du feu. Maman est levée ?

— Dante ? intervint sa mère avant que son frère ait le temps de répondre. Mon Dieu, qu'est-il arrivé à Emma ? Elle est tombée de la motoneige ?

— Non, elle a chuté dans le canyon à cause d'un glissement de terrain. Appelez le shérif.

12

Emma devait avoir à moitié perdu connaissance car, quand elle reprit ses esprits, elle baignait dans une douce chaleur et était dans les bras de Dante. Sa famille les entourait. Embarrassée d'être le centre de l'attention, elle se débattit mollement pour que Dante la pose au sol.

— Je peux tenir debout toute seule, insista-t-elle. Pose-moi s'il te plaît.

— Non, pas question, répliqua-t-il.

— Tu veux l'allonger sur le canapé ? lui demanda sa mère.

— Non, il faut lui trouver un endroit plus confortable, elle a quand même dévalé toute la pente jusqu'au canyon.

— Ouh là, et sans se briser les os ? Eh bien, c'est une dure à cuire, dit Tuck. Emma, vous êtes faite pour vivre ici.

— Merci, répliqua Emma, touchée.

— Attendons un peu avant d'affirmer qu'elle n'a rien de cassé, rétorqua Dante avec prudence.

— Non, ça va, insista Emma. Pose-moi, je peux marcher.

Cette fois-ci, ce fut la mère de Dante qui intervint :

— Emma, ma chérie, vous faites partie de la famille et vous êtes blessée. Laissez-nous prendre soin de vous.

— J'ai seulement quelques bleus, ne vous inquiétez pas pour moi. Pierce a davantage besoin de vous.

— On parle de moi ?

Pierce apparut au bout du couloir, une poche de glace pressée contre son front.

— Pierce, qu'est-ce que tu fais debout ? lui demanda Roxanne sur le ton de la réprimande.

Elle se dirigea vers lui et le prit par le coude pour l'inciter à retourner s'allonger.

— Je vais bien, il n'y a plus que cette bosse sur le front qui me fasse mal.

Il souleva sa poche de glace et révéla une bosse de la taille d'un œuf de pigeon. Il avait également quelques égratignures sur le visage et un œil au beurre noir, nota Emma.

Elle eut de l'empathie pour lui car, à peu de chose près, elle était dans le même état.

— Si tu me poses, je vais prendre une douche et ensuite je me couche, dit-elle à Dante.

— Porte-la à la salle de bains, je l'aiderai à ôter sa combinaison et je lui ferai couler un bain chaud, proposa sa mère.

Emma ne put retenir un sourire : la perspective d'un bain chaud ressemblait au paradis.

— Je m'en occuperai moi-même, déclara Dante.

— Alors je vais sortir la pommade à l'arnica, répliqua sa mère avant de tourner les talons.

Tous s'écartèrent pour laisser passer Dante, qui la tenait toujours dans ses bras. Trop épuisée pour continuer à protester, Emma se laissa faire et ferma les yeux.

— Je vais vous poser, dit Dante quelques instants plus tard. Vous vous sentez capable de tenir debout ?

Elle rouvrit les yeux. Ils étaient dans une grande salle de bains carrelée, face à un miroir. Elle surprit son reflet et poussa un grognement.

— J'ai une mine affreuse.

Dante eut un petit rire.

— Vous avez dévalé le flanc d'une colline, je vous rappelle, alors ne soyez pas trop dure envers vous-même.

Elle soupira.

— Tout de même, j'aimerais avoir meilleur aspect.

— Eh bien moi, je vous trouve très bien. Attendez, laissez-moi vous aider à défaire votre doudoune.

Il descendit la fermeture Eclair et la lui ôta doucement.

— Ça va, vous n'avez pas mal ?

Elle sourit.

— Non, tout va bien.

Elle voulut descendre la fermeture de sa combinaison mais elle avait les doigts encore engourdis.

— Laissez-moi faire.

Il descendit la fermeture et lui ôta sa combinaison. Elle portait encore un jean et des sous-vêtements thermiques.

Elle éclata de rire.

— Franchement, quatre épaisseurs de vêtements, il n'y a pas plus sexy !

Il l'aida à faire descendre son jean.

— Dans certaines circonstances, je trouve une femme en sous-vêtements thermiques très sexy, répondit-il tandis qu'il était agenouillé pour lui enlever complètement son jean.

Comme pour le lui prouver, il lui passa doucement les mains sur les jambes et remonta. Il se releva mais garda les mains sur ses hanches.

— Vous êtes prête à enlever le reste ?

Une poussée d'adrénaline la stimula brusquement.

— Vous préférez une douche ou un bain ? lui demanda-t-il.

Elle tourna les yeux vers la baignoire : ils n'y tiendraient pas à deux.

— Une douche, répondit-elle.

Elle leva les bras pour ôter son Thermolactyl et grimaça car ses côtes étaient sensibles.

Dante ouvrit le robinet de la douche puis régla la température de l'eau. Il lui retira ensuite son legging, elle se retrouva en soutien-gorge et petite culotte. Il l'observa de la tête aux pieds.

— Oh ! Ma chérie, vous avez vraiment dégusté.

Ce n'était pas ce qu'elle aurait aimé entendre car ses paroles ne faisaient que souligner qu'elle n'était pas belle à voir.

Toutefois, il se pencha en avant et déposa un baiser sur son épaule, où elle avait un vilain bleu. Puis il fit de même avec son bras et juste au-dessus de ses seins.

— Ça ne me fait pas mal, dit-elle.

Il se figea et releva la tête. Elle s'en voulut de sa rebuffade.

— Pardon, fit-il. J'aimerais continuer à vous embrasser partout, mais vous avez besoin de prendre une douche et de vous reposer.

— Non, non, ça va, je vous assure.

Elle voulut dégrafer seule son soutien-gorge et passa les mains dans son dos. Mais le geste lui arracha un soupir de douleur.

Dante l'incita à se retourner et lui défit son soutien-gorge. Elle le laissa tomber le long de ses bras.

— Prenez une douche avec moi, osa-t-elle dire tout bas.

Il lui prit le visage entre ses mains.

— Pas ce soir. J'aurais trop peur de vous faire mal. Je pense même que ce serait mieux si vous alliez passer quelques radios à Bismarck.

Elle secoua la tête.

— J'ai seulement des contusions.

Il lui retourna un regard sévère puis plissa les yeux.

— Vous êtes très attirante, vous le savez ?

Elle fit non de la tête.

— Mais vous avez passé un sale moment. Alors douchez-vous pour vous détendre, je vais vous chercher des vêtements, dit-il en se dirigeant vers la porte.

Elle enleva sa petite culotte avant qu'il ne soit sorti, mais cela ne le fit pas revenir sur sa décision. Il sortit de la pièce et ferma la porte derrière lui.

Déconfite mais trop fatiguée pour insister, elle entra sous le jet d'eau, tira le rideau de la douche et laissa l'eau chaude la régénérer.

Quand elle sortit pour se sécher, elle découvrit un pyjama en flanelle posé à côté du lavabo. Le haut était deux fois trop grand pour elle. Elle le porta à son visage et inspira. Il était imprégné du même parfum que Dante. Elle l'enfila et comprit pourquoi il n'y avait pas de pantalon : la chemise lui arrivait presque aux genoux. On avait également laissé une petite culotte à elle et sa brosse à cheveux. Elle se recoiffa et sortit.

Il y avait plusieurs portes le long du couloir. Elle ne se

sentait pas suffisamment en confiance pour apparaître devant l'ensemble de la famille avec seulement une grande chemise de pyjama mais ne savait pas où aller.

— Ah, vous êtes sortie, intervint alors Amelia qui s'avança vers elle. Venez, je vous accompagne à votre chambre. Vous devez être épuisée.

Emma la suivit sans un mot, heureuse de ne pas se retrouver face à tout le monde. Effectivement, se détendre dans un lit chaud et douillet lui ferait un bien fou.

Et ce serait encore meilleur si Dante était allongé à côté d'elle et la tenait contre lui…

Amelia ouvrit grand la seconde porte du couloir et l'invita à entrer. Elle se retrouva dans une chambre avec un grand lit garni d'un bon oreiller de plume, d'un édredon et de chaudes couvertures qui n'attendaient plus qu'elle.

— Allez-y, je vous en prie. Il y a un tube de pommade à l'arnica sur la table de nuit ainsi qu'un verre d'eau et deux analgésiques si jamais vous avez trop mal.

— Merci beaucoup.

Elle entra dans le lit et posa la tête sur l'oreiller.

Amelia ramena les couvertures sur elle et écarta une mèche de cheveux humides de son visage.

— Pour votre première visite au ranch, on peut dire que vous êtes gâtée. Mais ne vous faites pas de mauvais sang, je vous jure que, d'habitude, par ici, c'est plus calme.

Emma posa la main sur celle d'Amelia, touchée par sa sollicitude. Sa mère lui manquait, et Amelia lui rappelait combien c'était bon d'avoir quelqu'un pour veiller sur vous. Si elle n'y prenait pas garde, il ne lui en faudrait pas beaucoup pour s'y habituer.

— Je vous crois sur parole et je suis sûre que le ranch est un endroit merveilleux.

— Tant mieux. Allez, reposez-vous.

— Madame Thunder Horse ?

— Amelia. Toutes mes belles-filles m'appellent par mon prénom.

Une pointe de culpabilité lui serra la gorge. Elle déglutit.

— Où est Dante ?

— Sean est rentré avec Sweet Jessie, Dante et Tuck sont allés l'aider à soigner sa jambe blessée.

— Ah, parfait.

— Ils ne devraient pas en avoir pour très longtemps.

Amelia éteignit la lumière principale et laissa allumée la lampe de chevet.

— Si vous avez besoin de quoi que ce soit, n'hésitez pas à appeler.

— Merci, madame Thunder Horse.

Elle sourit.

— Amelia. C'est beaucoup plus facile à dire que « madame Thunder Horse ».

Emma acquiesça.

Quand elle fut seule, elle s'appliqua un peu de pommade et regretta de ne pas se sentir assez bien pour se rendre à l'écurie alors que les trois hommes prenaient soin de la jument.

Elle était certainement dans la chambre de Dante. Les draps avaient le même parfum que celui qui lui collait à la peau, et la décoration était plutôt masculine.

Elle remarqua plusieurs photos sur le mur opposé, sur lesquelles Dante apparaissait en compagnie de ses frères, à différents âges. Sur l'une d'elles, les quatre garçons posaient en exhibant fièrement leurs prises après une partie de pêche.

Sur une autre, Dante était en uniforme, les épaules droites, les cheveux courts, avec le drapeau américain en fond. Il semblait fier et était tellement séduisant que regarder ce cliché fit battre son cœur un peu plus fort.

Après quelques minutes, ses paupières devinrent lourdes. Juste avant de s'endormir, une question la tarauda : où Dante dormirait-il à son retour ?

Quand Dante put enfin rentrer, il était plus de 22 heures. Le shérif était venu, et Dante lui avait parlé de l'explosion, du glissement de terrain ainsi que des explosifs découverts sur sa motoneige. Après le départ de Yost, il s'était occupé de soigner Sweet Jessie avec Tuck et Sean.

La tâche s'était avérée plus complexe que prévu car la jument, effrayée de se retrouver dans un box, était très agitée. Ils avaient été obligés de lui administrer un calmant pour pouvoir nettoyer et panser la plaie. Quand elle avait recouvré ses esprits, ils l'avaient nourrie et s'étaient assurés qu'elle ne cherchait pas à se débarrasser de son pansement.

S'occuper de la jument avait permis à Dante de ne pas ressasser les événements de la journée.

Mais dès qu'il eut quitté l'écurie, tout lui revint en rafale. L'image d'Emma qui dévalait la pente au milieu des cailloux et des rochers le hantait.

Il entra dans la maison par la cuisine.

Sa mère l'attendait avec une assiette pleine et un mug fumant.

— Emma dort dans ton lit, alors mange un morceau et ensuite tu pourras aller te doucher. Moi, je te laisse : j'ai à faire dans le salon.

Tuck et Sean arrivèrent peu après et s'installèrent avec lui à la table. Il leur refit un récit détaillé des événements et leur parla des explosifs qu'il avait laissés dans la nature. A l'arrivée du shérif, il faisait déjà nuit et il neigeait. Ce n'était donc pas le moment de partir à la recherche de ces explosifs, mais Yost leur avait affirmé qu'il prendrait contact avec la police de l'Etat pour bénéficier du concours d'un chien. Si tout se passait bien, ils mettraient la main dessus avant que quelqu'un ne se blesse.

— Tu veux que je mette les experts du FBI sur le coup ? lui proposa Tuck.

Dante réfléchit à cette suggestion.

— Pourquoi pas. Tu penses qu'ils sauront déterminer la provenance de ce pain de plastic ?

— S'il reste des traces de l'emballage, oui. Sinon, il y a peu de chances.

Dante secoua la tête.

— Je ne crois pas qu'il restait un morceau d'emballage autour.

— Eh bien, on pourra peut-être relever des empreintes sur le pain de plastic ou le détonateur.

— Et sinon, tes collègues se sont renseignés sur les types dont je t'ai donné les noms ?

— Oui, ils enquêtent sur Monty Langley et Theron Price, les deux prospecteurs de pétrole dont Hank a parlé. Je leur ai également demandé de procéder à une enquête de routine sur Ryan Yost, le fils du shérif. Mais ils ne m'ont pas encore rappelé.

— Yost a un avion, rappela Dante. Demande-leur d'éplucher les plans de vol au départ et à l'arrivée de Grand Forks.

Il prit son mug de café.

— Nous devons découvrir qui est derrière ces événements avant que ça tourne mal. Je crois que c'est clair que quelqu'un en a après les Thunder Horse.

Tuck acquiesça.

— Et hélas, Emma est pour ainsi dire une victime collatérale.

C'était précisément ce qui inquiétait Dante.

— Qui d'autre est susceptible de se retrouver pris dans la tourmente ?

— Je n'en sais rien mais je m'inquiète pour Julia et Lily autant que toi pour Emma. Je ne cesse de me demander si je ne ferais pas mieux de les envoyer loin d'ici le temps que ça se calme.

— Et votre mère ? intervint Sean. Elle est également en danger.

A cet instant, Amelia revint dans la cuisine.

— Qui est en danger ?

Sean se leva pour offrir son siège.

— Asseyez-vous, je vous en prie.

Elle s'installa en lui souriant.

— Merci, vous êtes un véritable gentleman.

Sean lui retourna un clin d'œil.

— Seulement avec les jolies femmes.

A la grande surprise de Dante, sa mère rougit comme une adolescente. Elle paraissait vingt ans de moins.

Immédiatement, elle se mêla à la conversation :

— Etiez-vous en train de parler des événements de ces derniers jours ?

— Oui, précisément, répondit Tuck, et nous pensons que ce serait mieux si les filles et toi, vous quittiez le ranch le temps que cette histoire soit réglée.

Elle leur adressa à tous trois un regard désapprobateur.

— Non, je n'en ferai rien. Ici, c'est chez moi. Personne ne m'en chassera.

— Amelia, nous souhaitons seulement éviter de vous exposer au danger, argumenta Sean. Pour une raison qui, pour le moment nous échappe, il semblerait que les garçons de la famille soient visés. Mais si les filles et vous, vous restez, vous risquez de subir les conséquences d'une nouvelle tentative.

— Dans ce cas je crois que nous seules sommes à même de décider si nous souhaitons rester ou pas, répliqua fermement Amelia en levant la tête, comme pour les mettre au défi de la contredire. J'ai passé plus de la moitié de mon existence dans ce ranch. On aura beau m'offrir de l'argent pour que je le vende ou me faire peur pour que je parte, je n'en ferai rien. Cette petite parcelle de paradis, c'est l'héritage de mes fils. C'est pour eux que leur père et moi, nous avons tant travaillé.

— Rien n'est assez précieux pour que nous risquions de te perdre, maman, intervint Dante. Ou de perdre Emma.

— Ou bien Julia et Lily, renchérit Tuck.

— Et Roxanne, ajouta Sean.

— Je ne vais nulle part, persista Amelia. Alors que comptez-vous faire, maintenant ?

Dante eut un petit rire.

— Nous avons hérité de l'orgueil de papa, mais notre détermination sans faille, c'est à toi que nous la devons, maman.

— J'espère bien. Moi, je ne supporte pas qu'on s'en prenne à vous. Il faut que cela s'arrête. Si seulement nous avions une idée de qui est derrière ces événements.

— Et de ses motivations.

Dante se leva de table.

— Bien, je vais prendre une douche puis vérifier qu'Emma dort. Vous pensez qu'on devrait mettre en place des tours de garde pendant la nuit ?

Sean acquiesça.

— Oui, c'est plus prudent. Je prends le premier. Vous avez déjà eu des moments difficiles ces derniers jours, alors allez vous reposer.

Dante jeta un regard à sa mère : avait-elle compris l'allusion qui avait échappé à Sean ?

Amelia croisa les bras.

— Si par hasard tu te demandes si je suis au courant pour ton accident d'hélicoptère, la réponse est oui. Je l'ai su peu après ton passage à l'hôpital. Tu te doutais bien que ça ne pourrait pas rester éternellement secret.

— Je n'ose même pas imaginer quels autres « secrets » tu connais.

— J'en sais plus que tu ne le penses. J'ai beau vieillir, quand un de mes fils omet de me dire quelque chose, je le sens.

Elle lui adressa un petit sourire crispé.

— Alors y a-t-il autre chose que tu souhaiterais me confier ? ajouta-t-elle en le fixant droit dans les yeux.

Dante fut tout près de lui avouer la vérité sur Emma et lui mais il se retint de toutes ses forces. Les deux seules personnes qui connaissaient la vérité, c'était précisément Emma et lui. Il n'y avait donc aucun risque que sa mère l'apprenne de la bouche de quelqu'un d'autre.

— Non, maman, je n'ai rien d'autre à te dire.

Elle renifla de dédain et plissa légèrement les yeux.

— Allez, va te coucher. Je vais tenir compagnie à Sean un moment. De toute façon, je suis trop agitée pour dormir.

Dante quitta la cuisine et se dirigea vers sa chambre. Il entrouvrit doucement la porte. Emma était assoupie. Dans son grand lit, elle semblait tellement petite et fragile ! Elle ne méritait pas qu'on lui fasse du mal. Sa chute de l'après-midi aurait pu lui être fatale.

Elle avait la joue posée sur la main et elle avait roulé les manches de cette chemise de pyjama beaucoup trop grande pour elle. Pourtant, elle était encore plus sexy que si elle avait été en Bikini.

Le désir monta en lui. Mais il ne l'assouvirait pas.

Alors il referma la porte et se rendit à la salle de bains. Il se déshabilla et entra sous la douche. Puis, après s'être rapidement séché, il se roula une serviette autour de la taille et retourna à sa chambre.

Il lui arrivait de dormir sans rien mais, pour ne pas risquer d'embarrasser Emma, il passa un pantalon de pyjama. Il se pencha sur elle : sa respiration était calme et régulière.

Elle poussa un gémissement, roula sur le dos, ouvrit les yeux et battit des paupières. Après quelques secondes, son regard se fixa sur lui.

— Vous venez vous coucher ?

— Je vais aller dormir sur le canapé.

— Non, s'il vous plaît, venez, l'invita-t-elle en passant les bras autour de son cou.

Elle était tellement tentante qu'il ne résista pas à l'envie de lui donner un petit baiser.

— Restez, insista-t-elle.

Se retrouver allongé à côté d'elle sans rien faire serait une torture, mais il ne parvint pas à refuser.

— D'accord, mais seulement jusqu'à ce que vous vous rendormiez.

— Non, la nuit entière.

Elle se tortilla pour lui laisser de la place.

A peine fut-il entré sous les draps qu'elle vint se blottir contre lui et poser la tête au creux de son épaule.

Puis elle poussa un soupir de bien-être et ferma les yeux. A peine une minute plus tard, elle était de nouveau assoupie.

Il resta longuement sans bouger, à la contempler dans

la faible lumière de la petite lampe de chevet qu'elle avait laissée allumée.

Ses longs cheveux bruns encadraient son visage. Elle était belle, mais une égratignure sur son front rappelait ce qui s'était passé.

Elle lui avait sauvé la vie et, en récompense, elle n'avait fait que mettre sa propre vie en danger. C'était injuste. Le lendemain, il prendrait des mesures pour qu'elle soit en sécurité. Peut-être le FBI disposait-il d'une maison sécurisée où elle pourrait rester quelque temps.

Quand le saboteur aurait été arrêté, il reprendrait sa vie d'agent de surveillance des frontières et, de temps en temps, il l'inviterait à prendre un café avec lui. Si elle osait encore le voir.

Avec tous les événements des derniers jours, il n'avait pas beaucoup pensé à Samantha. Emma avait occupé quasiment tout l'espace de ses pensées.

Peut-être était-il temps de se le dire une bonne fois pour toutes : Samantha n'était plus là et la vie continuait.

Emma gémit et se tortilla, comme si elle faisait un cauchemar.

Il la serra plus fort et déposa un baiser sur son front.

— Tout va bien, vous êtes en sécurité, lui murmura-t-il.

Elle se colla contre lui et recouvra son calme, un petit sourire aux lèvres.

Il finit par s'endormir en la tenant dans ses bras, implorant le Grand Esprit de veiller sur elle.

13

Le lendemain matin, les rayons du soleil qui filtraient par la fenêtre réveillèrent Emma. Avant même d'ouvrir complètement les yeux, elle tendit la main pour toucher Dante.

Mais il n'y avait plus personne à côté d'elle. Toutefois, il ne devait pas être levé depuis longtemps car les draps étaient encore chauds.

Elle roula sur le dos et fit la grimace. Elle avait des bleus et des courbatures partout.

Elle repoussa quand même les couvertures et se leva, les muscles encore raides. On avait apporté son sac et elle y chercha des vêtements à passer. Elle sortit un pull rouge, un jean et les enfila.

Elle se brossa ensuite les cheveux et les attacha avec un élastique. Puis elle sortit dans le couloir et passa rapidement à la salle de bains pour se laver le visage et se brosser les dents.

Quand elle sortit, elle prêta l'oreille. Au bruit des conversations, elle se dirigea vers la cuisine. Tout le monde y était rassemblé. Amelia se tenait debout devant la cuisinière, occupée à préparer des œufs brouillés.

— Bonjour Emma, je vous en prie, asseyez-vous. Nous étions justement en train de parler de ce qui s'est passé hier et de ce que nous devrions faire aujourd'hui. Votre avis nous intéresse.

Roxanne était assise à côté de Pierce, les bras croisés, la mine renfrognée.

— Pour ma part, il est hors de question que je parte, alors oubliez tout de suite cette idée.

— Je ne pars pas non plus, renchérit Julia.

Lily était installée dans sa chaise, à côté d'elle, et mangeait une compote.

— Mais qui doit partir ? demanda Emma, un peu perdue.

— Pas nous ! s'exclamèrent en chœur Amelia, Julia et Roxanne.

Emma sourit timidement.

— Je suis désolée mais je ne sais pas de quoi vous parlez.

Dante se leva pour lui laisser sa chaise.

Pierce prit la parole :

— Nous avons suggéré que ce serait mieux si nos épouses, notre mère et vous, vous quittiez le ranch jusqu'à ce que nous ayons déterminé qui s'en prend à mes frères et moi.

Amelia remplit une assiette d'œufs brouillés et la posa devant Emma.

— Ces messieurs pensent être généreux en nous proposant d'aller faire les boutiques pendant qu'ils se chargent de trouver qui les attaque et pourquoi.

Emma tourna la tête vers Dante.

— C'est vrai ?

Dante fronça les sourcils.

— Non. En tout cas, nous n'avons pas posé le problème en ces termes. Cependant, c'est vrai qu'il n'est pas prudent pour ma mère, mes belles-sœurs et toi de rester au ranch pour le moment.

Emma écarquilla les yeux.

— Alors tu crois que nous allons gentiment préparer nos affaires et partir parce que vous, les hommes, vous pensez que c'est mieux pour nous ?

Dante eut une expression gênée.

— Eh bien, en gros, oui.

Emma se retint de sourire. Dante était très craquant quand il se retrouvait pris en faute. Ses frères arboraient d'ailleurs exactement la même expression.

— Et vous ne nous laissez même pas décider par nous-mêmes ?

— C'est la seule façon de nous assurer qu'il ne vous arrivera rien, riposta Dante.

— Etant donné qu'ici je suis votre invitée, je me plierai à votre volonté. Mais je tiens à vous faire savoir ce que je pense de la méthode.

Elle s'exprimait avec calme et conviction, et tout le monde l'observait et l'écoutait. Elle croisa les bras, leva la tête et ajouta :

— Je la trouve lamentable.

Les femmes de la famille applaudirent à l'unisson.

Roxanne renchérit :

— Je suis complètement d'accord avec Emma : décider de nous forcer à quitter le ranch pour nous protéger est lamentable. Alors, une fois pour toutes, mettez-vous dans la tête que nous ne bougerons pas d'ici.

— Et si l'une d'entre vous est blessée ? demanda Pierce. Je vous rappelle que c'est un coup de chance que Tuck et moi soyons encore en vie après notre accident.

— Nous sommes prêtes à courir le risque, répliqua Amelia. Encore une fois, vous n'avez pas à décider pour nous. Je suis autant capable que vous de tenir un fusil et je suis prête à défendre ma propriété.

Emma observa Amelia. Elle l'imaginait très bien avec un fusil entre les mains.

Elle se tourna vers Dante et déclara :

— Encore une fois, moi, je ne suis qu'une invitée. Si tu veux que je parte, je retournerai chez moi à Grand Forks.

Dante prit une expression contrariée.

— Non. Le type qui a abattu mon hélico sait que tu l'as vu. Il est capable d'aller à Grand Forks pour s'en prendre à toi et éliminer tout témoin.

— Je n'irai pas ailleurs. C'est à prendre ou à laisser.

— Je suis toujours à la tête de cette famille, intervint Amelia. Si Emma souhaite rester, elle reste.

Emma sourit, touchée. Mais si Dante insistait pour qu'elle parte, elle obéirait. C'était à cause de lui qu'elle était là et, même si elle appréciait l'attitude d'Amelia, elle n'oserait pas rester contre la volonté de Dante.

Le téléphone fixé au mur sonna.

Tuck se tourna, s'empara du combiné sans fil et passa dans la pièce à côté.

Dante tira une chaise et s'assit à côté d'elle.

— Tu devrais manger. Tu as déjà sauté le dîner hier soir.

Emma prit sa fourchette et se mit à manger. A son étonnement, elle avait très faim.

— Comment te sens-tu, ce matin ? s'enquit Dante.

— Ça va. Je suis un peu moulue mais c'est normal.

Elle piqua une seconde bouchée.

— Ce serait quand même plus prudent qu'un médecin t'examine.

Elle prit le temps d'avaler pour ne pas parler la bouche pleine.

— Non, ce n'est vraiment pas la peine.

Elle termina son assiette en silence. Que Dante insiste autant pour l'emmener voir un médecin aurait pu l'agacer mais elle n'avait pas l'habitude qu'on s'inquiète pour elle et ce n'était pas désagréable. Vivre seule, sans personne pour vous réconforter, n'était pas toujours facile.

Tuck revint dans la pièce et reposa le téléphone sur sa base.

— C'était mon partenaire au FBI. Il a terminé son enquête de routine sur Langley, Price et Ryan Yost.

Il marqua une pause, fronça légèrement les sourcils et tourna la tête vers sa mère.

— Price n'a pas de casier judiciaire, Langley a fait l'objet d'une plainte pour violences de la part d'une femme il y a deux ans. Mais la plainte a été retirée.

— Ces deux-là sont venus me voir ensemble il y a deux semaines, précisa Amelia. Je leur ai fait comprendre que je ne souhaitais pas discuter d'une éventuelle vente de terres ou de droits de prospection.

— Et ils sont partis sans faire d'histoires ? demanda Dante.

— Oui. Mais Langley est revenu le lendemain, seul. Il

m'a demandé de réfléchir à la possibilité de signer un bail de location temporaire de certaines terres. Selon lui, une grosse société est persuadée qu'il y a du pétrole sous certains terrains et souhaite l'extraire.

Roxanne acquiesça.

— J'ai eu droit à la même chose. Je me suis renseignée. L'industrie pétrolière est en plein boom dans le Dakota du Nord depuis la découverte d'une immense nappe qui s'étend de la frontière canadienne à Bismarck. Ce n'est pas la première fois que des prospecteurs passent nous voir.

— Maddox s'est occupé d'eux l'été dernier, reprit Amelia. Mais comme depuis il s'est beaucoup absenté, ces types ont dû se mettre en tête que ce serait plus facile de me convaincre.

Julia éclata de rire.

— Ça prouve qu'ils ne savent pas à qui ils ont affaire.

Amelia sourit.

— Il faut que je voie mon avocat pour faire apparaître noir sur blanc que mes fils sont les copropriétaires du ranch. Comme ça, il sera impossible pour un seul d'entre nous d'accepter une proposition sans l'accord des autres.

— Je doute que l'un d'entre nous veuille voir le ranch vendu, ni en totalité ni en partie, dit Dante. Ici, nous sommes chez nous, nous devons préserver cet héritage.

Sa mère lui posa la main sur l'épaule.

— Exactement.

Tuck s'éclaircit la voix.

— Maman, tu sais ce que nous pensons du shérif Yost.

— Je sais que vous ne le portez pas dans votre cœur, oui, répliqua Amelia. Pourquoi ?

— Eh bien, ce ne sont pas vraiment nos affaires mais quelles relations entretiens-tu exactement avec lui ?

Amelia détourna le regard.

— Il m'a invitée à dîner un soir et il s'est montré charmant.

Emma observa la réaction des frères Thunder Horse. De toute évidence, ils ne faisaient pas confiance au shérif et le voir fréquenter leur mère les contrariait.

— Et ce ne sont pas vos affaires, vous l'avez dit vous-même, reprit Amelia. J'apprécie d'être encore traitée comme une femme, et pas seulement comme une maman ou une grand-mère.

Elle sourit à Lily, qui avait de la compote un peu partout sur le visage.

Dante et ses frères regardèrent Amelia comme si elle avait perdu la tête. A leur expression, Emma se retint d'éclater de rire. Pour eux, c'était leur maman, et rien d'autre.

Mais Amelia était encore très belle et avait des désirs et des besoins de femme. Emma le comprenait parfaitement.

— Bien sûr que tu es une femme, répondit Tuck, et ça ne m'ennuie pas que tu sortes avec un homme. Ça fera bientôt trois ans que papa n'est plus là. Mais notre souci, c'est Yost. Et mon partenaire a également enquêté sur son fils.

— C'est à lui que j'ai demandé d'installer un système de sécurité, rappela Amelia.

Tuck fixa sa mère droit dans les yeux.

— Tu lui fais confiance ?

Amelia fronça les sourcils.

— Je fais confiance à son père.

Pierce renifla de dédain et marmonna quelques mots incompréhensibles.

— Avant de rejoindre l'armée, quand il était mineur, Ryan a eu des démêlés avec la justice, reprit Tuck.

— Je sais tout cela. Mais sa société dit le plus grand bien de lui. Je n'ai pas fait appel à lui seulement parce que c'est le fils de William.

Tuck leva les mains en signe d'apaisement.

— D'accord. Je voulais seulement m'assurer que tu te montrais prudente avec les gens que tu laisses entrer ici.

— Je le suis. Personne n'est mieux placée que moi pour savoir qu'une femme seule qui vit dans un ranch au milieu de nulle part constitue une cible idéale pour des gens malhonnêtes. Surtout quand Maddox est à l'étranger. C'est d'ailleurs pour ça que votre frère a engagé Sean. Je suis très heureuse qu'il soit là.

Sean acquiesça.

— Etre apprécié par une aussi jolie femme, c'est un plaisir, déclara-t-il.

Tous les regards se tournèrent vers lui.

Il leva les mains.

— Je dis les choses comme elles sont. Mais maintenant je me tais.

Il s'appuya dos contre le mur, le visage cramoisi.

Amelia baissa les yeux mais ne put retenir un petit sourire.

— As-tu trouvé autre chose sur Ryan susceptible de m'inquiéter ? demanda-t-elle à Tuck.

Tuck secoua négativement la tête. Il semblait déçu.

— Pas encore.

— Dans ce cas, fiche-lui la paix, rétorqua Amelia avec un regard appuyé. J'aimerais que ce système de sécurité soit installé le plus tôt possible.

Elle posa une manique sur la poignée du four et remit son chemisier en place.

— Bien, maintenant, si vous le voulez bien, je vais avoir besoin des filles. Pas pour les emmener faire du shopping mais pour qu'elles m'aident à trier les affaires que je souhaite donner aux œuvres caritatives.

Emma se leva, porta son assiette à l'évier, la lava et la posa dans l'égouttoir. Puis elle rejoignit Amelia et ses belles-filles. Elles étaient dans une pièce imposante avec un grand lit et une petite cheminée où crépitait un bon feu. Un vaste placard était ouvert et Amelia était assise au sol devant une malle qui contenait des photographies et toutes sortes de carnets.

— Tu devrais venir voir ça, lui dit Julia en l'invitant à s'approcher. Dante à cinq ans. Il était mignon, non ?

Elle lui tendit la photo d'un petit garçon aux cheveux qui lui tombaient sur les épaules.

— Pendant l'été, je laissais les garçons porter les cheveux longs, déclara Amelia. Ils avaient l'impression d'être des

Indiens au temps de la conquête de l'Ouest, ajouta-t-elle avec un petit rire. Ils passaient la majeure partie de la journée torse et pieds nus, à faire du cheval et à aider leur père du mieux qu'ils le pouvaient.

Elle tendit une autre photo à Julia.

— Ça, c'est Tuck à dix ans. Il était sec comme un coucou.

Julia éclata de rire.

— En effet, je ne l'ai jamais vu aussi mince.

Amelia sortit une autre pile de photos.

— Ils étaient tellement actifs qu'ils avaient beau manger, ils ne prenaient pas un gramme.

Elle jeta un rapide coup d'œil aux clichés puis les passa à Roxanne.

— Il y a énormément de photos où on les voit pêcher et monter à cheval. Nous passions la plus grande partie de l'été à camper dans le canyon. La journée, nous faisions le compte des chevaux sauvages et, le soir, on regardait les constellations.

Emma appréciait d'apprendre quelle vie Dante et ses frères menaient quand ils vivaient au ranch. Elle aussi adorait vivre dehors. L'été, elle était toujours sur un chantier de fouilles, à gratter le sol. Le soir venu, elle s'allongeait et contemplait les étoiles pendant des heures, rêveuse.

Roxanne observa une photo de plus près.

— Est-ce votre mari quand il était jeune ? Il ressemble beaucoup à Pierce.

Emma, Amelia et Julia se penchèrent toutes trois en même temps sur la photo. Effectivement, songea Emma, l'homme qui prenait la pose ressemblait à Pierce et il était en compagnie d'une jeune femme aux cheveux noirs et aux pommettes hautes, traits distinctifs des Indiens Lakota.

— Oui, c'est John. La jeune femme à côté de lui vivait dans la réserve. Plus tard, elle a épousé William Yost. C'est la mère de Ryan, dont nous parlions tout à l'heure. Elle s'appelait Mika, il me semble.

Emma fixa son attention sur la jeune femme aux yeux sombres.

— Elle est jolie.

— Oui, c'est vrai, reconnut Amelia. Je me demande bien comment John a pu craquer pour moi et pas pour elle, ajouta-t-elle en riant.

— Mais vous aussi, vous êtes belle, et en plus John avait compris que vous aviez un grand cœur, lui dit Julia en lui passant un bras autour des épaules. Je suis très fière de faire partie de votre famille.

Amelia parut touchée et lui donna un baiser.

— Même si j'adore mes fils, j'aurais bien aimé avoir des filles. Mais avec vous toutes, je suis comblée.

Roxanne prit la main d'Amelia.

— Nous aussi, on vous aime.

Emma resta silencieuse car elle ne se sentait pas le droit de dire quoi que ce soit, même si elle appréciait déjà énormément Amelia. Elle continua à observer la photo.

Le destin était étonnant tout de même. Le mari d'Amelia posait avec la mère de l'homme qu'elle avait engagé pour travailler chez elle.

Amelia soupira.

— Bien, il faut que je fasse le tri parmi tout cela.

Julia désigna les piles de photos.

— Vous ne comptez pas toucher aux photos, n'est-ce pas ?

— Non, bien sûr que non, répliqua Amelia qui leva les yeux vers les vêtements dans le placard. En revanche, il y a beaucoup d'affaires que je peux donner. Je n'ai jamais fait le tri parmi les vêtements de John.

Elle passa la main sur les jeans et les chemises en flanelle.

— Même avec une simple salopette de travail, il trouvait le moyen d'être élégant. Je l'aimerai toujours. Mais maintenant qu'il est parti depuis trois ans, il est temps pour moi d'aller de l'avant.

— Vous êtes encore jeune, vous méritez d'être heureuse, fit remarquer Julia.

— C'est vrai, ce n'est pas moi qui fais fausse route ? J'ai le droit de rencontrer un autre homme et de l'aimer ?

Elle eut un petit rire et contempla l'autre côté du placard.

— Pour être cohérente, je ferais bien de me débarrasser de mes vieux vêtements également. Ils me rappellent trop ma vie avec John. Si je veux prendre un nouveau départ, je devrais commencer par renouveler ma garde-robe.

— Bien dit. Alors allons-y, déclara Roxanne qui sortit une première robe. Vous la gardez ou vous la donnez ?

Amelia sourit.

— Je la portais le jour où John m'a emmenée voir une comédie musicale à Minneapolis. Il n'aimait pas vraiment cela mais il savait que ça me faisait plaisir.

Roxanne haussa les sourcils.

— Elle part ou elle reste ?

Amelia soupira et fit un petit signe de tête résolu.

— Elle s'en va.

Elle sortit d'autres robes qu'elle donna à Julia, et celle-ci les posa dans un fauteuil.

Amelia plongea ensuite au fond du placard et en sortit une housse, derrière de vieux manteaux.

Roxanne se pencha en avant pour l'aider.

— Attendez, laissez-moi faire.

Elle sortit la housse et la posa sur le lit.

Emma la suivit, intriguée.

— Maintenant que tous mes enfants sont mariés ou sur le point de l'être, voilà que j'exhibe des souvenirs de mon propre mariage, dit Amelia qui émergea du placard avec une boîte à chapeaux légèrement jaunie par le temps.

Julia s'assit sur le lit et poussa la housse pour qu'Amelia puisse poser la boîte à chapeaux.

— Depuis combien de temps connaissiez-vous John quand vous vous êtes mariée ? voulut-elle savoir.

— Deux semaines, répondit Amelia. Nous nous sommes rencontrés lors de la soirée de clôture du festival de comédie musicale de Medora. J'étais une des chanteuses du spectacle. Il a attendu que tout le monde soit parti pour venir me voir.

— J'ai du mal à imaginer John assis pour regarder un spectacle, dit Roxanne avec un sourire. Je crois que je ne l'ai jamais vu autrement qu'à cheval. Les chevaux et le ranch, c'était vraiment toute sa vie.

— Eh bien cette fois-ci, il avait fait une exception. Il m'a demandée en mariage au bout d'une semaine, alors que j'étais censée retourner à Bismarck pour entrer à l'université. Une semaine plus tard, nous étions à Las Vegas. Et il m'a apporté cette robe au moment de nous marier dans une petite chapelle du Strip, termina-t-elle en ouvrant la housse.

Elle en sortit une robe de mariée en dentelle et satin, au col bordé de petites perles toutes simples. Une robe parfaite, pensa Emma.

Elle en eut le cœur serré.

— J'adore cette robe, déclara Julia. J'en viendrais presque à vouloir me marier une seconde fois avec Tuck pour la porter.

— Vous deviez être ravissante dans cette robe, ajouta Roxanne en passant la main sur le tissu délicat. Elle est vraiment très belle.

Amelia la contempla avec un sourire.

— J'espérais qu'un jour, j'aurais une fille qui se marierait dans cette robe, confia-t-elle en riant.

— Mais vous avez eu quatre fils, intervint Emma. D'ailleurs, ils ont eu de la chance de grandir ensemble. Moi qui suis fille unique, ça m'a beaucoup manqué de ne pas avoir de frères et sœurs.

— Oui. Mes garçons se chamaillaient de temps en temps mais ils ont toujours été soudés.

Amelia sortit complètement la robe de la housse et la tint devant elle.

— Nous faisons à peu près la même taille et, à votre âge, même si vous aurez du mal à le croire, je n'étais pas plus grosse que vous.

Elle sourit à Emma, les yeux humides.

— Si vous acceptiez de la porter quand vous vous marierez avec Dante, je serais très honorée.

Emma leva les mains, bouleversée.

— Non, non, je ne peux pas.

Amelia posa la robe.

— Evidemment, vous avez certainement l'idée de porter une robe totalement différente pour votre mariage. Pardonnez-moi, je ne suis qu'une vieille idiote sentimentale.

La mère de Dante était tout sauf une vieille idiote et Emma ne supportait pas de lui faire de la peine.

— Non, moi aussi je trouve cette robe très belle. Mais c'est que…

Que pouvait-elle dire ? Qu'elle lui avait menti depuis le début et n'avait jamais eu le projet d'épouser son fils ?

— … je n'avais même pas encore réfléchi à la robe que je porterai.

Elle esquissa un faible sourire.

— Mais je ne pourrais rêver mieux qu'une robe comme celle-ci.

— Essaie-la, lui suggéra Julia. Roxanne et moi, on aimerait bien te voir avec. N'est-ce pas ?

— Oui, bien sûr, renchérit Roxanne. Allez, vas-y, et si tu ne veux pas te changer devant nous, tu peux tirer la porte du placard. Il est tellement grand qu'il y a assez de place pour y tenir debout.

Avant même qu'elle puisse protester, Amelia lui tendait la robe pour l'inviter à la passer.

— Avez-vous besoin d'aide pour l'enfiler ?

— Non, ça va aller.

Elle avait surtout besoin d'aide pour se sortir du pétrin dans lequel elle s'était mise. Puisque les trois femmes attendaient de la voir dans cette robe, elle ne pouvait plus reculer.

Elle ôta son jean et son pull, dégrafa son soutien-gorge et mit la robe.

La sensation du satin était très agréable, la robe très légère.

Elle remonta la fermeture Eclair à l'arrière, un peu inquiète de l'effet produit car elle allait se retrouver quasiment dos nu.

En tout cas, cette robe aurait pu être faite pour elle. Elle épousait à la perfection ses hanches et ses seins. Sur le revers de la porte du placard, il y avait un grand miroir. Quand elle aperçut son reflet, elle fut émue aux larmes.

Jamais elle n'avait porté une tenue aussi belle.

— Dépêche-toi, nous sommes impatientes, appela Julia.

Dévorée par la culpabilité, elle poussa la porte et sortit.

Quand les trois femmes la virent, elles en restèrent bouche bée.

Amelia porta une main à sa bouche, des larmes coulèrent sur ses joues.

— Emma…, fit-elle d'une voix étranglée par l'émotion.

— Tu es magnifique, remarqua Julia.

— Attendez.

Amelia ouvrit la boîte à chapeaux et en sortit un voile de mariée en tulle. Elle le remit en forme et le déposa devant le visage d'Emma, puis la prit par les épaules pour la tourner vers le miroir.

Emma crut être face à une étrangère. Vêtue en mariée, les cheveux libres sur ses épaules, le voile devant son visage, elle avait envie de pleurer.

— Ce n'est pas moi qui décide mais, à mon avis, tu n'as plus besoin de chercher une robe, commenta Roxanne. Si elle avait été faite sur mesure pour toi, elle ne te serait pas mieux allée.

La mère de Dante la prit dans ses bras.

— Mon fils a de la chance de vous avoir rencontrée.

Que pouvait-elle répondre à cela ? Rien.

— Elle vous plaît ? lui demanda Amelia en la tenant par les épaules. Si ce n'est pas le cas n'ayez pas peur de me le dire, je ne vous en voudrai pas.

Emma posa les yeux sur la robe et acquiesça.

— Je l'adore.

Elle était tellement bouleversée et gênée qu'elle ne pouvait pas rester là.

— Je suis désolée mais je crois que ma chute d'hier m'a davantage secouée que je le pensais. J'aimerais aller m'allonger si ça ne vous ennuie pas.

— Non, bien sûr, répondit Amelia. Mais c'est moi qui devrais m'excuser, ce n'était pas le jour pour vous faire trier mes placards. Attendez, laissez-moi vous aider.

Elle descendit la fermeture à glissière de la robe et, une fois cela fait, Emma s'empressa de retourner dans le placard pour enlever la robe et remettre ses vêtements.

Quand elle ressortit, les trois femmes étaient occupées à plier les affaires destinées aux œuvres caritatives. Elle posa la robe et le voile sur le lit et passa une dernière fois la main sur le tissu, le cœur lourd et plein de regrets.

— Excusez-moi, je vais me reposer.

Elle regagna la chambre où elle avait passé la nuit et se glissa dans le lit. Le parfum de Dante imprégnait encore les couvertures. Des souvenirs lui revinrent à la mémoire : lorsqu'il l'avait aidée à sortir de la caravane dans la fosse, quand il avait soigné Sweet Jessie dans le canyon… Ou encore quand il avait préféré risquer sa vie que la laisser trop longtemps dans le froid.

Il lui suffisait de songer à ses bras autour d'elle, à sa douceur quand ils avaient fait l'amour pour frémir de tout son être.

Dans la robe de mariée de sa mère, pour la première fois de sa vie, elle s'était sentie belle. Mais elle n'était pas la fiancée de Dante, elle avait menti à sa mère et à toute sa famille, tellement généreuse avec elle. Quand ils apprendraient la vérité, tous lui en voudraient énormément.

Des larmes coulèrent sur ses joues. Bien sûr, elle s'était fait la leçon pour ne pas s'attacher à Dante, mais c'était un échec total. Elle était tombée amoureuse de lui. Irrémédiablement.

Alors que Dante, lui, était encore amoureux de la femme qu'il avait perdue tragiquement. Dès le départ, il lui avait fait comprendre qu'une nouvelle relation ne l'intéressait pas. Il n'était pas prêt.

Elle se roula en boule, s'enfouit le visage dans l'oreiller et pleura à chaudes larmes.

Après un long moment, elle se fit la promesse de s'en aller à la première occasion. Elle ne pouvait plus rester là, alors qu'elle aimait Dante, qu'elle aimait sa famille, mais ne pouvait rien espérer sinon une fin pleine de tristesse et de rancœur. Mieux valait qu'elle coupe les liens au plus vite pour avoir une chance de se remettre de sa déception.

Dante s'occupa avec Pierce, Tuck et Sean de nourrir les chevaux et de soigner Sweet Jessie. Sa blessure cicatrisait bien et la jument était déjà impatiente de galoper à l'air libre. Toutefois, tous furent d'accord pour la garder au chaud quelques jours supplémentaires.

Dante lui donna du fourrage, de l'eau et lui brossa le crin.

Quand ils ressortirent de l'écurie, un véhicule était garé devant la maison. Après ce qui s'était passé, Dante devenait méfiant. Il ne connaissait pas cette voiture et personne n'avait annoncé sa venue auparavant. Il pressa le pas et entra dans la maison par la porte de la cuisine.

A l'intérieur, il suivit le bruit des voix. Roxanne, sa mère et Julia étaient en compagnie d'un jeune homme aux cheveux noirs.

Julia se tourna vers lui.

— Dante, tu te souviens de Ryan Yost, non ?

Il acquiesça.

— Oui, d'autant que nous nous sommes croisés hier.

Ryan, qui tenait une caisse, la passa dans sa main gauche et lui tendit l'autre pour le saluer.

— Bonjour, Dante.

— Bonjour, Ryan, répondit-il en lui serrant la main.

Celui-ci brandit la caisse qu'il tenait.

— J'ai reçu les caméras, comme je l'espérais.

Amelia l'invita à se mettre à l'aise.

— On vous laisse travailler et si vous avez besoin de quoi que ce soit, dites-le-nous.

— Merci, madame. Je pense que j'ai tout ce qu'il me faut sauf un escabeau.

— Je vais en chercher un, intervint Sean, qui tourna les talons.

Deux minutes plus tard, il était de retour.

Dante décida de ne pas bouger tandis que Ryan travaillait : il installa l'escabeau, raccorda une caméra aux câbles dans le coin de la pièce puis la fixa au mur.

Tuck vint parler à Dante.

— Pierce et Sean vont rester là, alors je me disais qu'on pourrait aller à Medora pour poser quelques questions à ces prospecteurs. Qu'en penses-tu ?

Dante acquiesça.

— Oui, d'accord. Laisse-moi une minute, je vais voir comment va Emma.

Tandis qu'il traversait le couloir, sa mère l'arrêta.

— Au fait, ce soir, les cow-boys lancent les festivités de Noël à Medora. D'habitude, nous y allons tous et je me disais que ça plairait à Emma.

— Oui, tu as raison, ça devrait lui plaire, répondit Dante avec un sourire. Tuck et moi, nous nous rendons justement à Medora. Alors, si tu veux, on peut se rejoindre là-bas.

— Oui, bonne idée.

Il se rendit dans la chambre où Emma dormait. Il s'approcha sur la pointe des pieds et se pencha sur elle. Elle avait le visage humide, comme si elle avait pleuré.

Mais pourquoi aurait-elle pleuré ? Ses blessures étaient-elles plus sérieuses qu'elle ne le pensait ? Avait-elle eu mal ? Ou bien avait-elle envie de rentrer chez elle ?

Il eut le cœur serré. Il ne savait pas ce qui avait provoqué ses larmes mais il avait envie de tout faire pour la réconforter. Il écarta une mèche de cheveux de son visage et se pencha pour lui déposer un baiser sur le front.

Au dernier moment, Emma sursauta et tourna la tête. Leurs lèvres s'effleurèrent.

— Je vais à Medora avec Tuck. Nous aimerions parler

aux prospecteurs. Plus tard, le reste de la famille doit nous rejoindre pour le début des festivités de Noël. Vous viendrez ?

— Mmm.

Il l'embrassa de nouveau, plus longuement cette fois.

Elle lui rendit son baiser avec un mélange de tendresse et de vigueur.

Quand, à contrecœur, il y mit fin, elle le regarda avec un éclat de tristesse dans les yeux.

— Faites attention, lui dit-elle.

— Vous aussi, répondit-il en lui caressant le visage du revers de la main. A plus tard.

— Au revoir, Dante.

Il quitta la chambre, contrarié. Il aurait mieux fait de rester toute la journée avec Emma, à la tenir contre lui. Non seulement il n'avait pas beaucoup pensé à Samantha depuis qu'Emma était entrée dans sa vie, mais son sentiment de culpabilité commençait à se dissiper. Samantha aurait certainement voulu qu'il soit heureux, pas qu'il continue à vivre dans le regret de ce qui n'arriverait jamais. Il commençait à le comprendre.

Avec Emma, il recouvrait foi en l'avenir.

Quand il retourna dans la cuisine pour attendre que son frère soit prêt à partir, sa mère vint lui parler :

— C'est vraiment quelqu'un de bien, tu sais.

— Qui, Emma ? Oh oui, je sais.

— Alors ne la laisse pas sortir de ta vie.

Il fixa sa mère droit dans les yeux, interloqué.

— Pourquoi le ferais-je ?

Sa mère lui retourna un regard entendu.

— Combien de fois as-tu réussi à me mentir sans que je m'en aperçoive, Dante ?

Il réfléchit quelques secondes.

— Pas une seule fois, il me semble.

— Exactement. Et, l'autre jour à l'hôpital, quand tu nous as annoncé qu'Emma était ta fiancée, j'ai immédiatement compris que tu mentais.

— Je suis désolé, maman. Je n'aurais pas dû agir ainsi. Mais comme nous ne savions pas encore comment l'état de Pierce évoluerait, je ne voulais pas t'inquiéter davantage.

— A vrai dire, je suis contente que tu l'aies fait, car cela t'a donné le temps de mieux la connaître et de comprendre ce qu'elle représentait réellement pour toi.

— Maman, nous avons passé seulement quelques jours ensemble. C'est trop peu pour savoir si nous sommes vraiment faits l'un pour l'autre.

Sa mère secoua négativement la tête.

— Ton père et moi, nous n'avons pas eu besoin de davantage de temps. Nous avons tout de suite compris que nous resterions ensemble. Il m'a demandée en mariage au bout d'une semaine et, à sa mort, trente ans plus tard, nous nous aimions comme au premier jour.

— Mon problème, c'est que je ne pensais pas que je pourrais de nouveau tomber amoureux.

— Samantha appartient à une période de ta vie. Avec Emma, tu ouvres un nouveau chapitre.

— J'aimerai toujours Samantha.

— Dante, tu as suffisamment de place dans ton cœur. Tu n'as pas à cesser de l'aimer, comme moi je n'arrêterai jamais d'aimer ton père. Mais cela ne signifie pas que tu ne peux pas aimer une autre personne. Moi, j'espère toujours rencontrer l'amour, je refuse de me dire que je suis trop vieille, que tout cela est derrière moi. Evidemment, je vous ai, tes frères et toi, mais vous avez votre propre vie et moi, je veux avoir la mienne.

Il lui prit la main, ému.

— Tu mérites d'aimer de nouveau.

— Tout comme toi.

Il prit sa mère dans ses bras et la serra contre lui.

— S'il te plaît, dis-moi que tu ne penses pas au shérif Yost.

Elle éclata de rire.

— Je mentirais si j'affirmais ne pas avoir pensé à lui mais désormais je ne sais plus.

Sean fit alors son apparition.

— J'ai préparé du café, quelqu'un en veut ?

Amelia sourit à son fils.

— J'ai plusieurs options, tu sais.

Dante lui sourit en retour et rejoignit Sean dans la cuisine pour prendre une tasse de café avant de partir.

Tuck apparut quelques minutes plus tard.

— Tu es prêt, Dante ? On prend ma voiture. Et on ferait mieux de se dépêcher si nous voulons avoir une chance de parler à ces types avant que tout le monde arrive en ville pour les festivités.

Dante faillit tout reporter au lendemain tant il avait envie de retourner auprès d'Emma et de lui avouer…

Lui avouer quoi ?

Qu'il pourrait bien être en train de tomber amoureux d'elle ? Qu'il avait besoin d'un peu de temps pour s'en assurer ?

Il décida d'attendre le soir pour le lui dire.

Emma s'était rendormie après le départ de Dante et elle se réveilla seulement quand Amelia passa la tête à la porte deux heures plus tard.

— Emma, si vous souhaitez toujours venir avec nous ce soir, il est temps de vous préparer. Nous comptons prendre la route dans une demi-heure environ.

— Je suis réveillée, répondit-elle en se redressant.

Elle avait mal un peu partout et le cœur lourd de devoir quitter le ranch. Les clés du SUV loué par Dante à Grand Forks étaient posées sur la table de nuit.

Si elle était réellement décidée à s'en aller, le moment était venu. Dante était en ville, le reste de la famille s'apprêtait à le rejoindre. Elle se leva, enfila sa combinaison et ses bottes.

Elle rassembla quelques affaires qu'elle fourra dans son sac à main, laissa son sac de voyage dans la chambre pour ne pas éveiller de soupçons et sortit dans le couloir.

— Ah, mais tu es déjà prête, déclara Julia qui traversait le couloir pour se rendre dans une autre chambre. Nous allons bientôt pouvoir y aller, nous attendions que Ryan ait terminé la pose des caméras.

— Ryan Yost est venu ?

— Oui, il est resté une bonne partie de l'après-midi, pendant que tu dormais. Il a installé la moitié des caméras et doit revenir demain pour terminer.

— Je n'ai absolument rien entendu.

— Nous lui avons demandé de commencer par les pièces à l'autre bout de la maison pour que le bruit ne vous dérange pas, Lily et toi.

A ce moment-là, un cri d'enfant se fit entendre.

— Quand on parle du loup… Je vais habiller Lily et ensuite on pourra partir.

Amelia sortit de sa chambre, vêtue d'un flamboyant pull rouge.

— J'ai reçu un coup de fil de Maddox. Katya, son épouse, et lui ont atterri il y a à peine une heure à Bismarck. Ils devraient arriver à temps à Medora pour le début de la fête.

Elle rayonnait.

— Tous mes enfants seront à la maison pour Noël.

Elle prit Emma dans ses bras.

— Je suis tellement heureuse que vous soyez là avec nous.

La culpabilité étreignit brusquement Emma.

— Merci pour tout ce que vous avez fait pour moi, répondit-elle en luttant pour retenir ses larmes. Dante m'a dit qu'il se rendait à Medora avec Tuck et que nous étions censés les retrouver sur place. Cela vous dérange si je pars un petit peu avant vous ? J'aimerais faire quelques courses avant la fermeture des magasins.

Amelia parut légèrement ennuyée.

— Etes-vous certaine que c'est bien prudent pour vous de partir seule après ce qui s'est passé ?

Emma s'efforça de lui retourner un sourire rassurant.

— Oui, n'ayez crainte. De toute façon, vous allez partir

quelques minutes après moi donc, si jamais j'avais un souci sur la route, je n'aurais qu'à vous attendre.

— Si vous me laissez cinq minutes, je peux vous accompagner, insista Amelia. Je n'ai plus qu'à terminer de me maquiller et à prendre mon sac.

— Non, c'est inutile de vous presser, ça ne me dérange pas de partir seule.

Avant même que la mère de Dante puisse répliquer, elle lui donna un baiser sur la joue.

— Au revoir.

Elle tourna les talons, se dirigea vers la porte et rejoignit le SUV à grands pas.

Le moteur démarra du premier coup. C'était un signe. Elle prenait la bonne décision. Au fond d'elle, elle avait envie de rester et de devenir un membre à part entière de cette famille. Mais jamais elle ne réussirait à faire oublier à Dante le souvenir de Samantha et elle refusait de s'accrocher à une cause perdue.

Ils avaient échangé quelques baisers, ils avaient fait l'amour ensemble une fois mais ce n'était pas assez pour qu'il lui offre son cœur.

Elle enclencha la marche arrière, fit une manœuvre puis démarra pour remonter l'allée et rejoindre la route. Dans son rétroviseur, elle jeta un dernier regard au ranch et au panache de fumée qui montait de la cheminée.

Elle prit la direction de Medora mais, avant d'atteindre la ville, elle bifurquerait sur la nationale. Soit elle s'arrêterait à Bismarck pour y passer la nuit, soit elle se sentirait la force de rentrer directement à Grand Forks et arriverait à destination aux environs de minuit.

Il se mit à neiger et, petit à petit, les flocons devinrent plus gros et se mirent à tomber plus fort, au point qu'elle commença à avoir du mal à distinguer la route devant elle. A proximité d'un croisement, le panneau stop n'apparut qu'au dernier moment et elle enfonça la pédale de frein.

Le SUV se mit en travers et glissa. Il s'en fallut de peu qu'elle finisse dans le fossé.

Le cœur battant, elle tourna le volant pour rétablir sa trajectoire. La silhouette d'un homme se dessinait au loin, sur le bord de la route.

Lorsqu'il se retrouva dans le faisceau des phares, il lui fit signe.

Elle descendit la vitre côté passager.

— Dieu merci vous vous êtes arrêtée, déclara l'homme qui se pencha à la fenêtre.

Elle l'identifia tout de suite. C'était Ryan Yost.

— Je commençais à croire que je devrais retourner au ranch à pied.

— Que vous est-il arrivé ? s'enquit Emma. Vous êtes tombé en panne ?

— J'ai mal négocié un virage et j'ai dérapé dans le fossé à environ cinq cents mètres d'ici. Quel fichu temps pour conduire !

— Vous voulez retourner au ranch ou aller à Medora ?

— Eh bien, je pensais retourner au ranch parce que c'est plus près mais si vous allez à Medora, ça m'arrangerait.

Elle actionna le déverrouillage des portières pour le laisser monter.

— Où se trouve le reste de la famille Thunder Horse ? demanda-t-il une fois qu'il fut installé sur le siège passager.

— Ils ont dû partir quelques minutes après moi, ils ne vont pas tarder.

— Dans ce cas, tournez tout de suite à gauche, répliqua Ryan.

— Pardon ? fit Emma, perplexe.

Elle scruta le chemin de terre qui croisait la route.

— Pourquoi ?

— Parce que je vous l'ordonne.

Interloquée, elle tourna la tête dans sa direction. Il serrait dans son poing un gros revolver noir et le braquait droit sur elle.

Elle frissonna.

— Obéissez. Il est temps que ce qui m'appartient de droit me revienne.

D'instinct, Emma refusa d'être une simple victime qui se laisse faire sans rien dire.

— Qu'entendez-vous par là ? Qu'est-ce qui vous revient de droit ? Certainement pas moi !

Elle s'efforçait de s'exprimer d'une voix assurée mais calme et, subrepticement, elle cherchait à saisir l'ouverture de portière avec sa main gauche.

Ryan eut un rire mauvais.

— Oh non, je ne parlais pas de vous. Mais j'ai compris que pour les atteindre, il fallait s'en prendre à ceux qu'ils aiment.

— Vous parlez des Thunder Horse ?

— Evidemment que je parle des Thunder Horse. Allez, démarrez et roulez suffisamment loin sur le chemin pour qu'on ne voie plus le véhicule depuis la route.

Elle n'avait d'autre choix qu'obtempérer mais elle avança prudemment.

— Plus vite ! vociféra Ryan en faisant un grand geste avec son arme pour l'inciter à accélérer.

Emma tenta alors sa chance. Elle lui donna un coup de coude au visage, ouvrit la portière et se jeta dehors. Elle tomba sèchement sur le chemin gelé et roula sur elle-même pour s'éloigner.

Son bras gauche, sur lequel elle était tombée, lui fit mal mais elle conjura la douleur, se remit debout et courut aussi vite qu'elle le pouvait dans la neige.

Derrière elle, une portière claqua mais elle ne se retourna pas.

Quand elle atteignit la route en asphalte, à bout de souffle, elle dérapa et se retrouva sur le dos. Au loin, parmi les flocons, une lumière de phares approchait. Il fallait qu'elle se relève et fasse signe à cette voiture. Elle se remit debout mais, à peine se fut-elle redressée que des bras se refermèrent autour d'elle.

Elle fut plaquée au sol, à plat ventre cette fois-ci. Ryan pesait de tout son poids sur elle pour l'empêcher de bouger.

Elle eut beau se débattre, elle ne pouvait plus rien faire. Il y eut un bruit de moteur qui approchait, il passa à leur hauteur puis s'éloigna. Elle chercha à crier, mais jamais on ne l'entendrait, elle le savait. Et puis, de toute façon, Ryan était armé, elle ne devait pas l'oublier. Plutôt que continuer à lutter, elle se laissa faire. Elle avait un autre plan. Mais encore fallait-il qu'elle reste en vie assez longtemps pour le mettre en application.

15

Dante se rendit directement avec Tuck à l'hôtel où résidaient les prospecteurs pétroliers. La dénommée Nicole était de service et arborait le même air blasé que la fois précédente.

— Tiens, les frères Thunder Horse. Vous venez encore voir Ryan ?

— Non, nous ne sommes pas là pour voir Ryan, répondit Dante. Nous aimerions parler à Monty Langley et Theron Price.

— Désolée, à moins que vous ayez rendez-vous, ils ont demandé à n'être dérangés sous aucun prétexte.

Tuck sortit sa carte du FBI.

— Quel est leur numéro de chambre ?

Nicole fixa la carte pendant plusieurs secondes.

— Je vois. Ils ont les chambres 109 et 110 au bout du couloir, dit-elle en désignant la direction d'un mouvement de tête.

Tuck et Dante tournèrent immédiatement les talons.

— Mais ils ne sont pas là, les rappela Nicole avant qu'ils ne soient trop loin.

— Vous avez une idée d'où ils peuvent être ?

— Pourquoi tenez-vous tant à le savoir ?

— C'est confidentiel.

— Ils sont rentrés il y a peu de temps d'une sortie en motoneige, expliqua Nicole, visiblement à contrecœur. D'habitude, à cette heure-là, ils vont manger au *diner*. Alors si j'étais vous, j'irais y faire un tour.

— Ce sont leurs propres motoneiges ? voulut savoir Dante.

— Oui, ils les laissent dans le petit hangar à l'arrière.

— Et comment peut-on entrer dans le hangar ?

Nicole haussa les épaules.

— Autant que je sache, ce n'est jamais fermé à clé.

Dante et Tuck contournèrent l'hôtel pour se rendre au hangar. Dante tira la porte qui n'était effectivement pas verrouillée. A l'intérieur se trouvaient deux motoneiges flambant neuves.

— Donc ils ont des motoneiges, déclara Tuck. Comme la plupart des gens de la région, tu me diras.

— Celle dont j'ai repéré la trace au canyon avait une chenille cassée et une fuite d'huile.

Dante observa la première motoneige sous toutes les coutures, Tuck fit de même avec l'autre.

Après quelques minutes, Tuck se redressa.

— Celle-ci est impeccable.

Il ne faisait pas très clair dans le petit hangar et Dante passa la main sur les chenilles, à la recherche d'un défaut. Une entaille arrêta ses doigts. Il passa de l'autre côté et se baissa. Il y avait une flaque. Il tendit la main et la toucha du bout des doigts. Pas de doute, c'était de l'huile.

— Une motoneige qui perd un peu d'huile et avec une chenille légèrement endommagée, c'est courant, l'avertit Tuck.

— Sans doute, mais je ne crois pas aux coïncidences, répliqua Dante en se relevant.

— Prochaine étape, le *diner* ? lui demanda Tuck.

— Et comment !

Tous deux retournèrent à la voiture, roulèrent quelques minutes et se garèrent devant l'établissement.

Hank et Florence étaient au bar, tandis que deux hommes attablés buvaient du café.

Dante se dirigea droit sur eux.

— Monty Langley et Theron Price ?

Le plus jeune des deux haussa les sourcils.

— C'est bien nous. Moi, je suis Monty Langley, pourquoi ?

— Où étiez-vous hier aux environs de 15 heures ?

— Pourquoi cette question ?

Tuck se posta devant son frère et brandit sa carte d'agent fédéral.

— Contentez-vous de répondre.

Langley leva les mains en signe d'apaisement.

— Hier, nous avons passé la plus grande partie de l'après-midi ici même en compagnie de M. Plessinger. Il nous a fallu plusieurs heures pour le convaincre de nous céder un droit de prospection sur ses terres.

Il baissa les bras et sourit.

— Seriez-vous également venus parler argent ?

— Certainement pas, rétorqua Dante.

Le second type, le dénommé Theron Price, fronça les sourcils.

— De quoi s'agit-il, alors ?

— Hier, quelqu'un a tenté de nous tuer, ma fiancée et moi, en déclenchant un glissement de terrain à l'aide d'explosifs. Un type d'explosifs auquel des gens qui ont des relations parmi les compagnies pétrolières pourraient facilement avoir accès.

Monty Langley se leva, l'air scandalisé.

— Dites donc, cow-boy, du calme. Je suis un homme d'affaires, pas un tueur. En plus, mon boulot consiste à décrocher des droits de prospection, pas à forer. Le pétrole, je le vois seulement quand je vais faire le plein de ma voiture à la pompe.

Florence intervint :

— Je peux me porter garante pour eux. Ils sont restés tout l'après-midi d'hier ici, à travailler ce pauvre Fred Plessinger au corps. Ils m'ont vidé deux cafetières.

Le portable de Tuck sonna. Il s'éloigna de quelques mètres pour répondre.

— Et où étiez-vous il y a quatre jours ? continua Dante. Etes-vous passés à Grand Forks ?

— Cela fait une semaine que nous sommes à Medora, répondit Price. Nous sommes censés rentrer à Minneapolis à la fin du mois, pas avant.

— En avez-vous la preuve ? insista Dante.

Langley sortit un petit agenda de sa poche et le lui tendit.

— Consultez nos rendez-vous. Toutes les personnes dont j'ai noté le nom pourront témoigner que nous sommes passés les voir aux jours et heures indiqués.

Dante ne mit pas longtemps à identifier plusieurs noms d'habitants du coin. Ces types ne lui plaisaient pas, mais leurs alibis semblaient solides. Il rendit son agenda à Langley.

— Bien. Désolé pour le dérangement.

— Nous avons entendu parler des événements récents qui ont touché votre famille, répliqua Langley. On dirait bien que quelqu'un a une dent contre vous. Avez-vous une bonne police d'assurances ? continua-t-il en sortant une carte de sa poche. J'ai un ami qui pourrait vous conseiller.

Dante ignora Langley et rejoignit son frère, qui était toujours au téléphone.

— Tu es sûr ? dit Tuck à son interlocuteur en se passant une main dans les cheveux. Très bien, merci, je m'en charge.

Il raccrocha et fit signe à Dante.

— Viens, il faut qu'on y aille.

— Qu'est-ce qui se passe ?

Tuck se dirigea à grands pas vers sa voiture, mâchoire serrée. Il attendit que tous deux soient montés pour répondre :

— C'était mon partenaire au FBI. Il a épluché la liste des avions qui ont atterri et décollé à Grand Forks et Bismarck. Le nom de Ryan Yost revient deux fois : il a atterri à Bismarck quarante-huit heures avant l'attaque contre ton hélico et a redécollé le lendemain pour atterrir à Grand Forks, soit la veille de ton accident. Et il a redécollé de Grand Forks deux jours après la chute de ton appareil.

Un mauvais pressentiment gagna Dante.

— Tout concorde. On a saboté les freins de votre voiture le jour où il s'est posé à Bismarck et, ensuite, il se serait rendu à Grand Forks pour s'attaquer à moi. Et voilà que maintenant il est à la maison.

— Pierce et Sean y sont aussi, répliqua Tuck d'un ton rassurant.

Toutefois, il démarra sur les chapeaux de roue, trahissant son inquiétude.

— Le problème, c'est que Pierce et Sean ne se méfient pas, dit Dante, qui avait déjà son téléphone en main pour appeler le ranch.

Il colla son portable à son oreille. Au bout de cinq sonneries, il abandonna.

— Pas de réponse.

— Peut-être qu'ils sont déjà partis pour nous rejoindre.

Ils allaient s'engager sur la route qui quittait la ville quand un véhicule familier arriva dans le sens inverse.

— C'est la voiture de Pierce, non ? remarqua Dante.

Tuck fit des appels de phare. La voiture freina et s'arrêta à leur hauteur. Tuck descendit sa vitre.

— Où est Ryan Yost ? demanda-t-il à Pierce.

— Il est parti une bonne demi-heure avant nous, précisa son frère. J'imagine que, à l'heure qu'il est, il est rentré à l'hôtel, pourquoi ?

— Tout le monde est avec toi ?

Sa mère, qui était installée sur le siège passager, se pencha et répondit :

— Oui, nous sommes toutes là, à l'exception d'Emma. Elle est partie avant nous pour faire quelques courses avant de vous rejoindre. Elle n'est pas avec vous ?

Dante serra le poing. Personne ne savait où était Emma et tout désignait Ryan Yost comme le suspect numéro un des attaques contre leur famille.

Dans sa main, son portable vibra. C'était un message d'un numéro inconnu. Il l'ouvrit pour le lire :

Si tu veux revoir Emma vivante, viens au ranch. Seul.

Incrédule, Dante montra le message à Tuck, qui le lut et se tourna vers Pierce.

— On a un problème.

Pierce gara sa voiture, en descendit et traversa la route. Les trois frères lurent encore une fois le message.

— Il est au ranch avec Emma. Je dois y aller, déclara Dante.

— Mais qui est au ranch avec Emma ? demanda Pierce, l'air perdu.

— Ryan Yost.

Leur mère s'approcha d'eux.

— Qu'est-ce qui se passe ? Où est Emma ? Pourquoi avez-vous l'air aussi inquiets ?

Dante poussa un soupir. Rien ne servait d'édulcorer la réalité pour ménager sa mère.

— Nous pensons que Ryan Yost détient Emma. Je viens de recevoir ce message, dit-il en lui tendant le téléphone.

— Oh ! Mon Dieu, jamais je n'aurais dû la laisser partir seule ; j'aurais dû insister pour qu'elle nous attende.

— Si elle avait été avec vous, à l'heure qu'il est, vous seriez certainement tous les otages de Yost.

— Mais pourquoi ? leur demanda leur mère en les dévisageant tour à tour.

— Bonne question, et seul Ryan peut y répondre. Il faut que j'y aille, répéta Dante.

— Hors de question que tu y ailles seul, répliqua Tuck.

— Il le faut. Sinon, il risque de tuer Emma.

— Il risque de la tuer de toute façon. Laisse-nous t'accompagner. Gérer des situations de ce genre, c'est notre boulot à Pierce et moi, pas le tien.

— Je te rappelle que j'ai passé quelques années dans l'armée.

— Peut-être mais tu n'as pas été formé pour négocier avec un ravisseur.

— Je ne peux pas courir le moindre risque, protesta Dante.

— Nous venons avec toi, trancha Tuck, tandis que Pierce montait déjà à l'arrière. A notre arrivée au ranch, nous resterons cachés, Pierce et moi. Yost ne saura pas que nous sommes là mais nous te servirons de renforts.

— Et moi ? intervint leur mère.

— Maddox va arriver d'une minute à l'autre. Dès qu'il

sera là, dis-lui de nous rejoindre au ranch. Et promets-moi de veiller sur Julia et Lily, maman, lui intima Tuck.

Amelia acquiesça.

— C'est promis. Et vous, promettez-moi de ne pas jouer aux héros et de ne pas vous faire tirer dessus.

— Promis, répondirent-ils tous trois à l'unisson.

— Vous voulez que j'alerte le bureau du shérif ? leur demanda Amelia.

— Non ! répliquèrent-ils d'une seule voix. Ryan est le fils du shérif, ce n'est pas le moment de l'impliquer.

— Compris.

Amelia recula pour les laisser partir, le visage grave.

Ils prirent la route du ranch et, en silence, Dante invoqua le Grand Esprit pour qu'il protège Emma.

16

Emma revint à elle et battit des paupières, éblouie par la lumière d'une lampe posée sur une table. Elle était désorientée et sa tempe droite lui faisait mal.

Elle se rappelait avoir cessé de se débattre quand Ryan l'avait immobilisée au sol et qu'une voiture était passée près d'eux. Ensuite, c'était le trou noir. Désormais, elle était dans le salon du ranch des Thunder Horse.

— On dirait que finalement vous allez être d'attaque pour assister au bouquet final, déclara une voix.

Elle tourna la tête, ce qui lui fit mal. Elle ferma les yeux quelques secondes pour laisser passer la douleur. Ryan Yost se tenait près d'une fenêtre et regardait dehors à travers les volets clos.

— Quelqu'un vient. J'espère qu'il s'agit de celui à qui j'ai expressément demandé de se présenter ici.

Il se frotta les mains.

— Aujourd'hui, l'heure de ma revanche a enfin sonné.

Emma se tortilla pour se redresser, mais elle avait les mains liées avec du gros sparadrap. Elle ramena les jambes sous elle pour se mettre en position assise. Heureusement, elle n'avait pas les pieds liés.

Elle observa de nouveau les lieux, à la recherche d'un objet coupant pour se libérer. En vain.

— Pourquoi faites-vous cela ?

— Je vais vous répondre. Pendant des années, mon père m'a détesté, a détesté ma mère et la vie que nous menions tous trois ensemble. Quand ma mère a fini par ne plus le supporter, elle m'a fait quitter l'école de Medora pour m'emmener vivre avec elle dans la réserve. Si j'y étais resté, j'y aurais moisi pour le restant de mes jours.

Emma avait une migraine atroce mais elle devait continuer à le faire parler. Peut-être parviendrait-elle à le raisonner. Elle en doutait fort mais elle devait essayer.

— Quel est le rapport avec les Thunder Horse ?

— Un soir où elle avait trop bu, ce qui lui arrivait souvent après notre retour dans la réserve car elle était dépressive, ma mère a laissé échapper un secret. Un secret qui m'a tout fait comprendre. William Yost, mon père, était amoureux de la femme qui a épousé John Thunder Horse, pas de ma mère.

— Et alors ?

— Et, de son côté, ma mère était amoureuse de John Thunder Horse. Ils se voyaient souvent jusqu'à ce que Thunder Horse rencontre sa future épouse. Et, à ce moment-là, ma mère était enceinte.

Emma réfléchit aux implications des propos de Ryan.

— Vous prétendez que John Thunder Horse était votre père ?

— Evidemment. Il a laissé tomber ma mère quand elle était enceinte. Et, par dépit, elle a épousé quelques mois plus tard l'homme qui s'est fait passer pour mon père.

Ryan se plaqua une main sur la poitrine.

— C'est moi qui aurais dû grandir au ranch Thunder Horse, et pas dans le trou à rats qu'était la réserve. Tout ce qui est à eux aurait dû être à moi !

— Mais comment pouvez-vous en être sûr ? Avez-vous fait des tests ADN ?

— Regardez-moi et osez me dire que je ne ressemble pas à un Thunder Horse !

Il s'approcha d'elle à grands pas et la prit par le bras pour l'obliger à le regarder.

— Je n'ai aucun trait commun avec William Yost.

— C'est parce que tu ressembles à ta mère ! tonna le shérif Yost.

Il venait d'arriver dans le salon, son arme à la main. Il referma la porte derrière lui.

— Ryan, qu'est-ce que tu fais ?

— Papa, répliqua Ryan d'un ton fielleux. Je suis tellement heureux que tu sois venu pour le *coming out* de ton *fils*. Je t'en prie, assieds-toi, nous attendons encore notre dernier invité.

Il y eut alors un bruit de pas de l'autre côté de la porte.

— Emma ! appela une voix.

— Dante, n'entre pas ! s'exclama-t-elle.

Ryan lui passa le bras autour du cou et la tint contre lui.

— Bouclez-la !

Dante ouvrit brusquement la porte. Son regard brillait de fureur.

— Ryan, lâche-la, elle ne t'a rien fait.

— Oh non, certainement pas. Il y a trop longtemps que j'attends ce moment.

— Qu'est-ce que tu veux ? Le ranch ? De l'argent ? Quoi ? lui demanda Dante qui avança de quelques pas.

— Ne bouge plus, lui ordonna Ryan, appliquant son revolver sur la tempe d'Emma. Un pas de plus et je la tue.

— Pourquoi fais-tu cela, fils ? lui demanda le shérif.

— Parce que je ne suis pas ton fils, justement.

— Qu'est-ce que tu racontes ?

— Ma mère m'a révélé son secret. Un secret que toi tu as toujours connu, je parie. Elle a eu une relation avec John Thunder Horse avant que tu l'épouses et avant que lui se marie avec Amelia. Quand tu t'es marié avec ma mère, elle était enceinte. Je suis né huit mois après votre mariage. Etonnant, non ?

Le shérif Yost leva la main.

— Doucement, Ryan. Où es-tu allé chercher cette histoire absurde ?

— Maman m'a tout avoué, je viens de te le dire. Tu l'as chassée de chez toi pour la renvoyer vivre dans la réserve. Si j'avais été ton fils, tu ne l'aurais pas laissée m'emmener sans rien faire.

Ryan eut un rictus de haine et poursuivit :

— Quand elle m'a dit que j'étais le fils de John Thunder Horse, tout est devenu parfaitement clair. Tu me détestais et tu en voulais à maman pour ce qu'elle avait fait.

Ryan resserra encore son étreinte sur Emma. Elle parvenait à peine à respirer et se débattit.

— Lâche Emma, l'implora Dante. Quoi qu'il ait pu se passer entre ta mère et ton père, elle n'y est pour rien.

— Non, je ne la lâcherai pas. Tes frères et toi, vous avez mené la vie que *moi* j'aurais dû avoir. Et pendant ce temps-là, je végétais dans un bungalow préfabriqué avec une mère qui buvait pour oublier son triste sort. Quand elle se mettait en colère, elle ne faisait que me répéter que, comparé à tes frères et toi, je ne valais rien.

— Ryan, intervint le shérif, j'ignore pourquoi ta mère t'a raconté tout cela mais ce n'est qu'un tissu de mensonges. J'ai essayé d'obtenir ta garde, mais le tribunal a refusé de s'opposer au conseil tribal. Car ta mère avait affirmé qu'elle souhaitait t'élever dans la tradition de tes ancêtres. Je n'ai rien pu faire, je n'avais aucun recours. Mais je t'aimais, je souhaitais que tu vives avec moi.

— Alors pourquoi tu nous as jetés dehors, maman et moi ?

— Je n'ai rien fait de tel.

Le shérif avança d'un pas supplémentaire.

— Tu dois me croire. Ta mère avait des problèmes. Elle avait des tendances mythomanes. Elle aimait John Thunder Horse mais ce n'était pas réciproque. Au départ, elle a fait comme si ce n'était pas important, mais je pense qu'en fait elle ne s'en est jamais remise. Quand je l'ai compris, nous étions déjà mariés. Et comme tu devais venir au monde quelques mois plus tard, je ne voulais pas la quitter.

— Mensonges ! Tu nous as fichus dehors !

— C'est ce qu'elle t'a raconté ? reprit calmement le shérif. C'est faux. C'est elle qui est partie, et elle t'a emmené pour me punir.

— Non, non, non, ne raconte pas de salades. Tu ne m'as

jamais aimé, tu as fichu ma vie en l'air. Mais maintenant, c'est moi qui vais ruiner la tienne.

La main de Ryan qui tenait l'arme tremblait.

— Je veux que tu flingues Dante. Si tu ne le fais pas, c'est moi qui tue Emma.

— A quoi cela t'avancera-t-il que Dante soit mort ?

— Ça fera un Thunder Horse en moins et il sera mort de ta main. Amelia ne te pardonnera jamais d'avoir tué un de ses fils.

Ryan avait les yeux exorbités.

— Maintenant, tire, sinon elle meurt !

Dante se tourna vers le shérif.

— Obéissez. Tirez-moi dessus, c'est la seule façon d'épargner Emma. D'autant que s'il continue à la serrer aussi fort il va finir par l'étrangler.

— Non, je ne peux pas faire ça, rétorqua le shérif.

— Ecoutez, shérif, je ne vous ai jamais fait confiance et je ne crois pas que vous soyez assez bien pour ma mère. Alors si vous voulez me prouver que je me suis trompé sur vous, c'est maintenant. Tirez !

Dante leva les bras et jeta un regard à Emma. Elle était au bord de suffoquer.

— Allez !

Avec un peu de chance, le shérif ne ferait que le blesser, escomptait Dante. Si Ryan le croyait mort, peut-être relâcherait-il son étreinte sur Emma.

Le shérif leva son arme et visa.

— Que Dieu ait pitié de moi, dit-il avant de presser la détente.

Une violente douleur au bras frappa Dante et l'impact le fit tomber au sol.

A ce spectacle, Ryan lâcha Emma qui tomba à genoux et respira bouche ouverte.

Ryan pointa alors son arme sur son père.

— Et maintenant, à moi d'apparaître comme le héros qui a abattu l'homme qui a tiré sur le fils d'Amelia. Tu seras également accusé d'avoir posé les explosifs que j'ai installés tout autour de la maison.

Avant qu'il puisse faire feu, Dante tendit la jambe et le déséquilibra d'un balayage. Le coup partit mais la balle alla se ficher dans le plafond. Ryan tomba à plat dos et son arme lui gicla des mains. Emma eut le réflexe de donner un coup de pied dans le revolver pour qu'il soit hors de portée.

— Non, ne réduisez pas mes plans à néant ! s'exclama Ryan qui la saisit par les cheveux.

Dante serra les dents, se redressa et, de sa main valide, parvint à attraper Ryan par le cou et à l'immobiliser.

Tuck et Pierce se précipitèrent alors dans la pièce, suivis de Maddox et du reste de la famille.

Tuck immobilisa Ryan.

— Tiens-lui les bras, ordonna Dante. Il a affirmé avoir posé des explosifs autour de la maison et il pourrait avoir un détonateur sur lui.

Tuck fut prompt à saisir le message. Il passa les bras de Ryan dans son dos, le menotta puis lui fouilla les poches et en sortit un petit boîtier.

— Vous êtes en état d'arrestation. Vous avez le droit de garder le silence…

Tandis que Tuck terminait de réciter ses droits à Ryan, Dante s'efforça de se relever pour s'approcher d'Emma. Elle se tortillait dans tous les sens pour se lever malgré ses poignets liés.

Maddox s'approcha d'eux.

— C'est bon, Dante, je vais m'en occuper.

A l'aide d'un canif, il coupa les liens d'Emma.

Dès qu'elle fut libre, elle passa les bras autour des épaules de Dante.

— Mon Dieu, j'ai cru que tu étais mort. Pourquoi avoir ordonné au shérif de te tirer dessus ?

— Tu étais en train d'étouffer. Ryan était tellement dément qu'il ne se rendait même plus compte qu'il t'étranglait. S'il t'avait serrée ne serait-ce qu'une minute de plus, tu aurais perdu connaissance.

Quand il voulut bouger son bras, il fit une grimace de douleur.

— Je suis en train de mettre du sang sur tes vêtements, dit-il.

— Oh ! mais tu saignes, évidemment. Allonge-toi. Il faut appeler une ambulance ! lança-t-elle aux autres.

Pierce apparut avec une serviette à la main.

— Tenez, faites un garrot autour de la blessure pour stopper l'hémorragie.

Tuck appela le 911 et demanda une ambulance ainsi que la brigade de déminage.

Maddox aida Dante à retirer sa veste, puis Emma nettoya la blessure et confectionna le garrot.

— Emma…, souffla Dante en lui attrapant le poignet.

— Je te fais mal ?

— Si tu savais à quel point.

— Je suis désolée mais si je desserre, tu saigneras de nouveau.

Il eut un petit rire.

— Ce n'est pas mon bras qui va saigner, mais mon cœur.

— Je ne comprends pas.

— Grâce à toi, j'ai de nouveau des sentiments.

Il lui prit la main et la déposa sur son torse.

— Tu sens ? J'ai tellement eu peur pour toi que j'ai cru mourir.

Le regard d'Emma s'embua de larmes.

— Je suis désolée. Je ne veux pas te faire souffrir. Je sais combien Samantha a compté pour toi. J'étais partie de mon côté car j'avais l'intention de retourner à Grand Forks pour ne pas te donner l'impression que tu devais choisir entre elle et moi.

— Je comprends. Moi, je pensais que je ne pourrais plus jamais aimer. Mais tu m'as sauvé la vie, au péril de la tienne.

— Je l'aurais fait de toute façon, je ne pouvais pas regarder cet homme t'abattre sans rien faire.

— Je sais et c'est ce qui me plaît en toi. Tu es altruiste, courageuse, généreuse. Et tellement belle !

— Oh non, je ne suis qu'une simple prof pas très douée pour les relations sociales.

— Non, tu as toutes les qualités que je viens d'énumérer, et il n'y a que toi qui n'en sois pas convaincue. Tu es la plus belle femme que je connaisse. Tu m'as fait comprendre que je n'avais pas à choisir. J'ai le droit de t'aimer sans pour autant trahir le souvenir de Samantha.

Emma eut un rire mêlé de sanglots d'émotion.

— Tu n'aurais pas parlé à ta mère, par hasard ?

— Elle est beaucoup plus intelligente que moi. Plus jamais je ne la sous-estimerai. Ni toi non plus.

Tuck remit Ryan debout et le tira vers la porte. Au même moment arrivèrent l'ambulance et une voiture de la police fédérale. Pour ne pas prendre de risques, tout le monde fut contraint de sortir.

On fit monter Ryan dans la voiture de police pour l'emmener à Bismarck, où il devrait répondre à une multitude de chefs d'inculpation.

Le shérif Yost, très affecté, insista néanmoins pour rester sur place et s'assurer que personne ne pénétrait dans la maison, sans doute entourée d'explosifs.

Dante laissa les infirmiers panser sa blessure mais refusa d'aller à l'hôpital.

— Je veux rester là pour être certain que ma fiancée ne va pas m'échapper, dit-il tandis qu'il était allongé sur une civière, la main d'Emma dans la sienne.

Celle-ci lui retourna un sourire teinté de tristesse.

— Tout est terminé, tu sais. Tu n'as plus à veiller sur moi. Je peux retourner à Grand Forks.

— C'est ce que tu veux ? lui demanda-t-il.

Elle baissa la tête et regarda ses chaussures.

— Tu m'as avertie que tu ne pouvais pas m'offrir de garanties sur notre avenir.

— Je sais, et j'ai eu tort.

Sa mère s'approcha et lui posa la main sur l'épaule.

— Dante.

— Une minute, maman, s'il te plaît.

— Non, j'insiste. Si tu veux vraiment bien faire les choses, prends ceci.

Elle retira un gant et enleva la bague en diamant qu'elle portait au doigt. La bague que son père lui avait offerte trente ans plus tôt quand il l'avait demandée en mariage, se souvint Dante. Elle la lui déposa dans la paume.

— Maintenant, tu peux y aller.

Dante observa la bague, bouleversé. Quand il releva la tête vers Emma, il savait quels mots prononcer.

Emma contemplait elle aussi la bague, les yeux humides.

— Je ne veux pas que tu aies pitié de moi, tu sais.

— Pitié ? Tu penses que je serais prêt à me mettre à genoux devant toi par pitié ? Emma, nous n'avons passé que quelques jours ensemble, mais pour moi ils compteront à jamais plus que des années entières. Tu m'as sauvé la vie, tu m'as montré que je devais regarder devant et il n'y a personne d'autre que toi avec qui je désire partager l'avenir. Veux-tu m'épouser ?

Emma se mit à trembler et s'assit.

— Tu le désires vraiment ?

— Oh oui, jamais je n'ai été aussi sûr de moi.

Il lui prit de nouveau la main.

— Epouse-moi.

Elle acquiesça, manifestement incapable de prononcer un mot.

Il lui passa la bague au doigt et son regard brilla de bonheur. Il se redressa, la serra contre lui de son bras valide.

— Maman, Pierce, Maddox, Tuck, je vous présente ma

fiancée, la magnifique Emma Jennings. Nous allons nous marier.

— Je croyais que vous étiez déjà fiancés, déclara Pierce.

Dante lui sourit.

— Grand frère, tu devrais savoir que tout est dans la bague.

17

Emma se tenait dans l'entrée de la maison, vêtue de la ravissante robe de mariée d'Amelia, le cœur battant de trac. Quand les premières notes de la marche nuptiale de Mendelssohn retentirent, elle avança.

Maddox, vêtu d'un smoking seyant, lui offrit son bras et la conduisit dans le salon où Dante l'attendait en compagnie de ses frères sur sa droite, de leurs épouses sur sa gauche et, face à lui, d'un officier de l'état civil venu de Medora.

C'était le matin de Noël, le soleil brillait, comme pour lui promettre la plus belle journée de sa vie. Elle était tellement émue qu'elle en avait du mal à respirer. Tout s'était passé si vite. Toute la famille Thunder Horse s'était pliée en quatre pour que le mariage puisse avoir lieu sans délai.

Et le moment était venu. Elle allait devenir madame Thunder Horse.

Dante se tenait droit, superbe dans son smoking, ses cheveux noirs tirés en arrière, le regard étincelant quand il la vit approcher.

Amelia était assise au premier rang avec Sean à sa droite. Le reste des autres chaises étaient occupées par les invités. Dans un coin se dressait un imposant sapin de Noël dont la guirlande électrique clignotait gaiement.

Elle jeta un œil par la fenêtre : le paysage était couvert de neige. C'était un véritable Noël blanc, un vrai décor de conte de fées pour un jour inoubliable.

Elle s'avança vers Dante et, un instant, crut rêver. Allait-elle brusquement se réveiller dans son appartement, toute seule ?

Mais lorsque Dante lui sourit, avec dans le regard tellement de douceur et d'amour, elle fut rassurée : c'était la réalité.

Il lui tendit la main, qu'elle prit sans hésiter.

— Emma Jennings, voulez-vous prendre pour époux Dante Thunder Horse, l'aimer et l'honorer jusqu'à ce que la mort vous sépare ?

— Oui, je le veux, répondit-elle d'une voix claire et pleine de certitude.

— Et vous, Dante, souhaitez-vous prendre pour épouse…

Dante leva les mains et les joignit :

— Je veux prendre Emma pour épouse et je promets de l'aimer jusqu'à la fin de mes jours. Pouvons-nous faire court ? je n'en peux plus d'attendre pour embrasser ma nouvelle épouse…

Un éclat de rire parcourut l'assistance, et Dante la prit dans ses bras, l'embrassa passionnément devant tout le monde.

Quand il mit fin à leur baiser, elle n'avait plus de souffle mais sourit aux invités.

L'officier de l'état civil haussa les épaules.

— Ils ont dit oui. Mesdemoiselles, mesdames, messieurs, vous pouvez tous féliciter monsieur et madame Thunder Horse. Que le Grand Esprit les bénisse et qu'ils soient heureux.

— C'est dit, la famille compte officiellement un nouveau membre, déclara Tuck.

— Oui, renchérit Maddox, et ça va continuer. Katya est enceinte.

Tuck émit un sifflement.

— Vous êtes sans arrêt tous les deux aux quatre coins du globe mais vous avez quand même trouvé le temps de faire un bébé, vous m'épatez ! Mais moi aussi j'ai une annonce à faire.

Il prit Lily dans ses bras et reprit :

— Lily va bientôt avoir une petite sœur. Julia est elle aussi enceinte !

Amelia se leva et porta les mains à sa bouche, comme abasourdie.

— Une nouvelle belle-fille et bientôt deux autres petits-enfants. Je suis comblée.

Tous se tournèrent vers Dante et Emma.

— Vous savez ce qu'il vous reste à faire si vous voulez que nos enfants grandissent tous ensemble, leur lança Tuck.

— Promis, on va y penser, répondit Dante.

De nouveau, il embrassa Emma.

Elle rayonnait, ivre de bonheur. Epouser Dante et faire partie d'une famille aussi merveilleuse était plus qu'elle n'aurait jamais espéré. Enfin la vie lui souriait.

Amour + suspense = Black Rose

www.harlequin.fr

OFFRE DE BIENVENUE

Vous êtes fan de la collection Black Rose ?
Pour prolonger le plaisir, recevez gratuitement

◆ 2 romans Black Rose gratuits ◆
et 2 cadeaux surprise !

Une fois votre colis de bienvenue reçu, si vous souhaitez continuer à recevoir nos romans Black Rose, cela se fera automatiquement. Vous recevrez alors chaque mois 3 volumes doubles inédits de cette collection au tarif unitaire de 7,40€ (Frais de port France : 1,95€ - Frais de port Belgique : 3,95€).

➡ ET AUSSI DES AVANTAGES EXCLUSIFS :

➡ LES BONNES RAISONS DE S'ABONNER :

Des cadeaux tout au long de l'année.
◆
Des réductions sur vos romans par le biais de nombreuses promotions.
◆
Des romans exclusivement réédités notamment des sagas à succès.
◆
L'abonnement systématique et gratuit à notre magazine d'actu ROMANCE.
◆
Des points fidélité échangeables contre des livres ou des cadeaux.

Aucun engagement de durée ni de minimum d'achat.
◆
Aucune adhésion à un club.
◆
Vos romans en avant-première.
◆
La livraison à domicile.

◆ **REJOIGNEZ-NOUS VITE EN COMPLÉTANT ET EN NOUS RENVOYANT LE BULLETIN !**

✂ ·····························

N° d'abonnée (si vous en avez un) ⊔⊔⊔⊔⊔⊔⊔⊔⊔⊔⊔

IZ5F09
IZ5FB1

Mme ❏ Mlle ❏ Nom : .... Prénom : ....

Adresse : ....

CP : ⊔⊔⊔⊔⊔ Ville : ....

Pays : .... Téléphone : ⊔⊔⊔⊔⊔⊔⊔⊔⊔⊔

E-mail : ....

Date de naissance : ⊔⊔ ⊔⊔ ⊔⊔⊔⊔

❏ Oui, je souhaite être tenue informée par e-mail de l'actualité d'Harlequin.

❏ Oui, je souhaite bénéficier par e-mail des offres promotionnelles des partenaires d'Harlequin.

Renvoyez cette page à : Service Lectrices Harlequin – BP 20008 – 59718 Lille Cedex 9 - France

Vous n'avez pas le temps de lire tous les
romans Harlequin ce mois-ci ?
**Découvrez les 4 meilleurs
avec notre sélection :**

[COUP DE
CŒUR]

OFFRE DÉCOUVERTE !

Vous souhaitez découvrir nos collections ? Recevez **2 romans gratuits*** et **2 cadeaux surprise !** Une fois votre colis de bienvenue reçu, si vous souhaitez continuer à recevoir nos romans, cela se fera automatiquement. Vous recevrez alors chaque mois vos romans inédits en avant première.

Vous n'avez aucune obligation d'achat et cette offre est sans engagement de durée !

*1 roman gratuit pour les collections Nocturne et Best-sellers suspense. Pour les collections Sagas et Sexy, le 1er envoi est payant avec un cadeau offert

☞ COCHEZ la collection choisie et renvoyez cette page au
Service Lectrices Harlequin – BP 20008 – 59718 Lille Cedex 9 – France

Collections	Références	Prix colis France* / Belgique*
❑ AZUR	ZZ5F56/ZZ5FB2	6 romans par mois 27,25€ / 29,25€
❑ BLANCHE	BZ5F53/BZ5FB2	3 volumes doubles par mois 22,84€ / 24,84€
❑ LES HISTORIQUES	HZ5F52/HZ5FB2	2 romans par mois 16,25€ / 18,25€
❑ BEST SELLERS	EZ5F54/EZ5FB2	4 romans tous les deux mois 31,59€ / 33,59€
❑ BEST SUSPENSE	XZ5F53/XZ5FB2	3 romans tous les deux mois 24,45€ / 26,45€
❑ MAXI**	CZ5F54/CZ5FB2	4 volumes triples tous les deux mois 30,49€ / 32,49€
❑ PASSIONS	RZ5F53/RZ5FB2	3 volumes doubles par mois 24,04€ / 26,04€
❑ NOCTURNE	TZ5F52/TZ5FB2	2 romans tous les deux mois 16,25€ / 18,25€
❑ BLACK ROSE	IZ5F53/IZ5FB2	3 volumes doubles par mois 24,15€ / 26,15€
❑ SEXY	KZ5F52/KZ5FB2	2 romans tous les deux mois 16,19€ / 18,19€
❑ SAGAS	NZ5F54/NZ5FB2	4 romans tous les deux mois 29,29€ / 31,29€

*Frais d'envoi inclus

**L'abonnement Maxi est composé de 2 volumes Edition spéciale et de 2 volumes thématiques

N° d'abonnée Harlequin (si vous en avez un) | | | | | | | | | | |

Mme ❑ Mlle ❑   Nom : _____

Prénom : _____   Adresse : _____

_____

Code Postal : | | | | | | Ville : _____

Pays : _____   Tél. : | | | | | | | | | |

E-mail : _____

Date de naissance : _____

❑ Oui, je souhaite recevoir par e-mail les offres promotionnelles des éditions Harlequin.
❑ Oui, je souhaite recevoir par e-mail les offres promotionnelles des partenaires des éditions Harlequin.

Date limite : 31 décembre 2015. Vous recevrez votre colis environ 20 jours après réception de ce bon. Offre soumise à acceptation et réservée aux personnes majeures, résidant en France métropolitaine et Belgique, dans la limite des stocks disponibles. Prix susceptibles de modification en cours d'année.Conformément à la loi Informatique et libertés du 6 janvier 1978, vous disposez d'un droit d'accès et de rectification aux données personnelles vous concernant. Par notre intermédiaire, vous pouvez être amenée à recevoir des propositions d'autres entreprises. Si vous ne le souhaitez pas, il vous suffit de nous écrire en nous indiquant vos nom, prénom et adresse à : Service Lectrices Harlequin BP 20008 59718 LILLE Cedex 9. Service Lectrices disponible du lundi au vendredi de 8h à 17h : 01 45 82 47 47 ou 33 1 45 82 47 47 pour la Belgique.